Introdução à programação neurolingüística

Dados Internacionais de Catalogação na Publicação (CIP)
(Câmara Brasileira do Livro, SP, Brasil)

O'Connor, Joseph
Introdução à programação neurolingüística: como entender e influenciar as pessoas / Joseph O'Connor, John Seymour [tradução de Heloísa Martins-Costa]. São Paulo: Summus, 1995.

Título original: Introducing neuro-linguistic programming: psychological skills for understanding and influencing people.
ISBN 978-85-323-0471-1

1. Programação neurolingüística I. Seymour, John II. Título.

95-2048   CDD-158.1

Índice para catálogo sistemático:

1. Programação neurolingüística: Psicologia aplicada 158.1

Compre em lugar de fotocopiar.
Cada real que você dá por um livro recompensa seus autores
e os convida a produzir mais sobre o tema;
incentiva seus editores a encomendar, traduzir e publicar
outras obras sobre o assunto;
e paga aos livreiros por estocar e levar até você livros
para a sua informação e o seu entretenimento.
Cada real que você dá pela fotocópia não autorizada de um livro
financia o crime
e ajuda a matar a produção intelectual em todo o mundo.

Introdução à programação neurolingüística
Como entender e influenciar as pessoas

Joseph O'Connor
John Seymour

summus
editorial

Do original em língua inglesa
INTRODUCING NEURO-LINGUISTIC PROGRAMMING
Psychological skills for understanding and influencing people
Copyright © 1990 by Joseph O'Connor e John Seymour
Direitos desta tradução adquiridos por Summus Editorial

Tradução: **Heloísa Martins-Costa**
Revisão dos originais: **Eliana Rocha**
Produção editorial: **Laura Bacellar**
Capa: **Carlo Zuffellato/Paulo Humberto Almeida**
Impressão: **Sumago Gráfica Editorial Ltda.**

Summus Editorial
Departamento editorial:
Rua Itapicuru, 613 – 7º andar
05006-000 – São Paulo – SP
Fone: (11) 3872-3322
Fax: (11) 3872-7476
http://www.summus.com.br
e-mail: summus@summus.com.br

Atendimento ao consumidor:
Summus Editorial
Fone: (11) 3865-9890

Vendas por atacado:
Fone: (11) 3873-8638
Fax: (11) 3873-7085
e-mail: vendas@summus.com.br

Impresso no Brasil

Como o compositor criativo, algumas pessoas têm a capacidade de aproveitar melhor a vida do que outras. Elas influenciam os que as cercam, mas o processo é interrompido neste ponto, porque não existe uma maneira de descrever em termos técnicos o que elas fazem, já que seu comportamento é em grande parte inconsciente. Num futuro distante, quando a cultura tiver sido mais explorada, haverá o equivalente a pautas musicais que poderão ser aprendidas, uma para cada tipo de homem ou mulher, para cada tipo de profissão e relacionamento, para o tempo, o espaço, o trabalho e o lazer. Existem pessoas bem-sucedidas e felizes, que têm empregos produtivos e gratificantes. Quais são as determinantes, os detalhes e os padrões que diferenciam a vida dessas pessoas da daquelas que têm menos sorte? Precisamos encontrar uma maneira de diminuir o lado fortuito da vida e torná-la mais prazerosa.

Edward T. Hall
The Silent Language

**Para todos os idealistas pragmáticos
dotados de espírito de curiosidade**

ÍNDICE

Agradecimentos 11
Apresentação de Robert Dilts 13
Prefácio de John Grinder 14
Introdução 15
Introdução à segunda edição 17

CAPÍTULO 1
Estabelece o contexto e faz o mapeamento das principais idéias da PNL: como passar da realidade atual ao ponto aonde queremos chegar, objetivos, comunicação, como estabelecer *rapport* e criar maneiras únicas de compreender o mundo.

O que é programação neurolingüística 19
Santa Cruz, Califórnia, 1972 20
Santa Cruz, 1976 21
Mapas e filtros 22
Aprender, desaprender e reaprender 24
O seminário de três minutos 26
Objetivos 27
Estado atual e estado desejado 32
Comunicação 33
Empatia 36
Espelhar e conduzir 39

CAPÍTULO 2
Trata da maneira como usamos internamente nossos sentidos para pensar, como a linguagem se relaciona ao pensamento e como compreender a maneira como as outras pessoas pensam.

As portas da percepção 42
Sistemas representacionais 43
Sistemas representacionais preferidos 46
A linguagem e os sistemas representacionais 47
Predicados 48
Sistema orientador 49

Cinestesias, justaposição e tradução 50
Pistas de acesso visuais 52
Outras pistas de acesso 56
Submodalidades 58

CAPÍTULO 3
Trata dos estados mentais, como evocá-los e usar os estímulos ou âncoras para ter acesso a estados mentais criativos.

Estados fisiológicos e liberdade emocional 65
Evocação 67
Calibração 68
Âncoras 69
Ancoragem de recursos 71
Encadeamento de âncoras 75
Desintegração de âncoras 76
Mudança de história pessoal 78
Ponte para o futuro 79
Gerador de novos comportamentos 81

CAPÍTULO 4
Ensina a pensar em termos de sistemas, em vez de em relação de causa e efeito. Aborda alguns dos trabalhos recentes desenvolvidos por Robert Dilts sobre a maneira como o ambiente, o comportamento, a aptidão, as crenças e a identidade se sobrepõem.

Circuitos e sistemas 82
Círculos de aprendizagem 86
Do fracasso ao *feedback* 87
Níveis de aprendizagem 88
Descrições da realidade 90
Descrição tripla 91
Robert Dilts: O campo unificado da PNL 92
Crenças 97

CAPÍTULO 5
Descreve a maneira como a linguagem estabelece limites para a nossa experiência e como podemos transpô-los. O metamodelo propõe perguntas-chaves que podem esclarecer o que as pessoas dizem.

Palavras e significados 102
Pensando em voz alta 104
Como entender as palavras — o metamodelo 105
Dizendo tudo — a estrutura profunda 106
Sujeitos não especificados 107
Verbos não especificados 108

Comparações 109
Julgamentos 110
Substantivações 110
Operadores modais de possibilidade 111
Operadores modais de necessidade 113
Quantificadores universais 114
Equivalência complexa 116
Pressuposições 116
Relação de causa e efeito 117
Leitura da mente 119

CAPÍTULO 6
Como usar a linguagem de maneira engenhosamente vaga para se adaptar à experiência de outra pessoa e permitir-lhe ter acesso aos recursos inconscientes — o chamado Modelo Milton, criado pelo mundialmente famoso hipnoterapeuta Milton Erickson. Há uma seção sobre metáforas, outra sobre a mudança de significado da experiência e uma terceira sobre a maneira subjetiva como percebemos o tempo.

Interiorização e exteriorização 125
O Modelo Milton 127
Acompanhar e orientar 128
A procura do significado 129
Distração e utilização da mente consciente 130
Os dois hemisférios do cérebro 132
Como ter acesso ao inconsciente e aos recursos 133
Metáfora 135
O príncipe e o mágico 138
Ressignificação e transformação do significado 140
Ressignificação de contexto 142
Ressignificação de conteúdo 143
Intenção e comportamento 144
Ressignificação em seis etapas 145
Linhas temporais 148
No tempo e através do tempo 151
Conversando com o tempo 153

CAPÍTULO 7
Examina outros padrões de PNL, como conflitos, alinhamento, valores e flexibilidade no contexto de negócios. Como tornar as reuniões mais eficientes e chegar a um acordo em situações difíceis.

Conflito e congruência 154
Identificação do sinal de congruência 155
Identificação do sinal de incongruência 155
Valores e critérios 156

Hierarquia de critérios 158
O jogo da escada — subindo e descendo 159
Metaprogramas 162
Vendas 170
Estruturas 171
Reuniões 173
Negociação 176

CAPÍTULO 8
Focaliza o uso da PNL na terapia e na mudança pessoal e descreve três técnicas clássicas da PNL: o *swish*, a cura rápida de fobia e a resolução de conflitos internos.

Psicoterapia 181
Mudança de primeira ordem 182
A cura rápida de fobia 183
O padrão *swish* 186
Mudança de segunda ordem 188
Conflito interno 188

CAPÍTULO 9
Trata das estratégias mentais, com exemplos práticos. Também são apresentadas a estratégia de memória musical e a estratégia criativa modelada de Walt Disney.

Aprendizagem através da modelagem 191
Como a modelagem da PNL começou 191
Modelagem 193
Crenças 194
Fisiologia 196
Estratégias 196
Receita para o sucesso 197
Estratégia musical 199
Estratégia de memorização 201
Estratégia de criatividade 203
De volta à modelagem 207
PNL, modelagem e aprendizagem acelerada 210
Guia do usuário 211

EPÍLOGO
Uma breve análise teórica de como a PNL reflete a mudança na nossa cultura, como o processo de mudança do mundo mental interior reflete o nível cada vez maior da mudança ocorrida no mundo exterior.
Investindo em si mesmo 216
Como escolher um treinamento de PNL 219

GLOSSÁRIO 221

AGRADECIMENTOS

Gostaríamos de agradecer a muitas pessoas pela inspiração e ajuda que obtivemos ao escrever este livro.

Em primeiro lugar, queremos expressar nosso reconhecimento aos criadores da PNL, Richard Bandler e John Grinder. Também gostaríamos de agradecer a John Grinder, que leu os originais, nos deu informações preciosas, que incorporamos ao texto, e escreveu o prefácio.

Também queremos dar créditos e expressar nosso reconhecimento a muitas outras pessoas que ampliaram as idéias originais, em especial a Robert Dilts, que nos últimos dez anos vem tendo muita influência no desenvolvimento da PNL. Nossa gratidão a Robert por nos permitir usar o material sobre as estratégias e o campo unificado. Ele nos prestou uma ajuda inestimável, transmitindo-nos livremente suas idéias e nos inspirando profundamente.

David Gester também nos ajudou e incentivou muito. Obrigado, David, e que os seus vôos sempre lhe dêem prazer.

Nossos agradecimentos a Sue Quilliam e Ian Grove-Stevenson, que nos colocaram no caminho certo desde o início.

Também gostaríamos de agradecer a Norah McCullah pela datilografia, a Francis Vine pelas pesquisas, a Michael Bree pela ajuda na compilação de informações sobre os livros de PNL, e a Carole Marie e Ruth Trevenna pelas sugestões e incentivo nos momentos difíceis.

Muito obrigado a Eileen Campbell e Elizabeth Hutchins, da Thorsons, pelo apoio e atenção.

Nosso reconhecimento a John Fowles and Anthony Sheil Associates Ltd. pela permissão de citar "O príncipe e o mágico", de *The magus*, de John Fowles, publicado por Jonathan Cape and Sons.

E, por fim, temos um débito de gratidão para com os inventores desta maravilhosa máquina, o computador Macintosh, que facilitou enormemente a redação deste livro.

Joseph O'Connor
John Seymour
agosto de 1989

APRESENTAÇÃO

É sempre um prazer ver que estudiosos dedicados e sérios da PNL estão pondo em prática seus talentos. Neste caso, Joseph O'Connor e John Seymour fizeram um excelente trabalho, apresentando os princípios e as ferramentas fundamentais da PNL de uma maneira fácil e acessível. Escrito num estilo agradável e informal, este livro consegue preservar a riqueza e a sofisticação do material apresentado — satisfazendo assim a famosa afirmação de Einstein: "Tudo deve ser apresentado da maneira mais simples possível, porém não mais simples do que isso".

Mais importante ainda, este livro apresenta uma introdução e uma visão geral atualizada da PNL, incorporando suas últimas descobertas e revendo seus fundamentos. Parabéns aos dois autores, que estão ajudando a construir as bases da PNL para a próxima década!

Robert B. Dilts
Santa Cruz, Califórnia
dezembro de 1989

PREFÁCIO

As pessoas sensatas adaptam-se ao mundo. As pessoas insensatas adaptam o mundo a si mesmas. Por isso, o progresso depende das pessoas insensatas.

Goerge Bernard Shaw

Quando registrada, a história tem muito em comum com o som emitido pelo criador da última cura milagrosa, pelo diplomata e pelo apologista. Aliás, não poderia ser diferente. Para os povos de culturas que não foram tocadas pela escrita a tradição oral é ao mesmo tempo um consolo e um desafio: um consolo no que diz respeito ao ordenamento e ao fluxo imperativo dos acontecimentos, e um desafio para os cantores, testemunhas do caos, que devem se adaptar à métrica e à extensão da crônica que cantam. Sem dúvida, após algum tempo, uma abençoada amnésia os envolve e eles passam a cantar com maior convicção.

Gregory Bateson faz uma advertência sobre o triângulo mortífero da tecnologia, a propensão da nossa espécie a substituir o contexto vivo físico (a floresta da bacia Amazônica) pelo contexto artificial (as ruas de Nova York), e o planejamento consciente sem o equilíbrio do processo inconsciente. Tom Malloy (em seu brilhante romance *The curtain of dawn*) corrige a impropriedade verbal de Charles Darwin, que se referiu à "sobrevivência do mais capaz", quando o mais verdadeiro seria dizer "sobrevivência do *capacitador*".

O'Connor e Seymour se propuseram a fazer de uma aventura escandalosa uma história coerente. A selva que Richard e eu exploramos é estranha e extraordinária. Esses homens admiráveis e bem-intencionados vão mostrar ao leitor imagens rápidas de um jardim inglês bem-cuidado e adequado. Tanto a selva como o jardim têm seus encantos.

O que o leitor vai ler neste livro nunca aconteceu, mas parece sensato, mesmo para mim.

John Grinder
dezembro 1989

INTRODUÇÃO

Este livro é uma introdução à programação neurolingüística. A PNL é a arte e a ciência da excelência, derivada do estudo de como pessoas altamente qualificadas em vários campos obtêm resultados excepcionais. Qualquer pessoa pode aprender técnicas de comunicação para aumentar sua eficiência pessoal e profissional.

Este livro descreve muitos dos modelos de excelência que a PNL criou no campo da comunicação, dos negócios, da educação e da terapia. A abordagem é prática, dá resultados e é cada vez mais utilizada em muitas disciplinas no mundo inteiro.

A PNL continua a crescer e a gerar novas idéias. Os autores deste livro têm consciência de que, comparativamente, os livros são fixos e estáticos. Cada livro é um testemunho do momento em que foi escrito, um instantâneo do assunto. Entretanto, só porque uma pessoa será diferente amanhã não há por que não fotografá-la hoje.

Deve-se pensar neste livro como um degrau que vai permitir a exploração de um novo território, numa jornada estimulante que vai durar o resto da vida. Ele representa a visão pessoal dos autores sobre a PNL, mas não é uma versão definitiva ou oficial. Aliás, tal versão nunca existirá dada a própria natureza da PNL. Como este livro é uma introdução, tivemos que decidir o que incluir e o que deixar de fora. O resultado é uma das várias maneiras possíveis de organizar o material.

A PNL é um modelo de como as pessoas estruturam sua experiência pessoal. É apenas uma maneira de entender e organizar a fantástica e bela complexidade do pensamento e da comunicação do ser humano. Esperamos que, por sermos dois autores, esta descrição da PNL tenha uma maior profundidade, o que não aconteceria se apenas uma pessoa o escrevesse. A profundidade é percebida quando se olha um objeto com ambos os olhos. O mundo é plano quando visto com apenas um dos olhos.

A PNL representa uma atitude mental e uma maneira de estar no mundo que não podem ser transmitidas adequadamente em um livro, embora seja possível percebê-las se soubermos ler nas entrelinhas. O prazer de ouvir uma boa peça musical nasce da audição, e não da leitura da pauta musical.

A PNL é prática. Trata-se de um conjunto de modelos, habilidades e técnicas que nos permitem pensar e agir com mais eficiência no mundo. O objetivo da PNL é ser útil, oferecer mais opções de escolha e melhorar a qualidade de vida. As perguntas mais importantes sobre o que o leitor vai encontrar neste livro são: "Ele é útil? Dá resultados?". Descubra o que é útil e o que funciona através da experiência. E, o que é mais importante, descubra o que *não* funciona e modifique-o até que dê resultado. Esse é o espírito da PNL.

Nosso objetivo ao escrever este livro foi satisfazer um número cada vez maior de pessoas que se interessam pela PNL. Pretendíamos escrever um livro que oferecesse uma visão geral do assunto e com ele partilhar nosso entusiasmo com a percepção de como as pessoas pensam e com a possibilidade de mudança. Também queríamos mostrar muitas das habilidades, das técnicas e dos padrões da PNL, de modo a torná-los prontamente disponíveis como instrumentos de mudança num mundo em mutação. Nosso objetivo era que, após uma primeira leitura, este livro continuasse sendo utilizado como obra de referência, como guia de outros livros sobre interesses e aplicações mais específicas e como orientação para a escolha de cursos de formação em PNL.

Este objetivo era tão assustador, dada a "obviedade ilusória" da PNL, que nenhum de nós estava preparado para enfrentá-lo sozinho. A junção de nossos recursos nos deu coragem. Nosso sucesso dependerá do grau de utilidade deste livro para o leitor.

Queremos incentivá-lo a examinar mais a fundo o campo da PNL e usar essas idéias poderosas com integridade e respeito por si mesmo e pelos outros, para criar mais opções e felicidade tanto na sua vida pessoal e profissional como na das outras pessoas.

Inicialmente, tínhamos pensado em escrever um capítulo com histórias sobre como as pessoas descobriram a PNL e suas experiências com ela. Mas logo percebemos que isso não ia dar certo, pois, embora a experiência em segunda mão tenha valor de entretenimento, seu impacto é pequeno. Portanto, seguindo o espírito da PNL, incentivamos nosso leitor a criar seu próprio capítulo de experiências interessantes com a PNL.

É melhor vivenciar a PNL diretamente. Leia o "cardápio" e, se gostar do que ali viu, tenha um bom apetite!

Uma fotografia não é a pessoa que está fotografada.
Um passo não é a jornada.
A pauta musical não é o som.
Não existe mágica, apenas mágicos e percepções pessoais.

INTRODUÇÃO À SEGUNDA EDIÇÃO

Desde o início, tínhamos a intenção de atualizar sistematicamente este livro. Queremos mantê-lo alinhado com a PNL, que está sempre ampliando seus limites e que, por sua própria natureza, jamais ficará estática. Portanto, foi com grande prazer que preparamos esta nova edição. A edição original foi a concretização de um sonho, e as reações que obtivemos indicaram que atingimos plenamente nosso objetivo: o livro é atualmente considerado uma introdução e um resumo útil da PNL. Esta nova edição é a continuação do sonho.

Fizemos um grande número de pequenas mudanças e umas poucas grandes modificações. As pequenas mudanças deverão representar uma grande diferença e um aumento significativo de qualidade. As grandes modificações consistem no acréscimo de material novo e de uma seção atualizada sobre recursos. Acrescentamos também uma seção sobre metaprogramas. Esses padrões estão sendo cada vez mais usados, sobretudo no contexto profissional, e o livro precisaria refletir esse fato. Também aumentamos o capítulo sobre crenças e a seção sobre modelagem do último capítulo, e gostaríamos de agradecer a Michael Neill pela contribuição que nos deu em ambos os casos.

Foi mais difícil do que imaginávamos mudar o corpo do livro. A PNL é como um holograma. Todas as partes se interligam. Trata-se de um modelo sistêmico, e, se este livro pretendia refletir essa natureza sistêmica, qualquer mudança nessa parte significaria obrigatoriamente outras mudanças, à medida que as reverberações começassem a ecoar pelas páginas, desenrolando a meada (para incluir uma metáfora).

No entanto, por mais que a PNL se difunda, suas idéias permanecem imutáveis. A primeira é que a PNL incorpora uma atitude de fascinação pelas pessoas. Como elas fazem o que fazem? A segunda é a modelagem: a busca constante da excelência, de modo a poder modelá-la e utilizá-la. A excelência está em toda parte, às vezes tão óbvia que não a percebemos. A PNL pode aumentar cada vez mais nossas opções e nos levar a compreensão através da ação e da experiência, e não apenas do pensamento.

17

Gostaríamos de agradecer a Jay Erdmann e a Michael Neill pela ajuda e aos muitos amigos que nos ofereceram sua opinião e sugestões para esta edição revisada.

Joseph O'Connor
John Seymour
Londres, janeiro de 1993

CAPÍTULO

1

O QUE É PROGRAMAÇÃO NEUROLINGÜÍSTICA

Enquanto imaginava como começar este livro, lembrei-me de um amigo que encontrara alguns dias antes. Não nos víamos há algum tempo e, depois de nos cumprimentarmos, ele me perguntou o que eu estava fazendo. Contei que estava escrevendo um livro. "Ótimo!", disse ele. "Qual é o assunto?" Sem refletir, respondi: "Programação Neurolingüística". Depois de um curto silêncio cheio de significado, ele disse: "O mesmo para você". E prosseguiu: "E como vai a família?" De certa forma, minha resposta estava certa e errada ao mesmo tempo. Se minha intenção fosse interromper a conversa com meu amigo, nada teria sido melhor. Na verdade, este livro trata da análise de idéias e pessoas que se chama Programação Neurolingüística. Mas meu amigo queria entender e participar do que eu estava fazendo, e não conseguiu relacionar minha resposta a nada que conhecesse. Eu sabia o que queria dizer, mas não expliquei de maneira que ele pudesse compreender. O que eu disse não respondeu à sua pergunta.

Então, o que é Programação Neurolingüística? Que idéias estão por trás desse rótulo? Em outra ocasião, quando alguém me perguntou de que tratava o livro, respondi que era um estudo sobre o que as pessoas faziam para ser excelentes em uma determinada área e como ensinar essa habilidade a outras pessoas.

A Programação Neurolingüística é a arte e a ciência da excelência, ou seja, das qualidades pessoais. É arte porque cada pessoa imprime sua personalidade e seu estilo àquilo que faz, algo que jamais pode ser apreendido através de palavras ou técnicas. E é ciência porque utiliza um método e um processo para determinar os padrões que as pessoas usam para obter resultados excepcionais naquilo que fazem. Este processo chama-se modelagem, e os padrões, habilidades e técnicas descobertos através dele estão sendo cada vez mais usados em terapia, no campo da educacional e profissional, para criar um nível de comunicação mais eficaz, um melhor desenvolvimento pessoal e uma aprendizagem mais rápida.

19

Você já fez algo com tal eficiência a ponto de ficar impressionado? Já lhe aconteceu de se admirar do que fez e ficar pensando como conseguiu aquilo? A Programação Neurolingüística nos ensina a entender e a modelar nossos sucessos, para que possamos repeti-los. Trata-se de uma maneira de descobrir e revelar nossa genialidade, uma forma de darmos o melhor de nós e extrairmos o melhor dos outros. A Programação Neurolingüística é uma ferramenta prática que cria os resultados que queremos obter. É uma análise do que diferencia um resultado excepcional de um resultado apenas médio. Por outro lado, apresenta uma série de técnicas extremamente eficazes que podem ser usadas no campo da educação, da terapia, e no mundo profissional.

SANTA CRUZ, CALIFÓRNIA, 1972

A Programação Neurolingüística começou no início da década de 70 a partir do trabalho conjunto de John Grinder — na época professor-assistente do Departamento de Lingüística da Universidade da Califórnia, em Santa Cruz — e Richard Bandler, que estudava psicologia na mesma universidade. Richard Bandler também se interessava por psicoterapia. Juntos, eles estudaram três grandes terapeutas: Fritz Perls, um psicoterapeuta inovador que fundou a escola terapêutica chamada Gestalt; Virginia Satir, a extraordinária terapeuta familiar que conseguia solucionar relacionamentos familiares difíceis, considerados intratáveis por muitos outros terapeutas; e Milton Erickson, um hipnoterapeuta reconhecido mundialmente.

Nem Bandler nem Grinder pretendiam iniciar uma nova escola de terapia, mas apenas identificar os padrões utilizados por esses excepcionais terapeutas, a fim de ensiná-los a outras pessoas. Nenhum dos dois estava preocupado com teorias, mas em produzir modelos de terapia que funcionassem na prática e pudessem ser ensinados. Os três terapeutas que usaram como modelo tinham personalidades muito diferentes, mas usavam padrões subjacentes surpreendentemente semelhantes. Bandler e Grinder reelaboraram esses padrões e criaram um modelo de estilo claro, capaz de proporcionar uma comunicação mais eficaz, uma mudança pessoal, uma aprendizagem mais rápida e, evidentemente, uma melhor maneira de usufruir a vida. Suas descobertas iniciais foram relatadas em quatro livros, publicados entre 1975 e 1977: *A estrutura da magia* (1 e 2) e *Patterns* (1 e 2), os dois últimos sobre o trabalho de hipnoterapia de Milton Erickson. Desde então, a literatura sobre a PNL tem crescido enormemente.

A essa época, John Grinder e Richard Bandler viviam perto de Gregory Bateson, o antropólogo britânico autor de livros sobre comunicação e teoria dos sistemas. Embora tenha escrito sobre muitos assuntos — biologia, cibernética, antropologia e psicoterapia —, Bateson é mais conhecido por ter desenvolvido a teoria do duplo vínculo de esquizofrenia. Sua contribuição para a PNL foi imensa, e talvez somente agora esteja ficando clara a dimensão da sua influência.

A partir desses modelos iniciais, a PNL desenvolveu-se em duas direções complementares. Primeiro, como processo de descoberta dos padrões de excelência em qualquer campo. Segundo, como demonstração de maneiras eficientes de pensar e se comunicar usadas por pessoas excepcionais. Esses padrões e habilidades podem ser usados independentemente ou no contexto de processos de modelagem capazes de torná-los ainda mais poderosos. Em 1977, Bandler e Grinder estavam tendo muito sucesso com os seminários que dirigiam em todo o território americano. A PNL cresceu rapidamente. Até hoje, somente nos Estados Unidos mais de cem mil pessoas já participaram de algum tipo de treinamento em PNL.

SANTA CRUZ, 1976

Na primavera de 1976, Bandler e Grinder se reuniram num chalé nas montanhas de Santa Cruz para rever as conclusões e descobertas que haviam feito. No fim de uma maratona de 36 horas, sentaram-se diante de uma garrafa de vinho tinto da Califórnia e se perguntaram: "Como vamos chamar isso?"

A resposta foi "Programação Neurolingüística", uma expressão um tanto obscura que na verdade compreende três idéias simples. A parte "Neuro" da PNL reconhece a idéia fundamental de que todos os comportamentos nascem dos processos neurológicos da visão, audição, olfato, paladar, tato e sensação. Percebemos o mundo através dos cinco sentidos. "Compreendemos" a informação e depois agimos. Nossa neurologia inclui não apenas os processos mentais invisíveis, mas também as reações fisiológicas a idéias e acontecimentos. Uns refletem os outros no nível físico. Corpo e mente formam uma unidade inseparável, um ser humano.

A parte "Lingüística" do título indica que usamos a linguagem para ordenar nossos pensamentos e comportamentos e nos comunicarmos com os outros. A "Programação" refere-se à maneira como organizamos nossas idéias e ações a fim de produzir resultados.

A PNL trata da estrutura da experiência humana subjetiva, de como organizamos o que vemos, ouvimos e sentimos e filtramos o mundo exterior através dos nossos sentidos. Também examina a forma como descrevemos isso através da linguagem e como agimos, intencionalmente ou não, para produzir resultados.

MAPAS E FILTROS

Usamos nossos sentidos para explorar e mapear o mundo exterior, uma infinidade de possíveis impressões sensoriais das quais somos capazes de perceber apenas uma pequena parte. Essa parte que podemos perceber é filtrada por nossas experiências pessoais e únicas, nossa cultura, nossa linguagem, nossas crenças, nossos valores, interesses e pressuposições. Vivemos em nossa própria realidade, construída a partir de nossas impressões sensoriais e individuais da vida, e agimos com base no que percebemos do nosso modelo de mundo.

O mundo é tão vasto e rico que temos que simplificá-lo para darlhe sentido. A elaboração de um mapa é uma boa analogia para o que fazemos. É assim que percebemos o mundo. Os mapas são seletivos, incluem algumas informações e excluem outras, mas são valiosos na exploração do território. O tipo de mapa que traçamos depende daquilo que observamos e de para onde queremos ir.

O mapa não é o território que ele descreve. Prestamos atenção aos aspectos do mundo que nos interessam e ignoramos outros. Certa vez, um homem perguntou a Picasso por que ele não pintava as pessoas como elas eram na realidade.

Picasso ficou surpreso: "Não entendo o que quer dizer", respondeu. O homem mostrou uma fotografia de sua mulher. "Veja", disse, "como essa foto. Minha mulher é exatamente assim."

Picasso pareceu duvidar. "Ela é bem pequena, não acha? E talvez um pouco achatada?"

Se um artista, um lenhador e um botânico passearem pela mesma floresta, suas experiências serão muito diferentes. Cada um observará aquilo que lhe interessa. Se alguém procura excelência, encontrará excelência. Se alguém procura problemas, encontrará problemas. Ou, como diz o ditado árabe, "A aparência do pão depende da fome".

Crenças, percepções e interesses limitados empobrecem o mundo, tornando-o previsível e insípido. Este mesmo mundo pode ser muito rico e estimulante. A diferença não está no mundo, e sim nos filtros por meio dos quais o percebemos.

Todos nós temos filtros naturais, úteis e necessários. A linguagem é um filtro. É um mapa dos nossos pensamentos e experiências que está um nível abaixo da realidade. Pense no que significa para você a palavra "beleza". Sem dúvida, você deve ter lembranças e experiências, imagens internas, sons e sensações que o fazem entender o que significa esta palavra. Outra pessoa terá lembranças e experiências diferentes e perceberá a palavra de outra maneira. Quem está certo? Ambos estão certos, cada um dentro da sua própria realidade. A palavra não é a experiência que ela descreve, mas as pessoas lutam e às vezes morrem acreditando que o mapa é o território.

Nossas crenças funcionam como filtros, levando-nos a agir de uma certa maneira e a prestar mais atenção a algumas coisas do que a outras. A PNL também é um filtro, que nos oferece um modo de pensar sobre nós mesmos e sobre o mundo. Para usar a PNL, ninguém precisa modificar suas crenças ou valores, mas simplesmente ser curioso e estar disposto a experimentar. Todas as generalizações sobre as pessoas são mentiras para alguém, porque cada pessoa é única. Portanto, a PNL não pretende ser objetivamente verdadeira. Trata-se de um modelo e, como tal, pretende ser útil. Há algumas idéias básicas em PNL que são muito úteis. Convidamos nosso leitor a se comportar como se essas idéias fossem verdadeiras e observar a diferença. Mudando-se os filtros, pode-se mudar o mundo.

Alguns desses filtros básicos da PNL são chamados de *estruturas comportamentais*. São maneiras de pensar sobre como agimos. A primeira dessas estruturas é uma atitude voltada para os *resultados*, ao invés de para os *problemas*. Isto significa descobrir o que você e os outros desejam, descobrir os recursos de que dispõe e usar esses recursos para atingir os resultados desejados. A atitude voltada para o problema é geralmente chamada de "estrutura de culpa". Isto significa analisar detalhadamente o que está errado e fazer perguntas tais como: "Por que tenho este problema? De que forma isto me limita? De quem é a culpa?" Esse tipo de pergunta geralmente não leva a nada de útil. Só faz com que a pessoa se sinta pior e não resolve o problema.

A segunda estrutura é mudar o enfoque das perguntas, utilizando *Como?* em vez de *Por quê?* As primeiras ajudam a entender a estrutura do problema, enquanto as segundas só provocam justificativas e razões, sem que nada mude.

A terceira estrutura é a oposição entre *feedback* e *fracasso*. Não existe fracasso, o que existe são apenas resultados, que podem ser usados como *feedback*, correções úteis e uma esplêndida oportunidade para aprender algo que passou despercebido. O fracasso é apenas uma forma de descrever um resultado indesejável. Podemos usar os resultados para reorientar nossos esforços. O *feedback* faz com que não percamos nosso objetivo de vista. O fracasso é um beco sem saída. São duas palavras que representam duas maneiras totalmente diferentes de pensar.

A quarta estrutura consiste em levar em consideração as *possibilidades*, em vez das *necessidades*. Mais uma vez, trata-se de uma mudança de ponto de vista. Observar o que pode ser feito, quais as opções, em vez de se concentrar nas limitações da situação. Com freqüência, os obstáculos são menos importantes do que parecem ser.

Por fim, a PNL adota uma atitude de *curiosidade* e *fascinação*, em vez de partir de *pressupostos*. Esta é uma idéia bastante simples, mas que tem conseqüências profundas. Crianças pequenas aprendem muito rapidamente porque são curiosas sobre tudo o que as rodeia. Elas não sabem, e sabem que não sabem. Portanto, não se preocupam em parecer bobas se perguntarem. Ora, houve um tempo em que todo mundo "sabia" que o Sol girava em torno da Terra, que algo mais pesado do que o ar não podia voar e que, evidentemente, correr dois quilômetros em menos de quatro minutos era fisiologicamente impossível. A mudança é a única constante que existe.

Outra idéia útil é a de que todos nós possuímos, ou podemos criar, os recursos internos de que precisamos para atingir nossos objetivos. É mais fácil conseguir isso se agirmos como se essa afirmação fosse verdadeira.

APRENDER, DESAPRENDER E REAPRENDER

Embora só possamos apreender conscientemente uma pequena quantidade das informações que o mundo nos oferece, percebemos e reagimos inconscientemente a muitas outras coisas.

Essa idéia foi apresentada em 1956 por um psicólogo americano, George Miller, em um trabalho clássico chamado *The magic number seven, plus or minus two* (O mágico número 7, mais ou menos 2). Esses segmentos de informação não têm um tamanho predeterminado, portanto podem incluir tanto dirigir um carro quanto apenas olhar pelo espelho retrovisor. Uma forma de aprender é dominar conscientemente pequenos segmentos de comportamento e reuni-los em segmentos cada vez maiores, de modo a torná-los habituais e inconscientes. Criamos hábitos para podermos prestar atenção a outras coisas.

Portanto, nossa consciência limita-se a cerca de sete (dois a mais ou a menos) segmentos de informação, sejam do mundo interno dos nossos pensamentos ou do mundo externo. Nosso inconsciente, ao contrário, abrange todos os processos naturais do nosso organismo, tudo o que aprendemos, nossas experiências anteriores e tudo o que podemos observar, mas não o fazemos, no momento presente. O inconsciente é muito mais sábio do que a mente consciente. A idéia de que somos capazes de compreender um mundo infinitamente complexo usando a mente consciente, que só é capaz de perceber sete segmentos de informação concomitantemente, é sem dúvida absurda.

A noção de consciente e inconsciente é básica para o modelo de aprendizagem. Em PNL, algo é consciente quando está presente na nossa percepção presente, como no caso desta frase. Algo é inconsciente quando não está presente na percepção atual. Os ruídos em segundo plano provavelmente ficaram inconscientes até o momento em que você leu esta frase. A lembrança da primeira vez em que você viu neve deve com certeza estar fora do seu consciente. Se você já ensinou uma criança a andar de bicicleta, sabe quão inconsciente é o processo. E o processo pelo qual sua última refeição vai se transformar em cabelos e unhas sempre

24

permanece inconsciente. Vivemos numa cultura que acredita que a maioria de nossos atos são conscientes. Entretanto, a maior parte de nossas ações — o que fazemos de melhor, aliás — são produzidas de maneira inconsciente.

Segundo o ponto de vista tradicional, a aprendizagem é uma habilidade que se divide em quatro estágios. Primeiro, temos a incompetência inconsciente. Não sabemos fazer algo, e não sabemos que não sabemos. Alguém que nunca dirigiu um carro não tem a mínima idéia do que isso significa.

Então a pessoa começa a aprender a dirigir e logo descobre suas limitações. Já nas primeiras aulas, aprende conscientemente a usar os instrumentos, o volante, a embreagem, e a manter-se atenta ao caminho. Toda a sua atenção volta-se para isso, mas a pessoa ainda não é competente e dirige apenas nas ruas de menor movimento. Trata-se do estágio de incompetência consciente: mudamos mal as marchas, esquecemos a embreagem e provocamos ataques cardíacos nos ciclistas. Embora este estágio seja desconfortável (sobretudo para os ciclistas), é nele que mais aprendemos.

Isto nos leva ao estágio da competência consciente. Podemos dirigir, mas precisamos de muita concentração. Aprendemos a técnica, mas ainda não a dominamos.

Por fim, e este é o objetivo do nosso empenho, chegamos à competência inconsciente. Todos os pequenos padrões que aprendemos com tanto esforço juntam-se numa harmônica unidade de comportamento. E, a partir de então, podemos ouvir o rádio, admirar a paisagem e conversar enquanto dirigimos. Nossa mente consciente estabelece o objetivo e deixa que a mente inconsciente cuide dele, liberando a atenção para outras coisas.

Depois de um treinamento prolongado, conseguiremos atingir este quarto estágio e formar hábitos. Neste ponto, a habilidade tornou-se inconsciente. Entretanto, os hábitos nem sempre são a maneira mais eficiente de levar a cabo uma tarefa. Nossos filtros podem nos fazer perder algumas informações que são essenciais para chegarmos à competência inconsciente.

Suponhamos que você jogue tênis razoavelmente bem e queira melhorar. O professor de tênis observaria seu jogo e então começaria a modificar sua maneira de colocar os pés, de segurar e movimentar a raquete. Em outras palavras, ele pegaria o que para você era um segmento de comportamento — fazer um *forehand* — e o dividiria em seus componentes, reconstruindo-o em seguida para que você pudesse melhorar sua maneira de jogar. Você estaria refazendo as etapas de aprendizagem, passando pela incompetência consciente. Ou seja, desaprendendo antes de reaprender. E a razão disso é estabelecer novas opções, padrões mais eficientes.

25

O mesmo acontece quando aprendemos PNL. Apesar de já possuirmos capacidades de comunicação e de aprendizagem, a PNL nos oferece a possibilidade de aperfeiçoar essas capacidades, dando-nos novas opções e maior flexibilidade na maneira de utilizá-las.

Os quatro estágios da aprendizagem

1. Incompetência inconsciente.
2. Incompetência consciente.
3. Competência consciente.
4. Competência inconsciente.

Desaprender significa ir de 4 para 2.
Reaprender significa ir de 2 para 4, com mais opções.
A seguir, examinaremos vários modelos de aprendizagem.

O SEMINÁRIO DE TRÊS MINUTOS

Se a PNL fosse apresentada em um seminário de três minutos, ocorreria mais ou menos o seguinte:
O apresentador diria: "Senhoras e senhores, para ter sucesso na vida, uma pessoa só precisa ter em mente três coisas.
"Primeiro, saber o que quer. Ter uma idéia clara do objetivo desejado em qualquer situação.
"Segundo, estar alerta e receptiva para observar o que está conseguindo.
"Terceiro, ter flexibilidade para continuar mudando até conseguir o que quer".
Depois, escreveria na lousa:

<blockquote>
RESULTADO
ACUIDADE
FLEXIBILIDADE
</blockquote>

e sairia da sala. Fim do seminário.

Primeiro, precisamos saber o resultado que queremos atingir. Se não soubermos para onde estamos indo, fica mais difícil chegar lá.
Um parte importante da PNL é o treinamento da percepção sensorial: onde colocar nossa atenção e como modificar e ampliar nossos filtros para podermos observar coisas que não percebíamos anteriormente. Trata-se da percepção sensorial do momento presente. Quando nos comunicamos com outras pessoas, isso significa observar os sinais, pequenos porém decisivos, que nos fazem perceber como elas estão rea-

gindo. Quando pensamos, isto é, quando nos comunicamos conosco, significa ampliar a percepção de nossas imagens, sons e sensações interiores.

Você precisa ter acuidade ou sensibilidade para observar se o que está fazendo o está levando a obter o que deseja. Se aquilo que está fazendo não estiver dando resultado, faça outra coisa, qualquer coisa. É preciso ouvir, ver e sentir o que está acontecendo e ter uma ampla gama de respostas.

A PNL tem por objetivo dar às pessoas mais opções de ação. Ter apenas uma maneira de fazer as coisas é o mesmo que não ter escolha. Nem sempre ela vai funcionar, de modo que haverá sempre situações com as quais não saberemos lidar. Duas escolhas colocam a pessoa diante de um dilema. Ter escolha significa ser capaz de usar no mínimo três abordagens. Em qualquer interação, a pessoa que tem mais opções, maior flexibilidade de comportamento, estará em condições de controlar a situação.

Se você só fizer aquilo que sempre fez, só obterá aquilo que sempre obteve. Se o que você está fazendo não está dando resultado, faça outra coisa.

Quanto mais escolhas, maior a chance de sucesso.

A maneira como essas técnicas funcionam parece-se com o que acontece quando se aluga um barco a remo para explorar um trecho de rio. Decide-se aonde se quer ir: este é o objetivo inicial. Começa-se a remar, observando o caminho: acuidade sensorial. Compara-se a direção tomada com o local aonde se deseja chegar e, caso o caminho esteja errado, muda-se o rumo. Este ciclo é repetido até que se chegue ao destino final.

Em seguida, estabelece-se o próximo destino. É possível mudar o objetivo final em qualquer ponto do ciclo, desfrutar a jornada e ainda aprender alguma coisa no decorrer do caminho. Em geral, o caminho é traçado em ziguezagues. Muito raramente há um caminho claro e direto até o ponto aonde se quer chegar.

OBJETIVOS

"Pode me dizer, por favor, que caminho devo pegar?"
"Depende de para onde você quer ir", disse o gato.
"Não me importa muito onde...", disse Alice.
"Então não importa o caminho que você pegue", respondeu o gato.

Alice no País das Maravilhas,
Lewis Carroll

Vamos começar pelo começo: pelos alvos ou objetivos que desejamos atingir. Quanto mais precisa e positivamente conseguirmos definir o que queremos, e quanto mais programarmos nosso cérebro para procurar e perceber possibilidades, maior probabilidade teremos de obter aquilo que queremos. As oportunidades existem quando são reconhecidas como tais.

Para viver a vida que desejamos precisamos saber o que desejamos. Ser eficiente significa produzir os resultados desejados. O primeiro passo é escolher. Se você não o fizer, sempre haverá quem queira escolher por você.

Como saber o que desejamos? Criando um objetivo. Há muitas regras para se fazer isso, para que a pessoa tenha as melhores chances de sucesso. Em linguagem neurolingüística, escolhe-se um objetivo bem formulado, isto é, um objetivo bem formulado em termos dos seguintes critérios:

Primeiro, o objetivo deve ser indicado na afirmativa. É mais fácil ir na direção daquilo que se quer do que fugir daquilo que não se quer. Entretanto, não podemos ir na direção daquilo que queremos se não soubermos o que é.

Por exemplo, pense num canguru.

Está pensando num canguru?

Muito bem.

Agora, pare de pensar no canguru enquanto termina de ler esta página. Não deixe a imagem do canguru entrar na sua mente durante os próximos sessenta segundos. Parou de pensar num canguru?

Agora pense naquilo que você vai estar fazendo amanhã...

Para se livrar da imagem persistente do canguru, você tem que pensar em outra coisa que seja positiva.

Este truque mostra que o cérebro só é capaz de compreender uma negativa transformando-a numa afirmação positiva. Para evitar algo, a pessoa tem que saber aquilo que está evitando e concentrar sua atenção nisso. Tem que pensar nele para saber no que não deve pensar, da mesma forma que precisa manter um objeto à sua vista para evitar tropeçar nele. Aquilo a que resistimos persiste. É por isso que é tão difícil deixar de fumar — a pessoa tem que pensar continuamente no cigarro para abandoná-lo.

Em segundo lugar, você deve ter uma participação ativa e o resultado desejado deve estar ao seu alcance.

Objetivos que dependem basicamente da ação de outras pessoas não são bem formulados. Se as pessoas não reagirem como você deseja, você estará num beco sem saída. É melhor se concentrar naquilo que precisa fazer para provocar a reação dos outros. Portanto, em vez de esperar que alguém apareça e se torne seu amigo, pense no que pode fazer para se tornar amigo de alguém.

Pense no seu objetivo final o mais especificamente possível. O que vai ver, ouvir e sentir? Imagine-o e descreva-o para si próprio, especificando quem, o quê, onde, quando e como. Quanto mais completa for a idéia do objetivo que deseja atingir, mais seu cérebro poderá ensaiá-lo e perceber as oportunidades para atingi-lo. Em que contexto você quer o objetivo? Existem contextos nos quais não deseja ter acesso ao seu objetivo?

Como saber se já atingiu seu objetivo? Quais os indícios sensoriais que lhe permitirão saber que já tem aquilo que deseja? O que verá, ouvirá e sentirá quando tiver atingido esse objetivo? Alguns objetivos são tão abrangentes que, para atingi-los, várias gerações seriam necessárias. Talvez você também deseje estabelecer um limite de tempo para atingir seu objetivo.

Você tem os recursos para iniciar e manter o objetivo? De que precisa? Já possui isso? Se não for o caso, como vai conseguir obtê-lo? Trata-se de uma questão que precisa ser avaliada cuidadosamente. Esses recursos podem ser internos (técnicas específicas ou estados mentais positivos), ou externos. Se descobrir que precisa de recursos externos, talvez precise estabelecer um objetivo subsidiário para chegar até lá.

O objetivo também precisa ter um tamanho adequado. Talvez ele seja grande demais, e neste caso será necessário dividi-lo em objetivos menores e mais facilmente atingíveis. Por exemplo, você poderá estabelecer como objetivo ser um ótimo jogador de tênis. Evidentemente, isto não vai acontecer na semana que vem, já que é um objetivo muito vago e de longo prazo. Por isso é necessário segmentá-lo em partes menores, para que você possa se perguntar: "O que me impede de atingir este objetivo?"

Esta pergunta vai indicar alguns problemas óbvios. Por exemplo, talvez você não possua uma boa raquete de tênis ou precise ter aulas com um jogador profissional. Em seguida, converta esses problemas em objetivos, fazendo-se a seguinte pergunta: "O que eu gostaria de obter no lugar disto?" Preciso comprar uma boa raquete e encontrar um professor. Um problema é apenas um objetivo que está no local errado.

No caso de um objetivo final muito amplo, talvez você precise refazer esse processo várias vezes antes de chegar a um primeiro passo razoável e possível de ser atingido. Mesmo a jornada mais longa começa com o primeiro passo (dado na direção certa, é claro).

Por outro lado, o objetivo pode parecer pequeno e trivial demais para motivá-lo. Por exemplo, posso estabelecer que quero limpar minha sala de trabalho, uma tarefa pequena e não muito interessante. Para dar um pouco de energia a esta tarefa, preciso ligá-la a um objetivo maior, mais importante e mais estimulante. Assim, posso me perguntar: "Se atingisse este objetivo, o que isto me traria?" Talvez meu objetivo seja o primeiro passo para criar um local de trabalho melhor, que me permita fazer algo mais interessante. Estabelecido este vínculo, posso injetar no objetivo menor a energia derivada do objetivo maior.

A estrutura final dos objetivos é a ecologia. Ninguém existe sozinho; fazemos parte de sistemas maiores: nossa família, nosso ambiente de trabalho, nossos amigos e colegas de trabalho e a sociedade em geral. É bom levar em consideração as conseqüências de se atingir o objetivo dentro do contexto desses relacionamentos mais amplos. Haveria algum subproduto indesejável? Do que você teria que desistir, o ou o que teria que aceitar, para atingi-lo? Por exemplo, talvez você deseje aceitar mais trabalho como autônomo. Isto o ocuparia mais e você passaria menos tempo com sua família. Um grande contrato pode aumentar tanto sua carga de trabalho que talvez você não consiga dar conta da tarefa adequadamente. É bom se certificar de que o objetivo está em harmonia com sua pessoa como um todo. Atingir objetivos não significa obter aquilo que se quer às custas dos outros. Os resultados mais satisfatórios são atingidos por intermédio de negociação e cooperação para criar objetivos mútuos, nos quais todo mundo sai ganhando. Assim, a questão de ecologia será automaticamente levada em consideração.

Essas questões podem obrigá-lo a rever seu objetivo ou escolher outro, capaz de concretizar a mesma intenção sem os subprodutos indesejáveis. O exemplo clássico de um objetivo não ecológico é o do rei Midas, que desejou que tudo o que tocasse virasse ouro, mas logo descobriu que esse objetivo continha um risco muito grande.

Resumo dos objetivos

Positivo

Pense naquilo que deseja em vez de pensar naquilo que não deseja.
Pergunte-se: "O que eu gostaria de ter?"
"O que realmente desejo?"

Ação individual

Pense no que terá que fazer pessoalmente para atingir seu objetivo, que também deve estar ao seu alcance.
Pergunte-se: "O que terei que fazer para atingir meu objetivo?"
"Como devo começar e manter minha ação?"

Especificação

Imagine o objetivo da maneira mais clara possível.
Pergunte-se: "Quem, onde, quando, o quê, como, exatamente?"

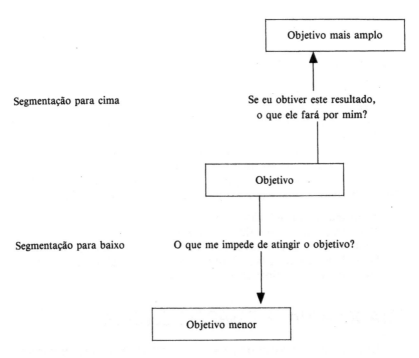

Demonstração

Pense nas evidências sensoriais que lhe mostrarão que você obteve aquilo que desejava.
Pergunte-se: "O que verei, ouvirei e sentirei quando tiver obtido o que desejo?"
"Como saberei que já obtive aquilo que queria?"

Recursos

Você tem os recursos adequados e as opções necessárias para atingir seu objetivo?
Pergunte-se: "De que recursos preciso para atingir meu objetivo?"

Tamanho

Meu objetivo tem a dimensão correta?
Se a tarefa for grande demais, pergunte-se: "O que me impede de obtê-lo?" e transforme os problemas em objetivos menores, suficientemente claros e possíveis de serem atingidos.
Se o objetivo for pequeno demais e pouco estimulante, pergunte-se: "Se atingir esse objetivo, o que isto me traria?"
Segmente-o para cima, até relacioná-lo a um objetivo suficientemente amplo e estimulante.

Estrutura ecológica

Verifique as conseqüências da obtenção do objetivo tanto na sua vida como em seus relacionamentos.
Pergunte-se: "A quem mais isto afetaria?"
"O que aconteceria se eu conseguisse o que desejo?"
"Se pudesse tê-lo neste exato momento, eu o aceitaria?"
Preste atenção aos sentimentos de dúvida, que começam com a frase: "Sim, mas..."
O que representam esses sentimentos de dúvida?
Como modificar seu objetivo para levá-los em consideração?
Agora verifique esse novo objetivo, utilizando os critérios de fixação de objetivos acima exposto, para verificar se está bem formulado.

A última recomendação é *agir*.
Você tem que dar o primeiro passo.
Uma jornada de mil quilômetros começa com um pequeno passo.
Se o objetivo estiver bem formulado, será estimulante e terá maior probabilidade de ser atingido.

ESTADO ATUAL E ESTADO DESEJADO

Uma mudança no campo pessoal ou profissional pode ser encarada como uma jornada que parte do estado atual para chegar ao estado desejado. Um problema é a diferença que existe entre os dois estados. Ao estabelecer um objetivo no futuro, de certo modo criamos um problema no presente. Da mesma forma, todo problema do presente pode ser transformado num objetivo futuro.

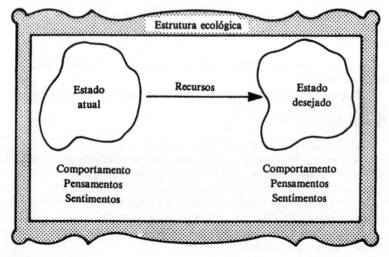

Seu comportamento, seus pensamentos e sentimentos do estado atual serão diferentes dos do estado desejado. Para passar de um estado para outro você precisará de recursos.

A energia para iniciar a jornada vem da motivação. O estado desejado deve ser algo que realmente queremos, ou estar claramente ligado a algo que realmente desejamos. Também temos que estar empenhados no resultado final. Se temos reservas, isso em geral significa que a ecologia não foi levada em consideração. Resumindo, precisamos querer empreender a jornada e acreditar que o objetivo é válido e pode ser atingido.

Capacidades, técnicas e estados mentais positivos são meios para atingir um objetivo. Isto pode envolver nossa fisiologia, nutrição, força e energia. As técnicas da PNL são recursos poderosos para suplantar obstáculos, resistências e interferências.

COMUNICAÇÃO

"Comunicação" é uma palavra multifacetada que abrange praticamente qualquer interação com outras pessoas: conversa normal, persuasão, ensino e negociação.

O que significa "comunicação"? A palavra é um substantivo estático, mas a comunicação é um ciclo ou um laço que engloba pelo menos duas pessoas. Ninguém pode se comunicar com um boneco de cera, pois não existe nenhuma reação. Quando nos comunicamos com outra pessoa, percebemos sua reação e reagimos de acordo com nossos sentimentos e pensamentos. Nosso comportamento é gerado pelas reações internas àquilo que vemos e ouvimos. Só prestando atenção ao outro teremos uma idéia do que dizer ou fazer em seguida. E o outro reage ao nosso comportamento da mesma forma.

Anéis encantados

Nós nos comunicamos por meio das palavras, do tom de nossa voz e do nosso corpo: postura, gestos e expressões. É impossível *não* se comunicar. Alguma mensagem é sempre transmitida, mesmo quando não dizemos nada e ficamos parados. Portanto, comunicação envolve uma mensagem que passa de uma pessoa para outra. Como saber que a mensagem que você está passando é a mensagem que o outro está recebendo? Talvez você já tenha ficado surpreso com o significado que alguém deu a um comentário que para você era neutro. Como ter certeza de que o significado que o outro percebe é o mesmo que queremos passar?

Os cursos de treinamento em PNL usam um exercício interessante. Escolhe-se uma frase simples, do tipo "Hoje o dia está bonito", e três mensagens emocionais que se deseja transmitir com ela. Pode-se dizer a frase de maneira alegre, ameaçadora ou sarcástica. Então, a pessoa

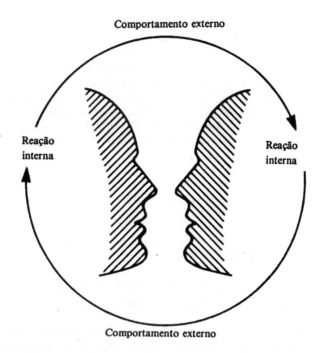

dirá a frase das três maneiras escolhidas, sem no entanto dizer ao outro quais são as mensagens que deseja passar. O outro terá que dizer que mensagens emocionais percebeu na frase. Às vezes, a percepção coincide com a intenção pretendida, mas em geral não é o que acontece. Então, a pessoa pode examinar o que teria que fazer com sua voz e com sua linguagem corporal para que o outro perceba a mensagem que ela quer passar.

A comunicação envolve muito mais do que apenas palavras. As palavras são apenas uma pequena parte da nossa capacidade de expressão como seres humanos. Estudos demonstraram que numa apresentação diante de um grupo de pessoas, 55% do impacto são determinados pela linguagem corporal — postura, gestos e contato visual —, 38% pelo tom de voz e apenas 7% pelo conteúdo da apresentação (Mehrabian e Ferris, "Inference of attitudes from nonverbal communication in two channels", in *The Journal of Counselling Psychology*, vol. 31, 1967, pp. 248-52).

As porcentagenss podem variar dependendo da situação, mas sem dúvida alguma a linguagem corporal e o tom de voz fazem uma imensa diferença no impacto e no significado do que dizemos. Não é o que dizemos, mas como dizemos, que faz a diferença. Margaret Thatcher levou muito tempo e se esforçou muito para alterar seu timbre de voz. O tom de voz e a linguagem corporal determinam se a palavra "olá" é um cumprimento, uma ameaça, um sinal de descaso ou um agradável reconhecimento do outro. Os atores não trabalham apenas com as palavras; treinam o tom de voz e a linguagem corporal. Um ator precisa ser capaz de transmitir pelo menos uma dezena de significados diferentes com a simples palavra "não". Todos nós expressamos muitos significados na conversação do dia-a-dia, e provavelmente temos dezenas de maneiras diferentes de dizer "não". Entretanto, não pensamos conscientemente sobre isso.

As palavras são o conteúdo da mensagem, e a postura, os gestos, a expressão e o tom de voz são o contexto no qual a mensagem está embutida. Juntos, eles formam o significado da comunicação.

Portanto, não há garantia de que a outra pessoa compreenda o significado daquilo que estamos tentando comunicar. A solução está no objetivo final, na acuidade e na flexibilidade. Primeiro, temos um objetivo para a comunicação. Depois, observamos as reações que estamos obtendo e modificamos o que estamos fazendo ou dizendo até obter a reação desejada.

Para conseguir uma comunicação eficiente, parta do princípio de que:

O significado da comunicação é a reação obtida

Usamos constantemente nossas habilidades de comunicação para influenciar pessoas. Qualquer procedimento de terapia, gerenciamento ou educação exige capacidade de influenciar e comunicar. Mas existe um paradoxo: embora ninguém esteja interessado em aprender técnicas que não sejam eficientes, qualquer técnica eficiente pode ser rotulada como manipulação. A manipulação carrega uma conotação negativa de que de algum modo se estaria forçando o outro a fazer algo que contraria seus interesses.

Não é certamente o caso da PNL, que é construída sobre profundos alicerces de sensatez, opções e ecologia. A PNL proporciona a capacidade de reagir de maneira eficaz aos outros e de compreender e respeitar seu modelo. A comunicação é circular; o que fazemos influencia outras pessoas, e o que elas fazem nos influencia. E é impossível que isto não aconteça. Cada um pode se responsabilizar pela parte que lhe toca neste círculo. Como estamos sempre influenciando outras pessoas, nossa única opção é termos ou não consciência dos efeitos que provocamos. A pergunta então seria: é possível influenciar com integridade? A influência que exercemos está de acordo com nossos valores? As técnicas de PNL são neutras. Assim como acontece com os carros, a maneira de utilizá-las e a finalidade para a qual elas são usadas dependem da técnica, da capacidade e das intenções da pessoa que está atrás do volante.

EMPATIA

Como se entra no círculo da comunicação? Como reconhecer e respeitar o modelo de mundo do outro mantendo a própria integridade? No campo da educação, da terapia, do aconselhamento, no mundo profissional, de vendas ou de treinamento, a empatia, que na linguagem da PNL é chamada de *rapport*, é essencial para criar uma atmosfera de confiança e de participação na qual as pessoas possam reagir livremente. O que fazemos para obter empatia? Como criar esse relacionamento com as pessoas? Como estabelecer uma relação de confiança e receptividade e apurar e aumentar esta habilidade natural?

Para obtermos uma resposta prática, e não apenas uma resposta teórica, precisamos inverter a pergunta. Como sabemos quando há empatia entre duas pessoas? Num restaurante, num escritório ou em qualquer lugar onde as pessoas se encontram e conversam, como saber que pessoas estão ligadas por essa empatia?

Quando há empatia entre duas pessoas, a comunicação parece fluir, seus corpos e suas palavras estão em sintonia. O que dizemos pode criar ou destruir essa empatia, mas não devemos nos esquecer de que as palavras só correspondem a 7% da comunicação. A linguagem corporal e o tom de voz são muito mais importantes. Você já deve ter observado que, quando se estabelece um relacionamento de empatia entre duas pessoas, uma tende a espelhar e a copiar a postura, os gestos e o contato visual da outra. É como uma dança na qual um parceiro reage aos movimentos do outro, espelhando-os. É uma dança de mútua receptividade. A linguagem corporal é complementar.

Você já percebeu que quando está envolvido numa conversa agradável com alguém tende a adotar sua postura corporal? Quanto mais profunda a empatia, maior será a simetria. Esta habilidade parece ser inata, pois os bebês recém-nascidos movem-se ao ritmo da voz das pessoas que o cercam. Quando não há empatia entre as pessoas, seus corpos refletem isso — pouco importa o que elas digam, não haverá simetria em sua postura corporal. Essas pessoas não estão engajadas na dança, e isto fica imediatamente patente.

Pessoas bem-sucedidas conseguem criar essa empatia, que é a base da confiança. Podemos criar empatia com qualquer pessoa aperfeiçoando a capacidade natural de empatia que usamos diariamente. Através do espelhamento, da reprodução da linguagem corporal e do tom de voz, é possível estabelecer rapidamente um clima de empatia com praticamente qualquer pessoa. O contato visual é uma técnica clara de *rapport*, e, em geral, a única que é ensinada conscientemente na nossa cultura, que tem um tabu muito forte contra se observar conscientemente a linguagem corporal e reagir a ela.

Para criar empatia, junte-se à dança da outra pessoa, reproduzindo sua linguagem corporal com sensibilidade e de maneira respeitosa. Dessa forma, uma ponte será construída entre você e o modelo de mundo da outra pessoa. Essa imitação não é uma mímica evidente, pois a mímica, uma cópia exagerada e indiscriminada dos movimentos do outro, é em geral considerada ofensiva. É possível imitar os movimentos que a outra pessoa faz com os braços usando pequenos movimentos das mãos, ou seus movimentos corporais com movimentos leves da cabeça. A isto chamamos espelhamento cruzado. É possível reproduzir a distribuição do peso corporal e a postura básica. Pessoas parecidas gostam umas das outras. A reprodução da respiração é uma maneira muito eficaz de se obter empatia. Talvez você já tenha observado que quando há profunda empatia entre duas pessoas, elas respiram em uníssono.

Estes são os elementos básicos de um relacionamento de empatia. Mas não acredite em nós. Observe o que acontece quando você espelha outras pessoas. Depois, observe o que acontece quando interrompe o que está fazendo. Observe o que as pessoas fazem quando existe empatia entre elas. Comece a ter consciência de algo que você faz naturalmente, para poder aperfeiçoá-lo ainda mais e escolher quando o colocar em prática.

Observe especialmente o que acontece quando não há esse espelhamento. Alguns terapeutas espelham o outro de maneira inconsciente, quase compulsiva. A interrupção do espelhamento é uma técnica muito útil. A maneira mais elegante de finalizar uma conversa é sair da dança. E você não poderá sair da dança se não estiver dançando. Evidentemente, a interrupção mais radical do espelhamento é simplesmente dar as costas à pessoa.

A reprodução do tom de voz é outra maneira de se obter essa empatia, ou *rapport*. É possível imitar a tonalidade, a velocidade, o volume e o ritmo da fala. É o que acontece quando cantamos uma canção com outra pessoa. Entramos na canção e chegamos ao mesmo nível de harmonia. Pode-se usar a reprodução do tom de voz para criar empatia numa conversa telefônica. Assim, quando quiser criar uma assimetria, altere a velocidade e o tom da voz para finalizar a conversa. Trata-se de uma técnica muito útil. Terminar uma conversa telefônica naturalmente pode ser muito difícil.

Existem apenas dois limites à capacidade de criar empatia: o grau com que se pode perceber a postura, os gestos e os padrões verbais da outra pessoa, e a capacidade de reproduzir esses elementos na dança da empatia. O relacionamento será uma dança harmoniosa entre sua integridade, aquilo que você pode fazer e em que acredita sinceramente, e o grau de disponibilidade que você tem para construir uma ponte para chegar ao modelo de mundo da outra pessoa.

Observe como se sente quando reproduz o que a outra pessoa faz. Às vezes nos sentimos desconfortáveis quando imitamos outras pessoas. Existem comportamentos que com certeza não é bom imitar diretamente. Não devemos reproduzir um padrão respiratório muito mais rápido do que aquele que é natural para nós, nem o padrão respiratório de uma pessoa asmática. É possível espelhar ambos esses padrões com pequenos movimentos da mão. Movimentos agitados podem ser espelhados sutilmente com um movimento corporal. Esse procedimento de usar um comportamento analógico em vez da imitação direta costuma ser chamado de reprodução cruzada. Se estivermos preparados para usar essas técnicas de maneira consciente, poderemos criar empatia com quem quer que seja, se assim o desejarmos. Não precisamos gostar da outra pessoa para criar esse relacionamento de empatia; estaremos simplesmente construindo uma ponte para compreendê-la melhor. A criação de empatia depende de nossa decisão, e só experimentando saberemos se ela vai funcionar ou que resultados obteremos.

Portanto, a empatia é o contexto global no qual se insere a mensagem verbal. Se o significado da comunicação é a reação que ele provoca, a empatia é a capacidade de provocar reações.

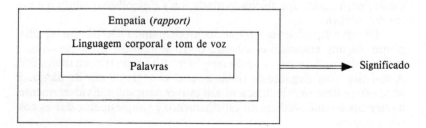

ESPELHAR E CONDUZIR

A empatia nos permite criar uma ponte com a outra pessoa, já que se estabelece um nível de compreensão e contato. A partir deste ponto, podemos começar a modificar nosso comportamento, que provavelmente será imitado pela outra pessoa. Podemos inclusive conduzir a pessoa noutra direção. Os melhores professores são aqueles capazes de criar empatia e entrar no universo do aluno, permitindo que ele compreenda melhor o assunto ou a técnica que estão ensinando. Esse bom relacionamento com os alunos torna mais fácil a tarefa de ensinar.

Na linguagem da PNL, isso se chama "espelhar e conduzir". Espelhar significa criar uma ponte por meio da empatia e do respeito, enquanto conduzir significa modificar nosso comportamento para que a outra pessoa nos siga. A condução não funciona sem empatia. É impossível guiar alguém por uma ponte sem construí-la antes. Quando contei a meu amigo que estava escrevendo um livro sobre programação neurolingüística, eu não o estava espelhando, e portanto não podia levá-lo a compreender sobre o que estava escrevendo.

Temos a opção de manter nosso comportamento e esperar que outras pessoas o entendam e o sigam. Às vezes isso pode até dar bons resultados. Mantendo sempre o mesmo comportamento, obtemos diferentes resultados, e nem todos serão bem-vindos. Se estivermos preparados para modificar nosso comportamento, adaptando-o e subordinando-o a nosso objetivo, com certeza teremos maior probabilidade de sucesso.

Para nos adaptarmos a diferentes situações sociais, colocar outras pessoas à vontade ou para nos sentirmos à vontade, usamos o espelhamento. Espelhamos outras culturas quando respeitamos seus costumes. Por isso, não dizemos palavrões diante de uma padre e usamos roupas adequadas quando queremos conseguir um emprego.

O espelhamento é uma técnica genérica de *rapport* que usamos quando conversamos sobre interesses, amigos, trabalho ou *hobbies* que temos em comum. Também espelhamos emoções. Quando uma pessoa amiga está triste, devemos usar um tom de voz e gestos solidários, e não um grito de "Anime-se!", porque isso provavelmente faria com que a pessoa se sentisse pior. Mesmo que a a intenção seja boa, não funciona. A melhor opção nesse caso seria primeiro espelhar sua postura e usar um tom de voz delicado, que corresponda à maneira como a pessoa está se sentindo. Em seguida, modificar gradativamente essa postura até conduzi-la a uma postura mais positiva e dotada de recursos. Se a ponte for criada, a pessoa vai seguir a orientação. Vai perceber inconscientemente que respeitamos seu estado de espírito e estará disposta a seguir nossa orientação, se esse for o caminho que ela deseja tomar. Este tipo de espelhamento e orientação emocional é um instrumento poderoso de terapia.

39

No caso de uma pessoa irada, é interessante reproduzir a sua raiva, porém num nível levemente inferior. Se formos longe demais, corremos o risco de piorar a situação. Depois de reproduzirmos o estado em que a pessoa se encontra, podemos começar a conduzi-la gradativamente a um estado mais calmo. Quando a pessoa está muito nervosa, deve-se reproduzir esse estado por meio de um tom de voz equivalente, falando um pouco mais alto e mais rápido do que habitualmente.

Também se obtém empatia pelo reconhecimento daquilo que outra pessoa diz, sem que seja preciso concordar com ela. Uma boa maneira de fazer isso é eliminar a palavra "mas" do seu vocabulário. Substitua essa palavra pela conjunção "e". "Mas" pode ser uma palavra destrutiva, pois pressupõe que você ouviu o que foi dito, mas tem objeções a esse respeito, ao passo que a conjunção "e" é neutra, inocente, já que apenas acrescenta, ampliando o que foi dito. Como as palavras têm um grande poder intrínseco, talvez seja interessante modificá-las. Embora isso possa ser difícil, você talvez descubra que vale a pena, porque ganhará mais empatia.

As pessoas oriundas de uma mesma cultura têm em princípio valores e pontos de vista comuns. Interesses comuns, o mesmo tipo de trabalho, os mesmos amigos, os mesmos *hobbies*, a mesma orientação política, tudo isso cria empatia. Costumamos nos dar bem com pessoas que partilham nossos valores e crenças.

A técnica de espelhamento e condução é uma idéia básica da PNL. Inclui a empatia e o respeito pelo modelo de mundo dos outros, pressupõe uma intenção positiva e é uma maneira poderosa de se chegar a um acordo ou a um objetivo comum. Para termos sucesso no espelhamento e na condução, precisamos prestar atenção no outro e ter um comportamento bastante flexível para reagir àquilo que vemos e ouvimos. A PNL é a arte marcial da comunicação: é graciosa, prazerosa e muito eficiente.

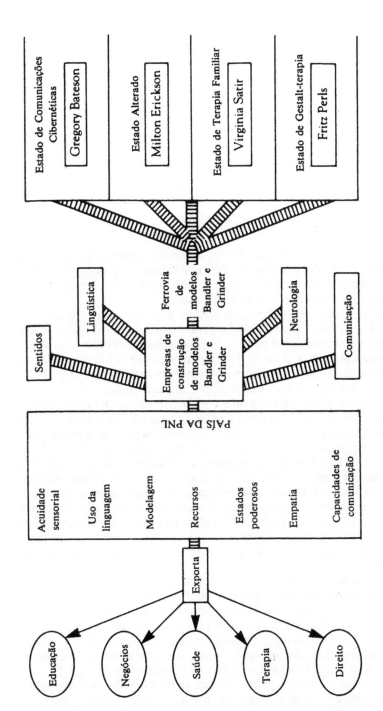

O mapa básico da PNL

CAPÍTULO 2

AS PORTAS DA PERCEPÇÃO

Se o ciclo da comunicação tem um início, começa com os nossos sentidos. Como disse Aldous Huxley, as portas da percepção são os nossos sentidos, nossos olhos, nariz, ouvidos, boca e pele, nossos únicos pontos de contato com o mundo exterior.

Mas, mesmo esses pontos de contato não são o que parecem. Por exemplo, os olhos, nossas "janelas para o mundo", na verdade não são janelas, nem mesmo uma câmera. Você já imaginou por que uma câmera nunca apreende a essência da imagem que você vê? O olho é muito mais inteligente que uma câmera. Os receptores individuais da retina não reagem à luz em si, mas a mudanças e matizes de luz.

Imagine, por exemplo, a tarefa aparentemente simples de olhar para cada uma das palavras desta página. Se seus olhos e o papel estivessem perfeitamente imóveis, a palavra desapareceria assim que cada haste tivesse piscado em reação ao estímulo inicial, preto ou branco. Para continuar a enviar informações sobre a forma das letras, o olho pisca rapidamente a cada minuto, para que as hastes que estão no limite do branco e preto continuem a ser estimuladas. Dessa maneira, continuamos a ver as letras. A imagem é projetada para cima e para baixo em direção à retina, codificada em impulsos elétricos pelas hastes e pelos cones e depois reconstruída pelo córtex visual do cérebro. A imagem resultante é assim projetada "para fora", mas é criada no interior do cérebro.

Portanto, enxergamos através de uma complexa série de filtros perceptivos ativos. O mesmo acontece com os nossos outros sentidos. O mundo que percebemos não é o mundo verdadeiro, ou seja, o território. Trata-se de um mapa criado pela nossa neurologia. Aquilo que vemos no mapa é filtrado pelas nossas crenças, interesses e preocupações.

Podemos aprender a permitir que nossos sentidos nos sirvam melhor ainda. A capacidade de observar e fazer distinções ainda mais profundas em todos os sentidos pode aumentar significativamente nossa qualidade de vida e é essencial em muitas profissões. Um provador de vinhos precisa de um paladar muito aguçado; um músico precisa saber fazer distinções auditivas muito sutis. Um escultor deve ser sensível à textura dos materiais a fim de poder liberar a figura que está aprisionada na madeira ou na pedra. Um pintor deve ser sensível aos matizes de cor e forma. Esta habilidade não significa que a pessoa enxerga mais do que os outras, e sim que ela sabe o que procurar, porque aprendeu a perceber a diferença que faz a diferença. O desenvolvimento de uma percepção rica em cada um dos nossos sentidos físicos chama-se acuidade sensorial, e é um dos objetivos explícitos do treinamento de PNL.

SISTEMAS REPRESENTACIONAIS

A comunicação começa com os pensamentos, que comunicamos aos outros usando palavras, o tom de voz e a linguagem corporal. Mas o que são pensamentos? Existem muitas respostas científicas diferentes; entretanto, todo mundo conhece no seu íntimo o que o pensamento é para si próprio. Uma maneira de entender o que é o pensamento é perceber que estamos usando nossos sentidos internamente.

Quando pensamos sobre o que vemos, ouvimos e sentimos, recriamos esses sons, visões e sentimentos internamente. Revivenciamos a informação na forma sensorial em que a percebemos pela primeira vez. Às vezes temos consciência disso, outras não. Você se lembra onde passou suas últimas férias?

E como se lembra dessas férias? Talvez surjam imagens do lugar na sua mente. Talvez você diga o nome do lugar ou ouça sons. Ou, ainda, talvez se lembre do que sentiu na época. Pensar é uma atividade tão natural e tão comum que nunca pensamos nisso uma segunda vez. Tendemos a pensar sobre o que pensamos, e não em como pensamos. Assim, partimos do princípio de que outras pessoas pensam da mesma maneira que nós.

Portanto, uma das maneiras de pensar é lembrar, consciente ou inconscientemente, das imagens, sons, sentimentos, do paladar e dos odores que já experimentamos. Através da linguagem, podemos criar uma infinidade de experiências sensoriais sem as termos vivido realmente. Leia o próximo parágrafo o mais devagar possível, mas naturalmente, sem esforço.

Pense por um momento que está caminhando por uma floresta de pinheiros. A copa das árvores acima de sua cabeça cobre todo o horizonte. Você vê as cores da floresta à sua volta. O sol incide sobre as folhas e cria mosaicos de luz e sombra no solo da floresta. Você caminha seguindo um raio de sol que atravessou a copa das árvores por cima de sua cabeça. Enquanto caminha, você se dá conta da calma ambiente, interrompida apenas pelo trinado dos pássaros e pelo barulho de seus passos sobre as folhas mortas. De vez em quando, seus pés pisam um galho caído, provocando um ruído seco. Você estende as mãos e toca num tronco de árvore, sentindo a rigidez da madeira. Consciente da leve brisa que toca seu rosto, você percebe o cheiro aromático do pinho, misturado aos outros odores da floresta. Enquanto continua caminhando, você se lembra de que o jantar já está quase pronto e, pensando em seu prato favorito, quase consegue sentir o gosto da comida na boca...

Para entender este último parágrafo, você teve que rever algumas experiências na sua mente, utilizando os seus sentidos internos para representar a experiência que as palavras descreviam. Provavelmente, você criou a cena de maneira suficientemente forte para imaginar o gosto da comida, mesmo numa situação imaginária. Se alguma vez você caminhou por uma floresta de pinheiros, talvez tenha se lembrado das experiências que teve naquela ocasião. Caso não o tenha feito, talvez tenha criado a experiência a partir de experiências semelhantes, ou usado o material recolhido na televisão, em filmes, livros ou outra fonte qualquer. Sua experiência criou um mosaico de lembranças e de imaginação. Geralmente, grande parte do nosso pensamento é uma mistura de impressões lembradas e criadas.

As trilhas neurológicas usadas para representar a experiência interna são as mesmas da experiência direta. Os mesmos neurônios geram impulsos eletroquímicos que podem ser medidos por eletromiogramas. O pensamento produz efeitos físicos diretos, já que corpo e mente formam um sistema único. Imagine que está comendo sua fruta favorita. A fruta pode ser imaginária, mas a salivação não o é.

Usamos os sentidos externos para observar o mundo, e os internos para "reapresentar" a experiência para nós mesmos. Em PNL, as maneiras como assimilamos, armazenamos e codificamos a informação na nossa mente — através da visão, da audição, do tato, do paladar ou do olfato — são chamadas de sistemas representacionais.

O sistema visual, comumente abreviado num V, pode ser usado externamente (e), quando estamos olhando para o mundo externo (Ve), ou internamente (i), quando estamos visualizando mentalmente (Vi). Da mesma forma, o sistema auditivo (A), pode ser dividido entre sons externos (Ae), ou internos (Ai). As sensações formam o chamado sistema cinestésico (C). O sistema cinestésico externo (Ce) inclui as sensações táteis, como o tato, a temperatura e a umidade. O sistema cinestésico interno (Ci) inclui as sensações lembradas, as emoções e as sensação interna de equilíbrio e consciência corporal, que é conhecida como sensação proprioceptiva e nos dá informações sobre nossos movimentos. Sem ela não poderíamos controlar o movimento do nosso corpo no espaço com os olhos fechados. O sistema vestibular é uma parte importante do nosso sistema cinestésico. Ele controla nossa sensação de equilíbrio, mantendo a estabilidade do nosso corpo no espaço. O sistema vestibular está localizado no ouvido interno, dentro de uma série complexa de canais. Temos muitas metáforas sobre esse sistema, tais como "perder o equilíbrio", "cair de quatro", ou "entrar numa roda-viva". O sistema vestibular tem grande importância e é considerado um sistema representacional à parte.

Os sistemas visual, auditivo e cinestésico são os sistemas representacionais básicos usados nas culturas ocidentais. As sensações gustativas (G) e olfativas (O), menos importantes, são em geral incluídas no sistema cinestésico. Servem geralmente como ponto de ligação imediata com a representação visual, os sons e imagens a eles associadas.

Usamos os três sistemas básicos o tempo inteiro, embora não estejamos conscientes deles. Mas temos tendência a favorecer alguns em detrimento de outros. Por exemplo, muitas pessoas têm uma voz interior que percorre o sistema auditivo, criando um diálogo interno. Ali, as pessoas repassam argumentos, ouvem as palestras que vão fazer, pensam em respostas que querem dar e, às vezes, falam consigo mesmas. Entretanto, essa é apenas uma maneira de pensar.

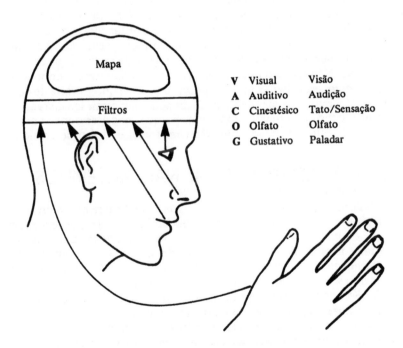

Sistemas representacionais

Os sistemas representacionais não são mutuamente excludentes. É possível visualizar uma cena, ter as sensações a ela associada e ouvir os

45

sons simultaneamente, embora seja difícil prestar atenção a tudo isso ao mesmo tempo. Algumas partes do processo mental ficarão sempre no inconsciente.

Quanto mais uma pessoa estiver absorvida no seu mundo interno de visões, sons e sensações, menos será capaz de prestar atenção ao mundo exterior. Foi o caso de um famoso jogador de xadrez que, num torneio internacional, estava tão concentrado em seu mundo mental que jantou duas vezes na mesma noite, porque havia esquecido completamente já ter jantado a primeira vez. A expressão "estar perdido em seus pensamentos" é muito correta. As pessoas que vivenciam emoções internas fortes são também menos vulneráveis à dor externa.

Nosso comportamento é gerado a partir de uma mistura de experiências sensoriais internas e externas. Conforme o momento, prestamos atenção a um determinado segmento da nossa experiência. Enquanto lê este livro, você está concentrado na página e provavelmente não teve consciência da sensação no seu pé esquerdo... até que eu o mencionasse.

Enquanto datilografo este capítulo, estou primordialmente consciente do diálogo interno que acompanha a minha (muito vagarosa) velocidade de digitação no computador. Se prestar atenção aos sons externos, vou me distrair. Como não digito muito bem, olho para as teclas e sinto-as sob meus dedos enquanto digito, de maneira que os sentidos visual e cinestésico estão sendo usados externamente. Isto mudaria se eu parasse de digitar para visualizar uma cena que gostaria de descrever. Algumas situações de emergência poderiam atrair imediatamente minha atenção: uma dor súbita, alguém que chamasse o meu nome, o cheiro de fumaça ou, se eu estiver com fome, o cheiro de comida.

SISTEMAS REPRESENTACIONAIS PREFERIDOS

Usamos todos os nossos sentidos externamente o tempo todo, embora prestemos mais atenção a um sentido do que a outro, dependendo do que estamos fazendo. Em uma galeria de arte, por exemplo, usaremos mais nossos olhos e, num concerto de música, nossos ouvidos. O surpreendente é que, quando pensamos, tendemos a favorecer um ou talvez dois sistemas representacionais, não importa no que estejamos pensando. Somos capazes de usá-los todos, e quando chegamos à idade de onze ou doze anos já estabelecemos nossas preferências.

Muitas pessoas conseguem criar imagens mentais claras e pensar basicamente em termos visuais. Outras acham difícil pensar assim. São pessoas que falam muito consigo mesmas, enquanto outras baseiam suas ações nas impressões que uma situação lhes provoca. Em PNL, quando uma pessoa tende a usar mais um sentido interno, costuma-se dizer que esse é seu sistema primário ou preferido. Nesse caso, a pessoa será mais capaz de fazer distinções sutis no seu sistema preferido do que em outros.

Isso explica por que algumas pessoas são naturalmente melhores ou mais "talentosas" em determinadas tarefas ou técnicas, pois aprenderam a usar um ou dois sentidos internos, de modo a utilizá-los com facilidade, inconscientemente e sem esforço. Quando um determinado sistema representacional não é muito desenvolvido, certas tarefas se tornam mais difíceis. Por exemplo, a música é uma arte difícil se a pessoa não tiver a capacidade de ouvir os sons internamente.

Em termos absolutos, não existe um sistema melhor do que outro. Tudo depende do que se quer fazer com ele. Os atletas precisam de uma consciência cinestésica bem desenvolvida, e é difícil ser um arquiteto bem-sucedido sem ter a capacidade de criar imagens mentais claras e bem construídas. Um talento partilhado por todos os profissionais excepcionais, qualquer que seja o seu campo de atividade, é a capacidade de passar rapidamente por todos os sistemas representacionais e usar o mais adequado à tarefa que precisa ser realizada.

Cada psicoterapia tende a usar preferencialmente um determinado sistema representacional. As terapias corporais são basicamente cinestésicas, a psicanálise é predominantemente verbal e auditiva, ao passo que a arteterapia e o simbolismo junguiano são exemplos de terapias mais voltadas para o campo visual.

A LINGUAGEM E OS SISTEMAS REPRESENTACIONAIS

Usamos a linguagem para comunicar nossos pensamentos; portanto, não é de admirar que as palavras que usamos reflitam nossa maneira de pensar. John Grinder conta que certa vez, quando saía de casa com Richard Bandler para participar de um grupo de Gestalt terapia, Richard estava rindo de uma pessoa que tinha dito o seguinte: "Vejo o que você quer dizer".

"Pense nisso literalmente", ele disse. "O que será que isto significa?

"Bem", disse John, "vamos analisar literalmente. Suponho que isso signifique que a pessoa está criando imagens do significado das palavras que você usa."

Era uma idéia interessante. Quando iniciaram o seminário, resolveram experimentar um procedimento totalmente novo, inventado naquele momento. Pegaram cartões amarelos, vermelhos e verdes, e pediram às pessoas do grupo que dissessem o motivo de estarem ali. As pessoas que usavam muitas palavras e frases relacionadas a sentimentos receberam cartões amarelos. As que usaram muitas palavras e frases ligadas à audição e a sons receberam cartões verdes. E aquelas que usaram predominantemente palavras e frases relativas à visão receberam cartões vermelhos.

Então, propuseram um exercício bastante simples. As pessoas que tinham cartões da mesma cor deveriam se sentar juntas e conversar durante cinco minutos. Depois, tinham que trocar de grupo e conversar com alguém que tivesse um cartão de cor diferente. As diferenças que eles observaram no relacionamento entre as pessoas foram profundas. As pessoas que tinham cartão da mesma cor se davam muito melhor. Grinder e Bandler acharam essa experiência fascinante e significativa.

PREDICADOS

Usamos palavras para descrever nossos pensamentos; portanto, a escolha que fazemos das palavras indicará qual o sistema representacional que estamos usando. Vamos pensar em três pessoas que tenham acabado de ler o mesmo livro.

A primeira pode dizer que *viu* muitas coisas no livro, que os exemplos tinham sido bem escolhidos para *ilustrar* o assunto e que o estilo era *brilhante*.

A segunda talvez reclame do *tom* do livro. Pode dizer que o estilo era muito *penetrante*. Na realidade, não entrou em sintonia com as idéias do autor e gostaria de lhe *dizer* o que achou do seu livro.

A terceira pessoa pode achar que o livro tratou de um assunto *pesado* com muito *equilíbrio*. Gostou da maneira como o autor *tocou* em todos os tópicos principais, o que lhe permitiu *apreender* facilmente as idéias propostas. Enfim, *sentiu* que compartilhava os interesses do autor.

As três pessoas leram o mesmo livro, mas com certeza você deve ter observado que cada uma delas se expressou de maneira diferente ao referir-se a ele. Não obstante o que acharam do livro, a *maneira* como elas pensaram a respeito dele foi diferente. A primeira pensou em termos visuais; a segunda, em termos auditivos; e a terceira, em termos cinestésicos. Em PNL, as palavras — adjetivos, advérbios e verbos — baseadas nos sentidos são chamadas de predicados. O uso habitual de um tipo de predicado indicará o sistema representacional preferido de alguém.

É possível descobrir o sistema preferido do autor de qualquer livro prestando atenção à linguagem que ele usa (exceto nos livros de PNL, nos quais os autores utilizam as palavras de uma maneira mais premeditada...). A boa literatura sempre tem uma rica e variada mistura de predicados e utiliza todos os sistemas representacionais igualmente, daí seu alcance universal.

Palavras como "compreender", "entender", "pensar" e "processar" não são predicados sensoriais, sendo portanto neutras em termos de sistemas representacionais. Tratados acadêmicos tendem a usar mais essas palavras do que predicados sensoriais, talvez porque haja uma percepção inconsciente de que os predicados sensoriais são mais pessoais, mais subjetivos ao autor e ao leitor e, portanto, menos "objetivos". Entretanto, palavras neutras serão traduzidas de maneira diferente pelos leitores cinestésicos, auditivos ou visuais, gerando várias discussões acadêmicas, quase sempre sobre o significado das palavras. E, nesse debate, cada um achará que está certo.

Nas próximas semanas, talvez o leitor passe a perceber melhor que tipo de palavras costuma privilegiar numa conversa normal. Também é fascinante ouvir os outros e descobrir que tipo de linguagem sensorial eles preferem. A pessoa que prefere pensar em termos visuais vai tentar identificar o colorido dos padrões lingüísticos das outras pessoas. Se você pensa cinestesicamente, talvez seja bom entrar em contato com a maneira como as pessoas se expressam, e, se pensa em termos auditivos, vamos lhe pedir que ouça com cuidado e entre em sintonia com a maneira como as pessoas falam.

Um bom relacionamento tem pressupostos importantes. O segredo da boa comunicação não é tanto o que se diz, mas como se diz. Para criar empatia, ou *rapport*, use os predicados que a outra pessoa usa. Você estará falando a sua linguagem e apresentando idéias da mesma maneira como essa pessoa pensa. Isto dependerá de duas coisas: primeiro, da sua acuidade sensorial para observar, ouvir e perceber os padrões de linguagem das outras pessoas; segundo, de ter um vocabulário adequado no sistema representacional usado pela pessoa, para poder responder ao que ela diz. As conversas não ficarão só em um sistema, é claro, mas reproduzir a linguagem do outro ajuda muito a criar empatia.

É mais fácil criar empatia com uma pessoa que pensa da mesma maneira, e você perceberá isso ouvindo as palavras que ela usa, mesmo que não concorde com o que ela está dizendo. Se estiver no mesmo comprimento de onda que a outra pessoa, ou se enxergar as coisas da mesma maneira que ela enxerga, você poderá ter uma compreensão mais sólida do que ela está dizendo.

É uma boa idéia usar uma mistura de predicados quando se dirigir a um grupo de pessoas. Deixe que as pessoas que visualizam vejam o que você está dizendo, que as pessoas auditivas o ouçam claramente, e coloque-se no lugar das pessoas cinestésicas, para que elas possam perceber o significado daquilo que você está dizendo. Senão, por que elas o ouviriam? Se usar apenas um sistema representacional, é provável que dois terços do público não consigam acompanhar o que você diz.

SISTEMA ORIENTADOR

Da mesma forma como temos um sistema representacional predileto em nosso pensamento consciente, também temos uma maneira preferida de trazer informações para nossos pensamentos conscientes. A memória completa conteria todos os sons, imagens, sensações, paladares e odores da experiência original, mas preferimos escolher uma dessas sensações para nos lembrarmos da experiência. Pense de novo naquelas férias.

O que veio em primeiro lugar...?
Uma imagem, um som, uma sensação? Este é o sistema orientador, a sensação interna que usamos como alavanca para chegar a uma lembrança. É assim que a informação chega até a mente consciente. Por exemplo, posso me lembrar das minhas férias e começar a perceber a sensação de relaxamento que senti, mas a maneira como ela vem a minha mente pode ser visual. Nesse caso, meu sistema orientador é o visual, e meu sistema preferido é o cinestésico.

O sistema orientador parece um programa operacional de computador — é um programa discreto, porém necessário para que o computador funcione. Às vezes, é chamado de sistema de *input*, pois fornece material para um pensamento consciente.

A maioria das pessoas tem um sistema de input preferido, não necessariamente o mesmo que o sistema preferencial ou primário. A pessoa pode ter um sistema orientador diferente para cada tipo de experiência. Por exemplo, pode usar imagens para entrar em contato com experiências dolorosas e sons para recuperar experiências agradáveis.

Ocasionalmente, uma pessoa pode não ser capaz de trazer um sistema representacional para o nível consciente. Por exemplo, pode dizer que não consegue enxergar uma imagem mental. Mesmo que isso seja verdadeiro para ela, na sua realidade, é realmente impossível ou ela não é capaz de reconhecer pessoas ou descrever objetos. Essa pessoa não está consciente das imagens que vê internamente. Se seu sistema inconsciente está gerando imagens dolorosas, ela pode se sentir mal sem saber por que. Em geral, é assim que começa o ciúme.

CINESTESIAS, JUSTAPOSIÇÃO E TRADUÇÃO

Você já viu um único lírio crescer?
Antes mesmo que mãos rudes o tenham tocado?
Você já andou pela neve,
Antes que a terra a tenha maculado?
Você já sentiu o pêlo de um castor,
Ou as penas de um ganso, alguma vez?
Já cheirou o botão de uma urze
Ou sentiu o nardo no fogo?
Você já provou a bolsa de mel da abelha?
Tão branca, tão suave
Tão doce ela é.

Ben Jonson, 1572-1637

A riqueza e a extensão de nossos pensamentos dependem de nossa capacidade em estabelecer uma ponte entre duas maneiras de pensar, passando rapidamente de uma para outra. Portanto, se meu sistema orientador for auditivo e meu sistema predileto for visual, provavelmente me lembrarei de uma pessoa pelo do som de sua voz e depois pensarei nela visualmente. A partir daí, terei uma sensação a respeito da pessoa. Assim, obtemos informação de um dos sentidos, mas representamos essa informação internamente usando outro sentido. Os sons podem gerar lembranças visuais ou uma imagem visual abstrata. Falamos do colorido dos tons musicais, de sons cálidos e de cores vibrantes. Essa ligação imediata e inconsciente através dos sentidos é chamada de cinestesia. Geralmente, a orientação de uma pessoa para o seu sistema preferido será seu padrão mais forte e típico de cinestesia.

As cinestesias constituem uma parte importante da maneira como pensamos, e algumas são tão abrangentes e profundas que parecem ter sido colocadas em nosso cérebro no momento em que nascemos. Por exemplo, as cores estão em geral ligadas a humores: o vermelho à raiva e o azul à tranquilidade. Na verdade, tanto a pressão sanguínea quanto o pulso aumentam ligeiramente num ambiente onde predomina o vermelho e diminuem se o ambiente for predominantemente azul. Estudos mostram que as pessoas sentem os ambientes azuis como sendo mais frios do que os amarelos, mesmo que neles a temperatura seja levemente mais alta. A música usa muito as cinestesias. A colocação mais alta de uma nota na pauta musical tem a ver com a altura do som, e muitos compositores associam alguns sons musicais a cores definidas.

As cinestesias acontecem automaticamente. Às vezes, desejamos ligar uma sensação interna de uma determinada maneira, como, por exemplo, quando queremos ter acesso a todo um sistema representacional que esteja fora de nossa percepção consciente.

Suponhamos que uma pessoa tenha muita dificuldade em visualizar. Primeiro, poderíamos pedir-lhe que lembre um momento feliz e agradável, talvez um momento que ela tenha passado junto ao mar. Podemos convidá-la a ouvir o som do mar internamente e o som de qualquer conversa que tenha acontecido naquele momento. Lembrando-se disso, ela pode justapor a sensação do vento em seu rosto, o calor do sol em sua pele e da areia entre seus dedos. A partir daí, faltará apenas um pequeno passo para que ela consiga ver a imagem da areia sob seus pés ou enxergar o sol no céu. Essa técnica de justaposição pode trazer à memória lembranças completas: imagens, sons e sensações.

Da mesma forma como a tradução de um idioma para outro preserva o significado apesar de mudar totalmente a forma, as experiências podem ser traduzidas de uma para outra sensação interna. Por exemplo, podemos ver uma sala muito desarrumada, ter uma sensação desconfortável e desejar fazer alguma coisa para mudar isso. A visão dessa mesma sala pode deixar um amigo nosso totalmente indiferente, sem entender por que nos sentimos tão mal. Ele pode até nos julgar excessivamente sensíveis, porque não consegue entrar no nosso mundo de experiências. Talvez ele conseguisse entender se lhe disséssemos que, para nós, aquilo era o mesmo que haver pó de mico na sua cama. Traduzindo em sons, poderíamos comparar nossa sensação ao desconforto de ouvir um instrumento desafinado. Essa analogia poderia "tocar" um músico. Pelo menos estaríamos falando a mesma linguagem.

PISTAS DE ACESSO VISUAIS

É fácil perceber se uma pessoa está pensando em termos visuais, auditivos ou cinestésicos. Há mudanças visíveis no nosso corpo quando pensamos de maneiras diferentes. O modo de pensar afeta o corpo, e a maneira como usamos nosso corpo afeta a maneira como pensamos.

Qual é a primeira coisa que você vê quando entra em casa? Para responder a essa pergunta você talvez tenha olhado para cima e para a esquerda. Olhar para cima e para a esquerda é a maneira que a maioria das pessoas destras utiliza para lembrar imagens.

Agora imagine o que sentiria se encostasse um pedaço de veludo na pele.

Nesse caso, é provável que você tenha olhado para baixo e para a direita, pois é assim que a maioria das pessoas entra em contato com suas sensações.

Dependendo da maneira como estamos pensando, movimentamos sistematicamente os olhos em diferentes direções. Pesquisas neurológicas demonstraram que os movimentos oculares laterais e verticais parecem estar associados a diferentes partes ativadoras do cérebro. Na literatura neurológica, esses movimentos são chamados de movimentos oculares laterais (MOL). Em PNL, esses movimentos são chamados "pistas de acesso visuais", porque nos dão uma pista visual de como as pessoas estão tendo acesso à informação. Há uma instrínseca ligação neurológica entre os movimentos oculares e os sistemas representacionais, pois esses padrões ocorrem no mundo inteiro, "com exceção da região Basca da Espanha".

Quando visualizamos algo da nossa experiência passada, geralmente nossos olhos se movem para cima e para a esquerda. Quando construímos uma imagem a partir de palavras ou tentamos "imaginar" algo que nunca vimos, nossos olhos movem-se para cima e para a direita. Os olhos movem-se para a esquerda quando queremos nos lembrar de sons que já ouvimos, e para a direita quando queremos evocar sons que nunca ouvimos antes. Quando evocamos sentimentos, os olhos em geral vão para baixo e para a direita. Quando conversamos conosco, geralmente olhamos para baixo e para a esquerda. O olhar fora de foco, fitando o vazio à distância, também é um sinal de que está ocorrendo uma visualização.

52

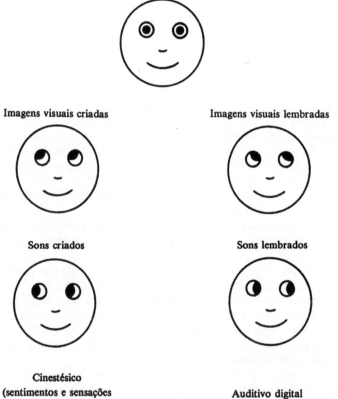

NB: Esta é sua imagem olhando para outra pessoa

A maioria das pessoas destras tem um padrão de movimentos oculares igual ao do diagrama. Esses movimentos podem ser opostos no caso de pessoas canhotas, que talvez olhem para a direita para se lembrar de imagens e sons e para a esquerda para construir imagens e sons. As pistas de acesso visuais seguem sempre o mesmo padrão para uma determinada pessoa, mesmo que ela não corresponda a esse modelo. Por exemplo, uma pessoa canhota pode olhar para baixo e à esquerda para evocar sentimentos e para baixo e à direita no caso de diálogo interno. Entretanto, ela fará sempre isso, sem misturar aleatoriamente as pistas de acesso. Como toda regra tem exceções, é preciso ter sempre muito cuidado antes de aplicar essas regras gerais a qualquer pessoa. A resposta não está na generalização, mas na pessoa que está à sua frente.

Embora seja possível movimentar os olhos de maneira consciente em qualquer direção enquanto pensamos, geralmente é muito mais fácil ter acesso a um determinado sistema representacional se estivermos usando os movimentos oculares naturais adequados. Há formas de sintonizar o cérebro para que ele pense de uma maneira específica. Se quisermos nos lembrar de algo que vimos ontem, devemos olhar para a esquerda e para cima, ou para a frente. É mais difícil lembrar imagens quando estamos olhando para baixo.

Em geral não temos consciência de nossos movimentos oculares laterais, e não há razão que nos obrigue a isso, mas vale a pena saber "procurar" a informação no lugar certo.

As pistas de acesso nos permitem saber como alguém está pensando, e é uma parte importante do treinamento em PNL ter consciência das pistas visuais das pessoas. Pode-se fazer perguntas e observar os movimentos oculares, sem se importar com as respostas. Por exemplo, se eu perguntar "Que cor é o tapete da entrada da sua casa?", a pessoa vai ter que visualizar a entrada da casa para dar a resposta, qualquer que seja a cor do tapete.

Você talvez queira tentar o seguinte exercício com um amigo. Sentem-se em um lugar calmo e faça ao seu amigo as seguintes perguntas, observando as suas pistas visuais de acesso. Anote as pistas se assim o desejar. Peça-lhe para dar resposta rápidas ou apenas acenar com a cabeça quando souber a resposta. Em seguida, responda você também às mesmas perguntas. Esse exercício não pretende provar nada, apenas mostrar como pensamos.

PERGUNTAS CUJAS RESPOSTAS INCLUEM NECESSARIAMENTE LEMBRANÇAS VISUAIS:
Qual é a cor da porta da frente da sua casa?
O que vê quando vai até a loja mais próxima da sua casa?
Em que sentido são as listras de um tigre?
Qual é a altura do prédio em que mora?
Qual das suas amigas tem o cabelo mais comprido?

PERGUNTAS CUJAS RESPOSTAS INCLUEM CONSTRUÇÃO VISUAL:
Como ficaria seu quarto se o papel de parede fosse branco com bolinhas cor-de-rosa?
Em um mapa de cabeça para baixo, em que direção ficaria o Sudeste?
Imagine um triângulo de cor púrpura dentro de um quadrado vermelho.
Como se escreve seu nome de trás para a frente?

PARA EVOCAR UMA LEMBRANÇA AUDITIVA, PERGUNTE:
Você consegue ouvir sua música predileta internamente?
Qual das portas da sua casa bate com mais força?
Qual é o som do telefone quando a linha está ocupada?
A terceira nota do Hino Nacional é mais alta ou mais baixa do que a segunda?
Você consegue ouvir mentalmente um coral de música?

PERGUNTAS PARA UMA CONSTRUÇÃO AUDITIVA:
Como seria o barulho de dez pessoas gritando ao mesmo tempo?
Como seria sua voz debaixo d'água?
Pense na sua música favorita tocada em ritmo acelerado.
Qual seria o som de um piano caindo de um edifício de dez andares?
Qual seria o som do grito de uma mandrágora?
Qual seria o som de uma serra elétrica cortando uma chapa de aço?

PERGUNTAS QUE INICIAM O DIÁLOGO INTERNO:
Qual o tom de voz que você usa quando fala consigo mesmo?
Recite silenciosamente uma cantiga de ninar.
Quando você fala consigo mesmo, de onde vem o som?
O que diz para si mesmo quando as coisas dão errado?

PERGUNTAS PARA O SENTIDO CINESTÉSICO (INCLUINDO ODOR E PALADAR):
Qual a sensação de calçar meias molhadas?
Qual a sensação de colocar o pé numa piscina com água fria?
Qual a sensação da lã sobre a pele?
O que está mais quente agora: sua mão esquerda ou a direita?
Qual a sensação de entrar numa banheira cheia de água quente?
Como se sente depois de uma boa refeição?
Pense no cheiro do amoníaco.
Qual a sensação de provar uma sopa muito salgada?

    O que interessa é o processo mental, não as respostas. Sequer é necessário obter respostas verbais. Algumas perguntas podem provocar maneiras de pensar diferentes. Por exemplo, para descobrir quantos lados tem uma moeda de 25 centavos, pode-se visualizar a moeda e contar os lados, ou então contá-los sentindo mentalmente a borda da moeda. Se uma pergunta envolve visualização, mas a pessoa revela pistas de acesso

55

diferentes, isso é uma prova da sua flexibilidade e criatividade. Não significa que os padrões estejam incorretos ou que a pessoa esteja "errada". Se estiver em dúvida, pergunte: "O que você estava pensando naquele momento?"
   Como as pistas de acesso visuais surgem muito rapidamente, é necessário ser bom observador para conseguir vê-las todas. Elas mostram a seqüência de sistemas representacionais que a pessoa usa para responder às perguntas. Por exemplo, diante da pergunta auditiva sobre que porta faz mais barulho ao bater, a pessoa pode visualizar cada uma das portas, sentir-se mentalmente batendo cada uma delas e depois ouvir o som que elas provocam. Talvez tenha que fazer isso várias vezes antes de responder. Em geral, ela entrará em contato com o sistema orientador antes de responder à pergunta. Alguém cujo sistema orientador seja visual normalmente cria uma imagem das várias situações propostas pelas perguntas auditivas e cinestésicas antes de ouvir o som ou de ter a sensação.

OUTRAS PISTAS DE ACESSO

   Os movimentos oculares não são as únicas pistas de acesso, embora provavelmente sejam as mais fáceis de identificar. Como corpo e mente são inseparáveis, a maneira de pensar sempre se revela em algum lugar do corpo, se soubermos para onde olhar. Aparece, particularmente, nos pardões de respiração, na cor da pele e na postura.
   A pessoa que está pensando em termos visuais geralmente falará mais depressa e num tom de voz mais alto. Como as imagens surgem rapidamente no cérebro, a pessoa tem que falar rápido para poder acompanhá-las. A respiração será mais curta e mais restrita à parte superior do peito. Quase sempre há um aumento da tensão muscular, sobretudo nos ombros, a cabeça se manterá ereta e o rosto ficará mais pálido do que é normalmente.
   As pessoas que pensam em termos sonoros respiram de maneira mais uniforme. Geralmente, há movimentos rítmicos curtos do corpo e a tonalidade da voz é clara, expressiva e ressonante. A cabeça mantém-se bem equilibrada sobre os ombros, ou levemente inclinada, como se a pessoa estivesse ouvindo algo.
   As pessoas que conversam consigo mesmas geralmente inclinam a cabeça para um dos lados, apoiando-a na mão ou no punho. Essa postura é conhecida como "posição do telefone", porque lembra a de uma pessoa falando através de um telefone invisível. Algumas pessoas chegam a repetir o que acabaram de ouvir internamente, de modo que é possível perceber os movimentos de seus lábios.
   O acesso cinestésico caracteriza-se por uma respiração profunda e mais localizada na área do estômago, quase sempre acompanhada de

relaxamento muscular. Como a cabeça pende para baixo, a voz terá uma tonalidade mais grave, e a pessoa falará lentamente, fazendo longas pausas. A famosa escultura de Rodin, *O pensador*, exprime um pensamento cinestésico. Movimentos e gestos também revelam a maneira como a pessoa está pensando. Muitas pessoas indicam o órgão que estão usando internamente: apontam para os ouvidos quando estão ouvindo sons dentro da cabeça, para os olhos se estiverem visualizando, ou para o abdômen se estiverem tendo uma sensação muito forte. Esses sinais não lhe dirão o que a pessoa está pensando, apenas como ela está pensando. Essa é uma forma de interpretação da linguagem corporal muito mais refinada e sutil do que a que normalmente se faz.

A idéia dos sistemas representacionais é muito útil para entender as diferentes maneiras de pensar, e saber ler as pistas de acesso é importante para qualquer pessoa que queira se comunicar melhor com os outros. Para os terapeutas e educadores, é uma habilidade essencial. Os terapeutas podem saber como seus clientes estão pensando e descobrir como mudar esse pensamento. Os educadores podem descobrir que maneiras de pensar funcionam melhor para um determinado assunto e ensinar essas habilidades específicas.

Há inúmeras teorias de tipos psicológicos que se baseiam tanto na fisiologia como na maneira de pensar. A PNL sugere outra possibilidade. Se utilizada habitualmente, uma determinada maneira de pensar deixa sua marca no corpo. Determinadas posturas, gestos e padrões respiratórios se tornarão habituais numa pessoa que pensa predominantemente de uma certa maneira. Em outras palavras, uma pessoa que fala depressa e em alta tonalidade, respira rápido e basicamente na parte alta do peito, e mostra uma tensão na área dos ombros, quase sempre pensa criando imagens internas. Uma pessoa que fala devagar, num tom de voz grave, respirando profundamente, provavelmente confia mais nas suas sensações.

Uma conversa entre uma pessoa que pensa em termos visuais e outra que pensa em termos cinestésicos pode ser uma experiência frustrante para ambas. A pessoa que pensa visualmente ficará impaciente, enquanto a pessoa cinestésica literalmente "não conseguirá ver" por que a outra tem que ir tão rápido. Quem tiver a capacidade de se adaptar à maneira de pensar do outro conseguirá resultados melhores.

Entretanto, é bom lembrar que essas generalizações devem ser comprovadas através da observação e da experiência. A PNL não é mais uma maneira de classificar as pessoas. Dizer que alguém é um tipo visual é tão inútil quanto afirmar que ele é ruivo. Se essa classificação nos impedir de ver o que a pessoa está fazendo aqui e agora, será uma apenas uma outra forma de criar estereótipos.

Podemos ter uma forte tentação de classificar a nós mesmos e aos outros em termos do sistema representacional primário. Cometer esse erro é cair na mesma armadilha em que caiu a psicologia: isto é, inventar uma série de categorias e depois tentar encaixar as pessoas numa delas. As pessoas são muito mais complexas do que as generalizações feitas a seu respeito. A PNL fornece um rico conjunto de modelos que nos permite perceber o que as pessoas fazem, sem tentar enquadrá-las em estereótipos.

SUBMODALIDADES

Até agora falamos das três maneiras principais de pensamento — através de sons, de imagens e de sensações —, mas esse é apenas um primeiro passo. Se você quiser descrever uma imagem que viu, poderá acrescentar muitos detalhes. A imagem era colorida ou em preto-e-branco? Era um filme ou uma foto instantânea? Estava longe ou perto? Essas distinções podem ser feitas sem que a pessoa precise se referir ao que havia na imagem. Da mesma forma, é possível descrever um som como grave ou agudo, próximo ou distante, alto ou baixo. Um sentimento pode ser pesado ou leve, nítido ou difuso, fraco ou intenso. Assim, após ter estabelecido sua maneira geral de pensamento, seu próximo passo é ser ainda mais específico dentro do sistema.

Sente-se confortavelmente e lembre-se de uma experiência agradável. Examine qualquer imagem que lhe ocorra. Você está vendo através de seus próprios olhos (associado), ou através dos olhos de outra pessoa (dissociado)? Por exemplo, se você está se vendo, deve estar dissociado. A imagem é colorida? É um filme ou um *slide*? É uma imagem tridimensional ou achatada, como numa fotografia? Sempre olhando para a imagem, tente outras maneiras de descrevê-la.

Agora preste atenção aos sons associados à recodação. São altos ou baixos? Próximos ou distantes? De onde eles vêm?

Finalmente, preste atenção às sensações ou impressões que a lembrança provoca. Onde é que você as sente? Elas são fortes ou suaves? Leves ou pesadas? Quentes ou frias?

Na literatura da PNL, essas distinções são conhecidas como submodalidades. Se os sistemas representacionais são modalidades — maneiras de vivenciar o mundo —, então as submodalidades são os blocos de construção dos sentidos, a maneira como cada imagem, som ou sensação se forma.

As idéias da PNL vêm sendo usadas há muito tempo. Ela não surgiu no momento em que seu nome foi inventado. Os antigos gregos já falavam da experiência sensorial, e Aristóteles se referiu às submodalidades, embora sem usar esse nome, quando tratou das qualidades dos sentidos.

A seguir, apresentaremos uma lista das diferenças mais comuns entre as submodalidades.

SISTEMA VISUAL
Visão associada (vista através dos próprios olhos), ou dissociada (quando a pessoa olha para si mesma)
Em cores ou em preto-e-branco
Com ou sem moldura
Profundidade (duas ou três dimensões)
Localização (esquerda ou direita, para cima ou para baixo)
Distância da pessoa em relação à imagem
Luminosidade
Contraste
Claridade (dentro ou fora de foco)
Movimento (filme ou *slide*)
Velocidade (mais rápida ou mais lenta que o normal)
Número (tela cortada ou múltiplas imagens)
Tamanho

SISTEMA AUDITIVO
Estéreo ou mono
Palavras ou sons
Volume (alto ou baixo)
Tom (alto ou baixo)
Timbre (plenitude de som)
Localização do som
Distância da fonte sonora
Duração
Contínuo ou descontínuo
Velocidade (mais rápida ou mais lenta que o normal)
Claridade (um som claro ou abafado)

SISTEMA CINESTÉSICO
Localização
Intensidade
Pressão (sensação forte ou fraca)
Extensão (tamanho)
Textura (áspera ou suave)
Peso (sensação leve ou pesada)
Temperatura
Duração (o tempo que dura)
Forma

  A lista acima não é exaustiva, incluindo apenas algumas das distinções mais comuns. Algumas submodalidades são descontínuas ou digitais. Como um interruptor de luz, que só pode estar ligado ou desligado, uma experiência tem que ser uma coisa ou outra. Por exemplo, uma imagem tem que ser associada ou dissociada, não pode ser ambas as coisas simultaneamente. A maioria das submodalidades está sempre variando, como se controladas por um interruptor. Formam uma espécie de escala flutuante, por exemplo, claridade, luminosidade ou volume. "Analógico" é o adjetivo que se usa para descrever essas qualidades que podem variar continuamente de um limite para outro.

Muitas dessas submodalidades estão embutidas nas frases que usamos. Observando a lista que apresentamos no final deste capítulo, talvez você as veja sob uma nova luz, ou talvez elas o surpreendam, porque dizem muito sobre a forma como nossa mente funciona. As submodalidades podem ser consideradas o código de operação mais fundamental do cérebro humano. É simplesmente impossível ter qualquer pensamento ou se lembrar de qualquer experiência sem que eles tenham uma estrutura de submodalidade. Geralmente, não percebemos a estrutura de submodalidade da experiência se não dirigirmos nossa atenção consciente para ela.

O aspecto mais interessante das submodalidades é o que acontece quando propositalmente as fazemos mudar. Algumas podem ser modificadas sem causar nenhuma diferença na experiência, ao passo que outras são decisivas e, ao modificá-las, mudamos totalmente a maneira como sentimos a experiência. Normalmente, o impacto e o significado de uma lembrança ou pensamento depende mais de umas poucas submodalidades importantes do que do seu conteúdo.

A partir do momento em que um acontecimento ocorre, não podemos mais voltar no tempo e modificá-lo. Então, passamos a reagir à lembrança do acontecimento. É essa que pode ser modificada, e não o evento em si.

Faça a seguinte experiência: lembre-se de uma experiência agradável. Faça isso associado à imagem, vendo-a através dos seus próprios olhos. Sinta como ela aparece. Em seguida dissocie-se. Saia fora da imagem e veja a pessoa que está olhando e que se parece muito com você. É muito provável que isso modifique a maneira como você sente a experiência. A dissociação anula a força emocional da lembrança. Uma lembrança agradável deixará de ser prazerosa e uma lembrança desagradável deixará de ser dolorosa. Quando lidamos com traumas, é importante, antes de mais nada, dissociar a pessoa da dor emocional, senão o episódio poderá ficar totalmente bloqueado, fora do alcance da consciência, e será difícil ou quase impossível pensar nele. A dissociação coloca os sentimentos a uma distância segura, para que se possa lidar com eles. Esta é a base da cura rápida de fobia que será demonstrada no capítulo 8. Da próxima vez que seu cérebro criar uma cena dolorosa, dissocie-se dela. Para evocar plenamente lembranças agradáveis, certifique-se de que está associado. É possível mudar a maneira de pensar. Essa é uma informação fundamental para alguém que fosse escrever o "Manual do Usuário do Cérebro". Experimente modificar sua maneira de pensar e descubra quais são as submodalidades mais importantes para você.

Pense numa situação emocionalmente importante de que se lembre bem. Primeiro conscientize-se da parte visual da lembrança. Aumente e diminua a luminosidade, como fazemos com um aparelho de televisão. Observe as diferenças que isso provoca na experiência. Que nível de luminosidade prefere? Finalmente, coloque a imagem no nível em que estava originalmente.

Em seguida, aproxime a imagem, depois afaste-a. Isso provoca alguma diferença? Qual das duas imagens prefere? Coloque a imagem no seu lugar original.

Agora, se imagem for colorida, tranforme-a numa imagem em preto-e-branco. E, se ela era em preto-e-branco, torne-a colorida. Qual é a diferença e qual das duas é melhor? Faça-a voltar ao que era originalmente.

A imagem tem movimento? Se tiver, diminua o movimento até transformar a imagem numa fotografia instantânea. Depois, tente aumentar a velocidade da imagem. Observe a sua preferência e faça-a voltar ao original.

Finalmente, tente passar da associação à dissociação, voltando depois à imagem original.

Algumas ou todas essas mudanças terão um profundo impacto sobre a maneira como você sente a lembrança. Talvez você prefira deixar a recordação nos seus níveis preferidos de submodalidades. Talvez você não goste dos níveis originais que seu cérebro escolheu. Você se lembra de ter escolhido esses níveis?

Agora continue sua experiência com as submodalidades visuais e observe o que acontece. Faça o mesmo com as submodalidades auditivas e cinestésicas.

Para a maioria das pessoas, uma experiência será mais intensa e memorável se tiver uma imagem grande, luminosa, colorida, próxima e associada. Se este for o seu caso, certifique-se de armazenar suas boas lembranças dessa forma. Por outro lado, torne suas lembranças desagradáveis menores, escurecidas, sem cor, distantes e dissociadas. Em ambos os casos, o conteúdo da lembrança permanece o mesmo; o que muda é a maneira como nos lembramos dela. Coisas ruins acontecem e têm conseqüências com as quais somos obrigados a conviver, mas não é necessário que elas nos persigam. Seu poder de fazer com que nós nos sintamos mal no presente vem da maneira como pensamos sobre elas. Precisamos separar o evento real que aconteceu naquela época do sentido e do poder que lhe damos pela maneira como nos lembramos dele.

Talvez você ouça uma voz interior que o chateia.
Diminua essa voz. Agora acelere-a.
Modifique o tom da voz.
De que lado ela vem?
O que acontece quando muda o lado de onde ela vem?
O que acontece se aumentar o volume da voz?

Ou diminuí-lo?
Falar consigo mesmo pode ser um grande prazer.
A voz talvez nem seja a sua própria voz. Se este for o caso, pergunte à voz o que ela está fazendo dentro de sua cabeça.

A mudança de submodalidades é uma questão de vivência pessoal, difícil de colocar em palavras. Mas, se a teoria é discutível, a experiência é convincente. Você pode ser o diretor do seu próprio filme mental e decidir como quer pensar, em vez de ficar à mercê de representações que parecem surgir do nada. Como a televisão durante o verão, o cérebro reprisa muitos filmes, vários deles velhos e de má qualidade. Ninguém é obrigado a assistir a esses filmes.

As emoções vêm sempre de algum lugar, embora sua origem possa não estar ao alcance de nossa percepção consciente. Por outro lado, a emoção é uma representação cinestésica que tem peso, localização e intensidade, submodalidades que podem ser mudadas. As sensações não são totalmente involuntárias, e podemos trabalhar para escolher as sensações que desejamos ter. As emoções são criados excelentes, mas mestres tirânicos.

Sistemas representacionais, pistas de acessos e submodalidades são alguns dos blocos básicos da estrutura da nossa experiência subjetiva. Não é de admirar que as pessoas tracem mapas diferentes do mundo, já que têm diferentes sistemas representacionais orientadores e preferidos, cinestesias diferentes, e codificam suas lembranças a partir de submodalidades diferentes. Quando finalmente usam a linguagem para se comunicar, é surpreendente que consigam se entender.

Exemplos de palavras e frases baseadas nos sentidos

VISUAL
Olhar, imagem, foco, imaginação, *insight*, cena, branco, visualizar, perspectiva, brilho, reflexo, esclarecer, examinar, olho, foco, antever, ilusão, ilustrar, observar, revelar, prever, ver, mostrar, pesquisar, visão, olhar, obscuro, escuro.

AUDITIVO
Dizer, sotaque, ritmo, alto, tom, ressoar, som, monótono, surdo, tocar, perguntar, audível, claro, discutir, proclamar, comentar, escutar, gritar, perder a voz, vocal, silêncio, dissonante, harmonioso, agudo, silencioso, mudo.

CINESTÉSICO
Tocar, manusear, contato, empurrar, esfregar, sólido, quente, frio, áspero, agarrar, pressão, sensitivo, estresse, tangível, tensão, concreto, suave, pegar, sofrer, pesado.

NEUTRO
Decidir, pensar, lembrar, saber, meditar, reconhecer, atender, compreender, avaliar, processar, decidir, motivar, aprender, modificar, consciente, considerar.

OLFATO
Cheiroso, aromático, fresco, defumado, passado.

GUSTATIVO
Azedo, saboroso, amargo, salgado, suculento, doce.

FRASES VISUAIS
Vejo o que você quer dizer.
Temos o mesmo ponto de vista.
Vemos com os mesmos olhos.
Mostre-me o que quer dizer com isso.
Depois, você vai olhar para trás e rir.
Isso vai lançar uma luz sobre o assunto.
Isso dá um colorido diferente ao seu ponto de vista.
Sem sombra de dúvida.
Tenho uma visão um tanto obscura a esse respeito.
O futuro parece brilhante.
A solução explodiu diante dos seus olhos.
Com os olhos da mente.
Isto é um colírio para os meus olhos.

FRASES AUDITIVAS
Estar na mesma sintonia.
Viver em harmonia.
Isto é grego para mim.
Fazer ouvidos moucos.
Isso é música para os meus ouvidos.
Palavra por palavra.
Segure sua língua.
Outra maneira de falar.
Em alto e bom som.

FRASES CINESTÉSICAS
Vou entrar em contato com você.
Consegui captar a idéia.
Posso sentir nos ossos.
Ele tem um coração quente.
Ele é uma pessoa fria.
Ele é casca grossa.
Segure-se.

Isto tem uma base sólida.
Uma discussão acalorada.
Pôr o dedo na ferida.

FRASES OLFATIVAS E GUSTATIVAS
Isso cheira mal.
Uma pílula amarga.
Uma pessoa doce.
Um comentário ácido.
Uma pessoa amarga.

CAPÍTULO
3

ESTADOS FISIOLÓGICOS E LIBERDADE EMOCIONAL

Quando uma pessoa está com o nível físico-emocional baixo, costumamos dizer que ela está em "péssimo estado". Por outro lado, sabemos que, para dar o melhor de nós, precisamos estar "num bom estado mental". O que é um estado mental? Resumidamente, o estado mental inclui todos os pensamentos, as emoções e a fisiologia que expressamos num dado momento. São as imagens mentais, sons, sentimentos e todos os padrões da postura física e da respiração. Como corpo e mente estão totalmente interligados, nossos pensamentos influenciam imediatamente nossa fisiologia, e vice-versa.

Um dos poucos fatos concretos com que podemos contar é que nosso estado mental muda continuamente. Quando mudamos nosso estado de espírito, o mundo externo também muda (ou, pelo menos, parece mudar). Em geral, temos mais consciência de nosso estado emocional do que de nossa fisiologia, postura, gestos e padrões respiratórios. Na verdade, geralmente acreditamos que as emoções estão fora do controle consciente, sendo a ponta visível de um *iceberg*. Não percebemos a fisiologia nem os processos mentais subjacentes às emoções, que formam os nove décimos submersos do *iceberg*. Tentar influenciar as emoções sem modificar o estado mental é tão inútil quanto tentar destruir o *iceberg* cortando apenas a ponta visível. A outra parte fatalmente virá à tona, a menos que se gaste muito tempo e muita energia empurrando o *iceberg* para baixo. No entanto é isso que em geral fazemos, usando medicamentos ou força de vontade. Segundo nosso ponto de vista, a mente ordena e o corpo obedece. Assim, as emoções habituais estão estampadas no rosto e na postura de uma pessoa, porque ela não percebe até que ponto suas emoções moldam sua fisiologia.

Faça o seguinte exercício. Por um momento, pense numa experiência agradável, uma ocasião em que se sentiu realmente bem. Depois que tiver pensado na experiência, reviva-a plenamente durante um ou dois minutos.

Enquanto desfruta essas sensações agradáveis, olhe ao seu redor, observando o que está vendo e que sons está ouvindo enquanto relembra a experiência. Observe como se sente. Quando tiver acabado, volte ao presente.

Observe o impacto que essa experiência tem sobre seu estado geral, especialmente sobre sua postura e sua respiração. As experiências passadas não desaparecem para sempre. Elas podem ajudá-lo a se sentir bem no presente. Embora as visões e os sons do passado não existam mais, quando os recriamos mentalmente a sensação é tão real e tangível quanto foi no passado. Portanto, não importa como estivesse se sentindo, reviver uma experiência agradável lhe permitiu ter acesso a um estado melhor e de mais recursos.

Agora, pense numa experiência passada levemente desconfortável. Imagine-se de volta a ela.

Ao voltar àquela situação, o que você vê?
O que ouve?
Observe como se sente.

Não prolongue essa experiência por muito tempo, volte logo ao presente e observe o efeito que ela tem sobre você. Perceba como se sente depois disso e compare seu estado atual com o que sentiu depois da experiência precedente. Observe também as diferenças de postura e de respiração.

Agora modifique de novo seu estado. Faça alguma atividade física, movimente o corpo e volte sua atenção para algo completamente diferente da lembrança anterior. Olhe pela janela, pule para cima e para baixo, corra até o outro lado da sala, toque na parede, curve o tronco e toque os dedos dos pés. Preste atenção às sensações físicas do movimento e no que está sentindo aqui e agora.

Na PNL, essas ações são chamadas de "mudanças de estado", e vale a pena experimentá-las sempre que se sentir afundando num estado mental negativo ou sem recursos. Sempre que alguém tem recordações desagradáveis e entra num estado mental negativo, seu corpo inteiro recebe esse estado negativo e o mantém na forma de determinados padrões de tônus muscular, postura e respiração. Essas lembranças armazenadas fisicamente podem contaminar suas futuras experiências por minutos ou horas. Todos sabemos o que significa "levantar com o pé esquerdo".

As pessoas que sofrem de depressão adquiriram inconscientemente a capacidade de manter um estado negativo por longos períodos. Outras pessoas são capazes de modificar seu estado emocional sempre que desejam, criando para si mesmas uma liberdade emocional que lhes dá uma melhor qualidade de vida. Elas vivenciam os altos e baixos emocionais da vida, mas aprendem com eles e seguem em frente, sem prolongar uma dor emocional desnecessária.

No nosso cotidiano passamos sucessivamente por vários estados emocionais, às vezes rápido, às vezes gradativamente. Por exemplo, se você está com o moral baixo e um amigo telefona para lhe dar boas notícias, seu estado de espírito fica mais leve. Mas se numa manhã ensolarada você abre a correspondência e vê uma conta alta, nuvens mentais vêm encobrir o sol.

Podemos influenciar nossos estados mentais em vez de simplesmente reagir ao que acontece externamente. Nos últimos minutos, ao tentar os exercícios propostos, você se sentiu bem, depois se sentiu mal... e nada aconteceu no mundo exterior. Você fez tudo isso sozinho.

EVOCAÇÃO

Em PNL, a palavra "evocação" indica o processo usado para conduzir alguém a um determinado estado mental. Apesar do nome diferente, trata-se de uma habilidade corriqueira, porque todos temos bastante prática em levar pessoas a um estado de ânimo diferente. Fazemos isso o tempo todo com palavras, o tom de voz e os gestos. Mas às vezes não evocamos o estado que queremos. Quantas vezes já ouvimos alguém dizer: "O que que há com ele, eu só disse...".

A maneira mais simples de evocar um estado emocional é pedir à pessoa que se lembre de uma experiência passada em que vivenciou aquela emoção. Quanto mais expressivo você for, mais expressividade vai evocar. Quanto mais você conseguir reproduzir, pelo tom de voz, pela expressão facial e pela postura corporal, a reação que quer trazer à tona, maior serão as possibilidades de obtê-la.

Todo esforço tem um resultado. Se quisermos fazer com alguém entre num estado mental calmo e fecundo, é inútil falar depressa, em voz alta, respirando rápida e compassadamente e fazendo movimentos abruptos. Apesar das palavras calmas, a pessoa vai ficar mais ansiosa. Precisamos agir de acordo com o que estamos dizendo. Assim, se quer levar alguém a se sentir confiante, peça-lhe que se lembre de um momento em que se sentiu confiante. Fale de maneira clara, usando um tom de voz confiante, respire de maneira uniforme, com a cabeça erguida e a postura ereta. Haja de maneira "confiante". Se sua linguagem corporal e seu tom de voz não forem congruentes com suas palavras, a pessoa provavelmente obedecerá à mensagem não-verbal.

É importante também que a pessoa se lembre da experiência como se estivesse nela, sem estar dissociada. A associação traz à tona todas as sensações da experiência. Imagine-se olhando alguém que está comendo sua fruta favorita. Agora imagine-se comendo a fruta. Qual das duas experiências é mais prazerosa? Para evocar em si mesmo um estado mental, entre na experiência tão plena e vividamente quanto possível.

CALIBRAÇÃO

Em PNL, "calibrar" significa perceber os diferentes estados de espírito das pessoas. Todos nós temos essas capacidade e a usamos diariamente, por isso vale a pena desenvolvê-la e aperfeiçoá-la.

Assim, distinguimos diferenças sutis de expressão enquanto a pessoa vivencia recordações e estados variados. Por exemplo, quando alguém se lembra de uma experiência assustadora seus lábios podem se tornar mais finos, a pele fica mais pálida e a respiração mais superficial. Quando a pessoa está se lembrando de uma experiência prazerosa, os lábios ficam mais cheios, a cor da pele mais rosada, a respiração mais profunda e os músculos faciais mais relaxados.

Em geral, nosso nível de calibração é tão fraco que só notamos que uma pessoa está chateada quando ela começa a chorar. Confiamos demais em que as pessoas nos digam verbalmente como estão se sentindo, em vez de usar nossos olhos e ouvidos. Ninguém precisa levar um soco no nariz para saber que outra pessoa está zangada, mas também não deve imaginar as mais alucinadas possibilidades a partir de um leve movimento de sobrancelha.

Há um exercício de PNL que talvez seja interessante você experimentar com um amigo. Peça a seu amigo que pense em uma pessoa de quem gosta muito. Enquanto ele faz isso, observe a posição dos seus olhos e o ângulo da sua cabeça. Observe também se sua respiração é profunda ou superficial, rápida ou lenta, superior ou inferior. Perceba as diferenças no tônus muscular da face, na cor da pele, na espessura dos lábios e no tom de voz. Preste atenção nesses sinais sutis que geralmente passam despercebidos. Eles são a expressão externa de pensamentos internos. São pensamentos na sua dimensão física.

Agora peça a seu amigo que pense em alguém de quem não gosta. Observe a diferença nesses sinais. Peça-lhe para pensar novamente nas duas pessoas, até que possa detectar com certeza algumas mudanças na sua fisiologia. Em termos de PNL, você acabou de calibrar esses dois estados de espírito e sabe como eles são. Peça a seu amigo para pensar em uma das pessoas, mas sem lhe dizer qual. Você saberá em quem ele está pensando pelas pistas físicas que já identificou.

Parece até que você está lendo a sua mente...

E assim podemos aperfeiçoar nossa capacidade. Na maioria das vezes, calibramos de maneira inconsciente. Por exemplo, quando uma mulher pergunta ao marido se ele quer jantar fora, sabe intuitivamente, imediatamente, mesmo antes que ele responda, qual será a resposta. A resposta, afirmativa ou negativa, é a última etapa do processo mental. Não podemos evitar de responder com o corpo, a mente e a linguagem, pois os três estão intimamente ligados.

Talvez você já tenha tido a experiência de, conversando com uma pessoa, ter a intuição de que ela está mentindo. Provavelmente, essa sensação surge porque você tinha calibrado inconscientemente. Quanto mais praticar a calibração, mais experiente você se tornará. Algumas diferenças entre os estados serão sutis, outras se revelarão claramente. À medida que você adquirir mais prática, será mais fácil detectar mudanças sutis. Mudanças sempre existem, mesmo ínfimas. Quanto mais afiados forem os seus sentidos, mais facilmente você poderá detectá-las.

ÂNCORAS

Os estados emocionais têm uma influência profunda e poderosa sobre o comportamento e a maneira de pensar. Depois de ter evocado e calibrado esses estados, como alguém pode usá-los para se tonar mais capaz no presente? É preciso fazer com que eles estejam disponíveis e estabilizá-los no presente.

Imagine o impacto na sua vida se pudesse atingir estados de alto desempenho apenas com sua vontade. Para ter um ótimo desempenho no campo da política, dos esportes, das artes e dos negócios a pessoa precisa ter acesso a esses recursos sempre que for necessário. O ator precisa ser capaz de entrar no papel que vai representar no momento em que a cortina sobe, nem uma hora antes, nem no meio do segundo ato. Este é o pressuposto básico do que chamamos de profissionalismo.

Também é importante poder desligar. O ator deve ser capaz de abandonar seu papel quando a cortina se fecha. Muitos profissionais se tornam altamente motivados, conseguem ótimos resultados, mas se estressam, perdem contato com a vida familiar, ficam infelizes e, em casos extremos, sofrem um ataque cardíaco. Para controlar os estados emocionais é preciso equilíbrio e sabedoria.

Cada pessoa tem uma história pessoal rica em estados emocionais. Para reviver esses estados, precisamos de um gatilho, ou seja, de uma associação que nos permita evocar a experiência original. Nossa mente relaciona experiências naturalmente; é dessa maneira que damos significado àquilo que fazemos. Às vezes essas associações são muito agradáveis. É o caso, por exemplo, de uma música que traz à mente uma recordação agradável. Sempre que a pessoa ouvir aquela música terá as mesmas sensações prazerosas. E sempre que isto acontecer, a associação se fortalece.

Em PNL, o estímulo que está ligado a um estado fisiológico e que o faz disparar é chamado de "âncora". Outros exemplos de âncoras positivas que ocorrem naturalmente são: fotografias favoritas, cheiros evocativos, a expressão ou o tom de voz de uma pessoa querida.

Em geral, as âncoras são externas. O despertador toca, está na hora de se levantar. A campanhia da escola indica o final do recreio. Temos aí âncoras auditivas. Um sinal de trânsito vermelho significa que devemos parar. Um aceno com a cabeça significa sim. Essas são âncoras visuais. Um cheiro específico pode nos levar, como num passe de mágica, a uma cena da infância onde pela primeira vez sentimos aquele odor. Os publicitários tentam transformar em âncora a marca de um produto.

A âncora é qualquer coisa que dê acesso a um estado emocional, e elas são tão óbvias e comuns que praticamente mal as notamos. De que forma se cria uma âncora? Há duas maneiras possíveis. Primeiro, por repetição. Se vemos constantemente a cor vermelha associada ao perigo, ela se torna uma âncora. Temos então a aprendizagem simples: vermelho significa perigo. Em segundo lugar, e muito mais importante, é que se pode criar uma âncora instantaneamente, se a emoção for forte e o momento certo. A repetição só é necessária se não houver nenhum envolvimento emocional. Pense em sua época de escola (que por si só já é uma âncora poderosa), e lembre-se como era fácil aprender um assunto interessante e estimulante. No entanto aqueles que não lhe interessavam exigiam muita memorização. Quanto menos envolvimento emocional, mais repetições são necessárias para estabelecer uma associação.

A maioria das associações são muito úteis. Elas criam hábitos, e não poderíamos funcionar sem elas. Qualquer um que sabe dirigir associa imediatamente a mudança do sinal verde para o vermelho a um movimento dos pés sobre os pedais. Não é uma operação que exige pensamento consciente, e quem não fizer essa associação provavelmente não será capaz de sobreviver por muito tempo na estrada.

Outras associações, mesmo que úteis, podem ser menos agradáveis. Ver um carro de polícia pelo espelho retrovisor provavelmente o fará pensar no estado do seu carro e em que velocidade está dirigindo.

Outras associações são inúteis. Muitas pessoas associam falar em público com ansiedade e leves ataques de pânico. Pensar nos exames faz com que muitas pessoas fiquem nervosas e inseguras. As palavras podem funcionar como âncora. A palavra "prova" é uma âncora para a maioria dos estudantes, que, nessas ocasiões, se sentem ansiosos e incapazes de dar o melhor de si.

Em casos extremos, um estímulo externo pode disparar um estado negativo muito forte. E aí entramos no campo das fobias. Por exemplo, pessoas que sofrem de claustrofobia interiorizaram uma associação muito poderosa entre estar num espaço fechado e a sensação de pânico, e desde então fazem sempre essa associação.

Muitas pessoas têm suas vidas desnecessariamente limitadas por medos criados na sua história passada que ainda não foram reavaliados. Nossa mente não pode evitar as associações. Será que as associações que você fez e está fazendo são agradáveis, úteis e fortalecedoras?

Diante de qualquer experiência, seja ela difícil ou desafiadora, podemos decidir previamente em que estado fisiológico gostaríamos de estar. Quanto não estamos satisfeitos numa dada situação, podemos criar uma nova associação e, portanto, uma nova resposta, a partir das âncoras.

Isso é feito em duas etapas. Primeiro, você deve escolher o estado emocional que deseja; depois, associá-lo a um estímulo ou âncora, de maneira a trazê-lo à mente sempre que o desejar. Muitos desportistas usam talismãs para aumentar sua capacidade e força física. Freqüentemente, vemos desportistas fazendo pequenos movimentos rituais que têm o mesmo propósito.

Utilizar âncoras para criar um estado de maior capacidade e maiores recursos é uma das maneiras mais efetivas de mudar nosso próprio comportamento e o de outras pessoas. Se enfrentar uma situação num estado de mais recursos do que possuía no passado, seu comportamento provavelmente mudará para melhor. Estados plenos de recurso são a chave para o desempenho de alto nível. Quando mudamos nosso comportamento, o das outras pessoas também muda, porque nossa experiência da situação será diferente.

Nota de advertência. As técnicas de mudança descritas neste capítulo e no resto deste livro são muito poderosas, poder que vem principalmente da capacidade da pessoa que as utiliza. Um carpinteiro pode fazer móveis maravilhosos com ferramentas mais sofisticadas, mas as mesmas ferramentas nas mãos de um aprendiz podem não dar o mesmo resultado. Da mesma maneira, muita prática e muito trabalho são necessários para tirar o melhor som de um bom instrumento musical.

Ensinando essas técnicas a inúmeras pessoas, vimos os perigos que elas acarretam quando aplicadas pela primeira vez. Portanto, recomendamos que você as pratique dentro de um contexto seguro, por exemplo, em um seminário de treinamento de PNL, até adquirir confiança e que sua técnica esteja aperfeiçoada.

ANCORAGEM DE RECURSOS

A seguir forneceremos alguns passos para transferir recursos emocionais positivos de experiências passadas para situações presentes. Talvez seja bom pedir a um amigo que o ajude em cada uma dessas etapas.

Sente-se confortavelmente numa cadeira ou fique em pé em um local de onde possa observar o processo de maneira mais distanciada. Pense numa situação específica na qual gostaria de ter agido, sentido e reagido de outra maneira. Em seguida, escolha um estado emocional, dentre os vários que já vivenciou, que gostaria de ter à sua disposição naquela situação. Pode ser qualquer recurso — confiança, humor, coragem, persistência, criatividade —, qualquer um que venha intuitivamente à sua mente como sendo o mais adequado. Quando tiver escolhido o recurso, pense num momento específico em que sentiu que possuía esse recurso. Leve o tempo que for necessário. Observe os exemplos que lhe vêm à mente e escolha aquele que for mais nítido e intenso.

Se escolheu um recurso e não consegue lembrar um momento no qual o vivenciou, imagine alguém que você conhece, ou mesmo uma personagem de um livro ou de um filme, que possua esse recurso. Como você seria se fosse aquela pessoa, com aquele recurso? Lembre-se de que, embora a personagem possa não ser real, suas sensações o são, e é isso que conta.

Com esse exemplo em mente, seja ele real ou imaginário, você pode passar à próxima etapa, isto é, escolher as âncoras que trarão esse recurso à sua mente quando o desejar.

Primeiro, tente uma âncora cinestésica: alguma sensação que possa associar ao recurso escolhido. Encostar o dedo indicador ao polegar ou fechar o punho de uma determinada maneira funciona bem como âncora cinestésica. Vejo isso com freqüência numa quadra de *squash*, quando os jogadores tocam a parede lateral para trazer de volta a sensação de confiança quando o jogo está ruim.

É importante que a âncora seja especial e não faça parte do seu comportamento cotidiano. É bom escolher uma âncora diferente, que não aconteça o tempo todo, para que não fique associada a outros estados e comportamentos. Também é bom que a âncora seja discreta, algo que você possa fazer sem que os outros percebam. Ficar de cabeça para baixo pode ser uma ótima âncora para a confiança, mas com certeza você passará a ter uma reputação de excêntrico se resolver usá-la para fazer um discurso em um banquete.

Em seguida, experimente uma âncora auditiva. Pode ser uma palavra ou uma frase que você diga a si mesmo internamente. Pouco importa a palavra ou frase que você usa, desde que ela esteja ligada à sensação. A maneira como você pronuncia a palavra, o tom de voz utilizado, terá tanto impacto quanto a palavra ou frase em si. Escolha uma âncora inconfundível e fácil de lembrar. Por exemplo, se "confiança" for o estado de recursos que deseja ancorar, poderá dizer a si mesmo: "Estou me sentindo cada vez mais confiante", ou simplesmente "Confiança"! Use um tom de voz seguro. E certifique-se de que o estado de recursos é realmente o mais apropriado para a situação em questão.

Agora, a âncora visual. Você pode escolher um símbolo ou se lembrar do que estava vendo quando sentiu confiança. Se a imagem escolhida for suficientemente forte e ajudá-lo a evocar a sensação, ela funcionará.

Uma vez escolhida uma âncora em cada um dos sistemas representacionais, o próximo passo é reviver esses sentimentos de confiança, recriando de maneira vívida a situação de mais recursos. Dê um passo à frente ou mude de cadeira, enquanto se associa plenamente à experiência. Colocar estados emocionais diferentes em localizações físicas diferentes ajuda a separá-los bem.

Em sua imaginação, volte ao estado de recursos que escolheu...
Lembre-se de onde estava e o que estava fazendo...

À medida que a imagem se torna mais clara, imagine que está de volta àquela situação, e que está vendo o que viu naquele momento... Você pode começar a ouvir os sons que ouviu e a relembrar aquelas sensações que foram tão fortes na sua experiência passada... Leve o tempo que for necessário e desfrute essa experiência o mais plenamente possível... Para realmente entrar em contato com a sensação corporal completa do estado de recursos, é bom repetir as atividades que você fez naquele momento. Tente colocar o corpo na mesma posição e repetir as mesmas ações que fez então (apenas se for adequado)... Quando essas sensações chegarem a um ponto máximo e começarem a diminuir, volte fisicamente à posição distanciada. Agora você já sabe como recriar o estado de mais recursos e quanto tempo leva para fazê-lo, está pronto para ancorar os recursos.

Volte à posição em que vivenciou o estado de recursos e reviva-o de novo. Ao chegar ao seu ponto máximo, veja sua imagem, faça os gestos e diga as palavras que disse naquela ocasião. Você deve vincular suas âncoras ao estado de recursos no momento em que ele tiver chegado ao seu ponto mais alto.

O *timing* é essencial. Se vincular as âncoras após o ápice, estará ancorando a saída do estado, e não é isso que você deseja. A seqüência das âncoras não é importante; use a ordem que funcionar melhor ou dispare-as simultaneamente. Pouco depois que seu estado de recursos chegar ao ponto máximo, saia dele e mude de estado, antes de começar a testar a âncora.

Use as três âncoras da mesma maneira e na mesma seqüência e observe até que ponto realmente tem acesso ao seu estado de recursos. Se não estiver satisfeito, volte atrás e repita o processo de ancoragem para fortalecer a associação entre suas âncoras e seu estado de recursos. Talvez precise repetir a operação algumas vezes, mas isso é essencial para que você possa evocar o estado quando precisar dele.

Por fim, pense numa situação futura em que gostaria de ter aquele estado de recursos. O que pode usar como sinal que lhe indique que precisa daquele recurso? Pense na primeira coisa que você vê, ouve ou sente quando percebe que se encontra naquela situação difícil. O sinal pode ser externo ou interno. Uma determinada expressão no rosto de alguém, ou seu tom de voz, seria um sinal externo. O início de um diálogo interior seria um sinal interno. A consciência de poder escolher a maneira como você vai se sentir já é por si só um estado de recursos. E isso também interromperá a reação habitual que já está ancorada. Vale a pena ancorar essa conscientização ao sinal. Então, esse sinal passará a funcionar como um lembrete de que você pode escolher seus sentimentos.

Após um certo tempo, se continuar usando a âncora, o próprio sinal se tornará uma âncora. O gatilho que anteriormente o fazia sentir-se mal agora o faz sentir-se forte e cheio de recursos. A seguir, um resumo das etapas básicas do processo.

As âncoras precisam ser:

Criadas no exato momento em que o estado atinge seu ponto máximo;
Especiais e inconfundíveis;
Fáceis de serem repetidas exatamente;
Ligadas a um estado mental que seja clara e completamente revivenciado.

Resumo da ancoragem de estados de recursos

1. Identificar a situação na qual deseja ter mais recursos.
2. Identificar o recurso específico que deseja (por exemplo, confiança).
3. Verificar se o recurso é realmente adequado, perguntando-se: "Se pudesse ter este recurso agora, eu o usaria?" Se a resposta for afirmativa, continue. Se não for, volte à etapa número 2.
4. Escolha uma ocasião na sua vida em que teve aquele recurso.
5. Selecione as âncoras que vai usar em cada um dos três sistemas representacionais: algo que você vê, ouve e sente.
6. Mude de local físico e imagine-se vivenciando plenamente aquele estado de recursos. Faça isso mais uma vez. Ao chegar ao seu ponto máximo, mude de estado e saia fora da experiência.
7. Revivencie seu estado de recursos e, ao chegar ao seu ponto máximo, conecte as três âncoras. Mantenha o estado mental tanto tempo quanto desejar, depois mude de estado.
8. Teste a associação, disparando as âncoras e confirmando que realmente entrou no estado mental desejado. Se não estiver satisfeito, repita a etapa número 7.
9. Identifique o sinal que o faz saber que está numa situação problemática na qual deseja usar o seu recurso. Esse sinal vai lembrá-lo de usar a âncora.

Você agora pode usar essas âncoras para ter acesso ao seu estado de recursos sempre que desejar. Experimente esta ou qualquer outra técnica de PNL para descobrir a que funciona melhor para você. Mantenha seu objetivo em mente (ter mais recursos) e use a técnica até ter sucesso. Algumas pessoas descobrem que o simples fato de fazer o gesto ("disparar" a âncora cinestésica) é suficiente para produzir o estado de recursos. Outras preferem continuar usando as três âncoras simultaneamente.

Este processo pode ser usado para ancorar recursos diferentes. Algumas pessoas ancoram cada recurso em um dos dedos. Outras associam vários estados de recursos à mesma âncora, o que a torna extremamente poderosa. A técnica de acrescentar recursos diferentes à mesma âncora é conhecida como *pilha de âncoras*.

Ancorar e usar estados de recursos é uma técnica, e, como qualquer técnica, torna-se mais fácil e mais eficaz com o uso repetido. Algumas pessoas dizem que ela funciona muito bem desde a primeira vez. Outras acham necessário praticar, não só para aumentar sua competência em disparar a âncora, como a confiança de que ela realmente fará uma diferença. Lembre-se do modelo de aprendizagem. Se a ancoragem for algo novo para você, congratule-se por estar passando da incompetência inconsciente à incompetência consciente e desfrute esse estágio enquanto não se torna conscientemente competente.

A ancoragem de recursos é uma técnica que aumenta o número de opções emocionais. Nossa cultura, ao contrário de outras, acredita que os estados emocionais são involuntários e criados por circunstâncias externas ou outras pessoas. Embora seja verdade que o universo pode nos dar uma mão de cartas variadas, podemos escolher como e quando jogá-las. Como disse Aldous Huxley, "Experiência não é aquilo que acontece a você, e sim o que você faz com o que lhe acontece".

ENCADEAMENTO DE ÂNCORAS

As âncoras podem ser encadeadas de forma que uma leve a outra. Cada âncora fornece uma associação dentro da cadeia e dispara a próxima, da mesma maneira como um impulso elétrico flui de um nervo para outro no nosso organismo. De certa forma, as âncoras são um espelho externo que nos mostra como nosso sistema nervoso cria um novo caminho neurológico entre um gatilho inicial e uma nova reação. O encadeamento de âncoras nos permite passar fácil e automaticamente por uma seqüência de estados diferentes. O encadeamento é particularmente útil se o estado mental problemático for forte e o estado de recursos ainda estiver muito distante para ser atingido num único estágio.

Por exemplo, pense numa situação na qual se sinta frustrado. Você consegue identificar o sinal que repetidamente dispara essa sensação?
Um tom de voz no seu diálogo interno?
Uma sensação específica?
Algo que você vê?

Às vezes, o mundo parece conspirar contra nós, mas podemos controlar a maneira como reagimos a essa conspiração. Além disso, o sentimento de frustração não vai modificar o mundo externo. Quando receber o sinal interno, decida que estado de espírito gostaria de atingir. O de curiosidade talvez? E, a partir daí, chegar ao estágio da criatividade?

Para estabelecer a cadeia, pense num momento em que se sentiu intensamente curioso e ancore-o, talvez cinestesicamente, através de um toque na mão. Em seguida, quebre esse estado e pense num momento em que se sentiu muito criativo. Ancore também esse estado, talvez com um toque em outro ponto da mão.

Agora, pense na experiência frustrante e, assim que obtiver o sinal de frustração, dispare a âncora de curiosidade. Quando chegar ao ponto máximo da sensação de curiosidade, toque a âncora de criatividade. Isso estabelece uma rede neurológica de associações que passa facilmente da frustração, através da curiosidade, à criatividade. Treine isso várias vezes, até que a ligação se torne automática.

No momento em que conseguir evocar, calibrar e ancorar diferentes estados emocionais, você estará de posse de um poderosíssimo instrumento de aconselhamento e terapia. Você e seus clientes terão acesso fácil e rápido a qualquer estado emocional. A ancoragem pode ser usada para ajudar os clientes a fazer mudanças estupendamente rápidas, e pode ser realizada no sistema visual, auditivo ou cinestésico.

DESINTEGRAÇÃO DE ÂNCORAS

O que aconteceria se você tentasse sentir calor e frio ao mesmo tempo? O que acontece quando se mistura o amarelo ao azul? O que acontece quando se dispara duas âncoras contrárias ao mesmo tempo? Você vai se sentir morno ou verde. Para desintegrar âncoras, deve-se ancorar um estado de espírito negativo indesejado (chame-o de frio ou azul) e um estado de espírito positivo (chame-o de quente ou amarelo) e disparar as âncoras simultaneamente. Após um breve período de confusão, o estado negativo se modifica, dando lugar a um estado novo e diferente. Você pode usar essa técnica de desintegração de âncoras com um amigo ou cliente. A seguir, um resumo das etapas. Lembre-se de criar e manter o *rapport* durante todo o processo.

Resumo da desintegração de âncoras

1. Identifique o estado problemático e o poderoso estado positivo que a pessoa gostaria de ter disponível.
2. Evoque o estado positivo e calibre a fisiologia, de maneira a poder percebê-la facilmente. Quebre o estado: faça com que o cliente mude para outro estado, voltando a atenção dele para outro ponto e pedindo-lhe que se movimente.
3. Evoque o estado de espírito desejado de novo e ancore-o com um toque específico e/ou uma palavra ou frase; em seguida, quebre o estado novamente.
4. Teste a âncora positiva para ter certeza de que ela foi estabelecida. Dispare a âncora, aplicando o mesmo toque no mesmo local e/ou dizendo as palavras adequadas. Certifique-se de que a fisiologia do estado desejado está presente. Se não for o caso, repita as etapas de 1 a 3

para tornar a associação mais forte. Quando tiver estabelecido uma âncora positiva para o estado desejado, quebre o estado.

5. Identifique o estado negativo. Repita as etapas de 2 a 4, usando agora o estado negativo, e ancore-o com um toque específico num local diferente. Quebre o estado. Assim, você estará estabelecendo uma âncora para o estado de espírito problemático.

6. Conduza a pessoa através de cada estágio, usando alternadamente as âncoras e dizendo algo como: "Algumas vezes você se sentiu azul (dispare âncora negativa), mas teria preferido se sentir amarelo (dispare âncora positiva)". Repita isso algumas vezes, sem quebrar o estado entre elas.

7. Quando estiver preparado, guie o cliente com algumas palavras apropriadas, tais como: "Observe qualquer mudanças que ocorra", e dispare ambas as âncoras ao mesmo tempo. Observe cuidadosamente a fisiologia da pessoa. Provavelmente você verá sinais de mudança e confusão. Remova a âncora negativa antes de remover a positiva.

8. Teste o resultado de seu trabalho, pedindo à pessoa que evoque o estado de espírito problemático ou disparando a âncora negativa. A pessoa deverá mostrar um estado de espírito intermediário entre os dois (tons variados de verde), ou um estado emocional diferente, ou ainda o estado de espírito positivo. Se ainda estiver obtendo o estado negativo, descubra de que outros recursos a pessoa precisa. Ancore esses recursos no mesmo local da primeira âncora positiva de recursos e volte à etapa número 6.

9. Finalmente, peça à pessoa que pense numa situação no futuro próximo em que provavelmente teria uma reação negativa. Peça-lhe que se imagine nessa situação e observe o seu estado. Observe como ela descreve a experiência. Se você ou seu cliente ainda não estiverem satisfeitos com a situação, descubra que outros recursos são necessários. Ancore esses recursos no mesmo local do primeiro recurso positivo e volte à etapa número 6. A desintegração de âncoras só funciona se o estado positivo for mais forte que o negativo, e para conseguir isso talvez você precise reunir recursos positivos numa única âncora.

O que ocorre na desintegração é que o sistema nervoso provavelmente tenta reunir dois estados mutuamente incompatíveis num mesmo local. Como não pode fazer isso, faz algo diferente. O antigo padrão é quebrado, e novos padrões são criados. Isso explica a confusão mental que geralmente ocorre quando há desintegração de duas âncoras. As âncoras permitem que as experiências estejam disponíveis, usando conscientemente os processos naturais que normalmente usamos inconscientemente. Nós nos ancoramos o tempo todo de maneira totalmente aleatória, mas podemos ser muito mais seletivos e escolher a que âncoras queremos reagir.

MUDANÇA DE HISTÓRIA PESSOAL

A experiência humana só existe no momento presente. O passado existe enquanto recordação, mas, para nos lembrarmos dessas recordações, temos que revivenciá-las de certa maneira no presente. O futuro existe enquanto expectativas ou fantasias, também criadas no presente.

A ancoragem amplia nossa liberdade emocional, permitindo-nos escapar à tirania das experiências negativas do passado e criar um futuro mais positivo.

A "mudança de história pessoal" é uma técnica de reavaliação de lembranças problemáticas à luz do conhecimento atual. Todos temos uma rica história pessoal de experiências passadas, que no presente só existem como lembranças. Embora o que realmente aconteceu (o que quer que tenha sido, pois as lembranças humanas são falhas) não possa ser mudado, podemos mudar o seu significado no presente e, portanto, seu efeito sobre nosso comportamento.

Por exemplo, o ciúme quase sempre é gerado não a partir do que realmente aconteceu, mas de imagens criadas sobre o que achamos que aconteceu. Portanto, nosso mal-estar é uma reação a essas imagens. Apesar de jamais terem acontecido realmente, às vezes as imagens são tão reais a ponto de causar reações extremas.

Se as experiências passadas foram tão traumáticas ou intensas que o simples fato de pensar nelas causa dor, a cura de fobia do capítulo 8 é a melhor técnica a ser usada. Ela foi criada para curar fortes experiências emocionais negativas.

A mudança de história pessoal é útil quando as sensações ou o comportamento problemáticos ocorrem sem cessar. É aquela sensação do tipo: "Por que repito sempre isso?". Logicamente, o primeiro passo no uso dessa técnica é estabelecer e manter o *rapport*.

Resumo da mudança de história pessoal

1. Identifique o estado emocional negativo, evoque-o, calibre-o, ancore-o e, em seguida, quebre o estado.
2. Mantenha a âncora negativa e peça à pessoa que volte atrás no tempo e pense numa ocasião em que teve sensações semelhantes. Continue fazendo isso até chegar à experiência mais antiga de que a pessoa possa se lembrar. Dispare a âncora, quebre o estado e traga o cliente de volta ao presente.
3. Peça ao cliente para, a partir daquilo que ele sabe, pensar no recurso de que necessitaria naquelas situações passadas para que elas fossem satisfatórias. Provavelmente ele vai identificar o recurso com uma palavra ou frase do tipo, "segurança ", "ser amado", ou "compreensão". O recurso deve vir de dentro da pessoa e estar ao seu alcance. Fazer com que outras pessoas envolvidas na situação se comportem de maneira diferente impedirá que o cliente aprenda alguma coisa nova. Ele

só pode provocar reações diferentes das outras pessoas envolvidas se ele próprio estiver diferente.

4. Evoque e ancore uma experiência específica e plena do estado de recursos necessário e teste a âncora positiva.

5. Segurando a âncora positiva, leve a pessoa de volta à experiência anterior. Convide-a a se olhar de um ponto externo (dissociado) com esse novo recurso e observe como isso modifica sua experiência. Depois convide-a a entrar na situação (associada) com o recurso (você ainda estará segurando a âncora) e repassar a experiência como se ela estivesse acontecendo de novo. Peça ao cliente que observe a reação das outras pessoas envolvidas na situação agora que ele possui o novo recurso. Convide-o a imaginar como ele seria do ponto de vista das outras pessoas, para que ele possa entender a maneira como elas percebem seu novo comportamento. Se o cliente se sentir insatisfeito em qualquer um dos estágios, volte à etapa número 4 e identifique e reúna outros recursos que possam ser acrescentados à situação original. Quando a pessoa estiver satisfeita, podendo vivenciar a situação de maneira diferente e aprender com ela, retire a âncora e quebre o estado.

6. Sem usar nenhuma âncora, teste a mudança. Peça ao cliente que se lembre da experiência passada e observe como essas recordações mudaram. Preste atenção à sua fisiologia. Se houver sinais do estado emocional negativo, volte à etapa número 4 e reúna mais recursos.

PONTE PARA O FUTURO

A técnica que permite vivenciar uma situação previamente é chamada de "ponte para o futuro" e é a etapa final de muitas das técnicas de PNL. Com os novos recursos de que dispõe, a pessoa se imagina no futuro e vivencia a situação como gostaria que fosse. A ponte para o futuro da mudança de história pessoal, por exemplo, consiste em pedir à pessoa que imagine a próxima vez em que a situação problemática possa ocorrer. Enquanto ela imagina, você deve calibrar para ver se há algum sinal de volta ao estado emocional negativo. Se houver, você saberá que ainda há muito trabalho a ser feito.

A ponte para o futuro é um teste para saber se o trabalho foi eficaz. No entanto, o verdadeiro teste de qualquer mudança só ocorrerá quando a pessoa enfrentar a situação problemática na vida real. Os *insights* e mudanças podem ser facilmente ancorados no consultório do terapeuta; a aprendizagem fica ancorada na sala de aula; e os planos administrativos, na sala de reuniões. O mundo real é o teste verdadeiro.

Em segundo lugar, a ponte para o futuro é uma forma de ensaio mental. Todos os profissionais que apresentam alto desempenho, sejam eles atores, músicos, vendedores e, especialmente, desportistas, preparam e praticam mentalmente suas ações. Programas inteiros de treinamento são concebidos a partir deste único elemento. Ensaiar mentalmente é praticar na imaginação, e, como corpo e mente formam um único sistema, isso prepara e aperfeiçoa o corpo para a situação verdadeira.

Fornecer ao cérebro imagens fortes e positivas de sucesso programa-o para pensar nesses termos e torna o sucesso mais factível. Expectativas são profecias que se realizam. As técnicas de ponte para o futuro e ensaio mental podem ser usadas para o aprendizado do dia-a-dia e para gerar novos comportamentos. Seria interessante você repassar as etapas descritas a seguir todas as noites antes de dormir.

Ao fazer uma revisão do seu dia, escolha algo que fez muito bem e algo com o qual não está tão satisfeito. Reveja ambas as cenas, ouça os sons, vivencie-as de novo de maneira associada. Depois saia fora das cenas e pergunte-se: "Que outra coisa eu poderia ter feito?" Quais seriam suas opções nessas experiências? Como as boas experiências poderiam ser ainda melhores? Poderia ter feito outras escolhas na experiência que não foi tão positiva?.

Agora reviva as experiências plenamente, mas comportando-se nelas de maneira diferente. Como é que você vê agora a experiência? Como ela lhe soa? Verifique seus sentimentos. Esse pequeno ritual lhe dará novas opções. Você poderá identificar na experiência insatisfatória um sinal que possa alertá-lo, da próxima vez que essa experiência ocorrer, a usar outra opção já ensaiada mentalmente.

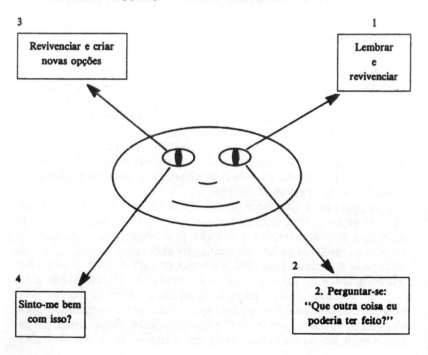

Você pode usar essa técnica para gerar comportamentos inteiramente novos ou para mudar e melhorar algo que já faz.

GERADOR DE NOVOS COMPORTAMENTOS

Esta é uma técnica mais geral que você pode usar se desejar adquirir um novo comportamento ou melhorar ou mudar um comportamento. Digamos que você deseje melhorar seu desempenho no seu esporte predileto. Usando a imaginação, veja-se se comportando como gostaria, rebatendo a bola de tênis no momento exato, por exemplo. Se isto for difícil, escolha uma pessoa como modelo e tente visualizá-la tendo esse comportamento. Sente-se na cadeira do diretor de seu filme interior. Seja o Steven Spielberg da sua imaginação. Observe a cena enquanto ela passa diante do seu olho interior. Mantenha-se dissociado enquanto ouve a cena e edite a trilha sonora. Você é ao mesmo tempo a estrela principal e o diretor. Se houver outras pessoas envolvidas, observe suas reações ao que você está fazendo.

Dirija a cena e edite a trilha sonora até que esteja completamente satisfeito. Então, entre dentro da cena da qual você é o protagonista e repasse-a do começo ao fim. Ao fazer isso, preste atenção às suas sensações e às reações das pessoas que o cercam. Esse novo comportamento está de acordo com seus valores e respeita sua integridade pessoal?

Se não se sentir bem, sente-se de novo na cadeira do diretor e modifique o filme antes de voltar a entrar nele. Quando estiver satisfeito com seu desempenho imaginado, identifique um sinal interno ou externo que possa usar para disparar esse comportamento. Ensaie mentalmente a cena em que você observa o sinal e adota o novo comportamento.

O gerador de novos comportamentos é uma técnica simples, porém muito poderosa, que pode ser usada para melhorar seu desempenho pessoal e profissional. Toda experiência será uma oportunidade de aprendizagem. Quanto mais você fizer isso, mais rápido conseguirá se transformar na pessoa que você realmente quer ser.

CAPÍTULO 4

Nenhum homem é uma ilha completamente isolada.

John Donne

CIRCUITOS E SISTEMAS

A comunicação pode ser tratada como uma simples questão de causa e efeito. Basta isolar uma ação, considerá-la como causa e analisar o efeito que ela provoca, sem levar em consideração outras influências. Em geral, achamos que é isso o que acontece, mas trata-se evidentemente de uma grande simplificação.

As leis de causa e efeito funcionam no caso de objetos inanimados. Se uma bola de bilhar colidir com outra, é possível prever com boa margem de acerto onde cada uma delas vai parar. Após a colisão inicial, uma não influencia mais o trajeto da outra.

Mas quando se trata de sistemas vivos a história é outra. Se eu der um chute num cachorro, posso calcular, com base na força que imprimo ao chute e no peso e no tamanho do cachorro, a direção e o trajeto que ele vai percorrer. Mas a realidade pode ser bem diferente. Se eu fosse bobo o suficiente para dar um chute num cachorro, ele poderia voltar e morder minha perna. E o local onde o cachorro iria parar provavelmente não teria nada a ver com as leis de Newton.

As relações entre seres humanos são muito complexas, já que muitas coisas acontecem simultaneamente. Não se pode prever exatamente o que vai ocorrer, porque a reação de uma pessoa influencia a comunicação de outra. O relacionamento é um ciclo, em que estamos reagindo continuamente a *feedbacks* para saber o que devemos fazer em seguida. Concentrar-se em apenas um lado do ciclo é o mesmo que querer entender um jogo de tênis analisando apenas um dos lados da quadra. Pode-se passar a vida inteira tentando entender como o um toque na bola faz com que ela volte, e as leis que determinam qual deveria ser a próxima jogada. Nossa mente consciente é limitada e nunca consegue ver o circuito inteiro da comunicação, apenas pequenos segmentos dele.

O conteúdo e o contexto de uma comunicação se combinam para formar o significado. O contexto é o cenário total, o sistema completo que o envolve. O que significa uma peça de quebra-cabeça? Em si mesma, nada. Tudo vai depender do local que ela ocupará na figura total e de sua relação com as outras peças.

O que significa uma nota musical? Muito pouco por si só, já que seu significado depende da relação com outras notas, se ela é mais alta ou mais baixa, mais curta ou mais longa do que as notas que a cercam. O som de uma nota se modifica se as notas ao seu redor mudarem.

Há duas formas principais de compreender a experiência e os acontecimentos. Podemos nos concentrar no conteúdo, na informação. O que significa esta peça? Como é chamada? Qual a sua aparência? De que maneira ela é parecida com as outras? Grande parte da educação é assim: peças de quebra-cabeça podem ser interessantes e bonitas para serem estudadas isoladamente, mas que só nos fornecem uma percepção unidimensional. Para uma compreensão mais profunda é necessário outro ponto de vista: a relação ou contexto. O que significa esta peça? Como ela se relaciona com as outras? Onde ela se encaixa no sistema?

Nosso mundo interno de crenças, pensamentos, sistemas representacionais e submodalidades também formam um sistema. A mudança de um desses segmentos pode ter efeitos abrangentes e gerar outras mudanças, como o leitor já deve ter descoberto ao experimentar a mudança de submodalidades de uma experiência.

Umas poucas palavras bem escolhidas e ditas no momento certo podem transformar a vida de uma pessoa. A mudança de um pequeno segmento de uma recordação pode alterar o estado de espírito de uma pessoa. Isto é o que acontece quando lidamos com sistemas: um pequeno empurrão na direção correta pode provocar profundas mudanças. Mas é necessário saber onde empurrar. É inútil fazer tentativas. Às vezes a pessoa tenta com todo o empenho se sentir bem e acaba se sentindo pior. É o mesmo que dispender toda a energia para tentar abrir uma porta para dentro e no final descobrir que ela abre para fora.

Quando agimos para atingir nossos objetivos precisamos verificar que não há reservas ou dúvidas. É necessário também prestar atenção à ecologia externa e examinar o efeito que nossos objetivos terão sobre nosso sistema mais amplo de relacionamentos.

O resultado de nossas ações volta para nós como num circuito fechado. A comunicação é um relacionamento, e não uma transferência unilateral de informação. Ninguém pode ser professor sem alunos, ou vendedor sem clientes, ou terapeuta sem pacientes. Agir com sinceridade e sabedoria significa levar em consideração as relações e interações entre nós e os outros. O relacionamento equilibrado entre as várias partes da nossa mente será um reflexo de nosso relacionamento equilibrado com o mundo exterior. A PNL pensa em termos de sistema. Por exemplo: Gregory Bateson, uma das figuras mais importantes para o desenvolvimento da PNL, aplicava a cibernética, ou pensamento sistêmico, à biologia, à evolução e à psicologia, enquanto Virgínia Satir, a mundialmente famosa terapeuta familiar e também um dos modelos originais da PNL, tratava a família como um sistema equilibrado de relacionamentos, e não como um grupo de indivíduos com problemas. Cada uma das pessoas era considerada uma parte importante do conjunto. Para ajudar a família a atingir um equilíbrio melhor e mais saudável, sua arte consistia em saber exatamente em que ponto intervir e que pessoa precisava mudar para que todos os relacionamentos melhorassem. Como num caleidoscópio, não é possível modificar uma das partes sem modificar o padrão inteiro. Mas, que parte precisa ser mudada para criar o padrão desejado? Essa é a arte da boa terapia.

Para modificar os outros é preciso mudar primeiro. Quando uma pessoa muda seus relacionamentos, geralmente os outros também mudam. Às vezes, passamos muito tempo tentando mudar uma pessoa em um nível, enquanto em outro nível nos comportamos de forma a reforçar seu comportamento. Richard Bandler chama essa atitude de padrão "afaste-se... mais para perto..."
Em física, há uma interessante metáfora conhecida como o efeito borboleta. Em teoria, o simples movimento das asas de uma borboleta é capaz de provocar mudanças climáticas do outro lado do globo, pois pode perturbar a pressão do ar num momento e lugar críticos. Dentro de um sistema complexo, uma pequena modificação pode causar um enorme efeito.
Portanto, nem todos os elementos de um sistema são igualmente importantes. Alguns podem ser modificados sem causar muitos efeitos, mas outros têm uma influência abrangente. O funcionamento de uma pequena glândula situada na base do crânio, a hipófise, pode provocar mudanças na pulsação, no apetite, na expectativa de vida e de crescimento de uma pessoa. Ela é o painel de controle do nosso organismo. Funciona como um termostato que controla um sistema de aquecimento central. É possível alterar a temperatura de cada radiador, mas o termostato é responsável pelo controle de todos. Portanto, o termostato está num nível lógico superior ao dos radiadores que ele controla.

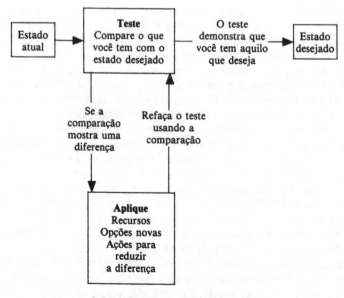

Modelo de aprendizagem

A PNL identifica e usa os elementos eficazes que são comuns a diferentes tipos de psicologia. Se o cérebro humano tem a mesma estrutura no mundo inteiro e gerou diferentes teorias psicológicas, deve haver alguns padrões básicos que são comuns a essas teorias. Como a PNL utiliza padrões de todos os campos da psicologia, situa-se num nível lógico diferente. Um livro que ensine a elaborar mapas está num nível lógico diferente dos vários livros que reproduzam mapas.

CÍRCULOS DE APRENDIZAGEM

Aprendemos muito mais com nossos erros do que com nossos acertos, pois eles nos dão informações úteis. Além disso, passamos muito mais tempo pensando neles. Raramente conseguimos acertar da primeira vez, a não ser que seja algo muito fácil, mas ainda assim podemos melhorar esse desempenho. Aprendemos através de uma série de aproximações sucessivas. Fazemos o que podemos (estado atual) e comparamos o resultado com aquilo que queremos (estado desejado). Usamos essa informação para agir de novo e reduzir a diferença entre o que queremos e o que estamos obtendo. Pouco a pouco, vamos nos aproximando do nosso objetivo. Essa comparação orienta nossa aprendizagem em cada nível, fazendo-nos passar da incompetência consciente à competência inconsciente.

Este é um modelo geral que podemos utilizar para nos tornarmos mais eficientes em qualquer campo de atividade. Comparamos aquilo que temos com aquilo que desejamos e tentamos reduzir a diferença da próxima vez. Em seguida, voltamos a comparar. A comparação deve se basear em nossos valores: o que é importante para nós naquela situação. Por exemplo, revendo essas páginas, tenho que decidir se elas estão boas ou se preciso reescrever alguma coisa. Meus valores, neste caso, são a clareza de idéias (do ponto de vista do leitor, não do meu), a correção gramatical e um bom fluxo das palavras.

Também preciso decidir que procedimento de verificação vou adotar. Como saber se já cheguei ao nível de valores desejado? Se não tiver nenhum procedimento de verificação, ficarei eternamente preso no círculo, porque nunca saberei quando interromper o processo. Aliás, essa é uma armadilha para muitos escritores, que passam anos corrigindo seus originais para chegar à perfeição e nunca conseguem publicá-lo. No meu caso, a verificação inclui passar o texto pelo corretor ortográfico e depois mostrá-lo a amigos em quem confio. A partir das informações e conselhos que receber deles, farei as alterações necessárias.

Esse modelo é conhecido como TOTE, cujas iniciais significam, em inglês, teste — operação — teste — escape (saída). Primeiro, faça a comparação, ou seja, o *teste*. Em seguida, vem a aplicação dos recursos disponíveis, a *operação*. O segundo *teste* é uma nova comparação.

E, por fim, *escape* é quando o procedimento de verificação indicar que o objetivo foi atingido. Seu sucesso vai depender do número de operações de que você dispõe: sua flexibilidade de comportamento. Portanto, a jornada do estado atual para o estado desejado não é feita em ziguezagues, mas em espiral. Círculos menores podem coexistir dentro de um cículo maior: objetivos finais menores que precisam ser cumpridos para se atingir um objetivo maior. O sistema completo se encaixa como uma coleção de caixinhas chinesas. Nesse modelo de aprendizagem os erros são úteis, pois, embora sejam resultados indesejados dentro de um contexto específico, podem ser usados como informação para se chegar mais perto do objetivo.

As escolas ensinam às crianças muitas matérias das quais elas esquecem a maior parte, pois em geral não aprendem a aprender. Aprender a aprender exige um nível mais alto de habilidade do que aprender um assunto específico. O objetivo da PNL é tornar a pessoa um aprendiz melhor, qualquer que seja o assunto. A maneira mais rápida e eficaz de aprender é usar aquilo que acontece de maneira natural e sem esforço. A aprendizagem, assim como a mudança, é em geral considerada um processo doloroso. Isso não é verdade. Há maneiras vagarosas e dolorosas de aprender e de mudar, mas a PNL não é uma delas.

Robert Dilts criou uma técnica para converter o que poderia ser considerado fracasso em *feedback* e aprender a partir disso. Será mais fácil se você pedir a uma pessoa que o ajude a cumprir as etapas seguintes.

DO FRACASSO AO *FEEDBACK*

1. Qual é a atitude ou crença problemática? Todos os seus projetos do tipo faça-você-mesmo acabam na lata de lixo? Todas as suas tentativas de aprender a cozinhar fazem a alegria dos restaurantes que entregam comida em casa? Em que área você está obtendo resultados indesejados? Você acha que não é capaz de fazer algo ou que não é bom o suficiente em algo?

Enquanto pensa no problema, observe sua fisiologia e as pistas de acesso visuais. Quando pensamos no fracasso, em geral temos uma sensação ruim, vemos imagens de momentos em que fracassamos e talvez ouçamos uma voz interna que nos repreende o tempo todo. É impossível lidar com tudo isso ao mesmo tempo. Precisamos descobrir o que está acontecendo internamente em cada um dos sistemas representacionais separadamente.

2. Olhe para baixo e à direita e preste atenção à sensação. O que essa sensação está tentando fazer por você? Qual sua intenção positiva? Motivá-lo, talvez? Ou protegê-lo?

Olhe para baixo e à esquerda. Existe em cada palavra que você ouve alguma mensagem que lhe possa ser útil? Olhe para cima e à esquerda e veja a imagem das suas recordações. Há algo de novo que você possa aprender com elas? Passe a ter uma perspectiva mais realista do problema. Você é capaz de mais e melhor. Observe se há recursos positivos misturados às recordações do problema. Relacione as palavras, imagens e sentimentos ao objetivo desejado. Como eles podem ajudá-lo a atingir seu objetivo?

3. Identifique uma experiência positiva e de recursos, algo que você tem certeza de poder atingir no futuro. Não é necessário que seja algo do momento. Identifique as principais submodalidades visuais, auditivas e cinestésicas da maneira como você pensa sobre essa experiência. Ancore a experiência cinestesicamente, usando um toque. Verifique se, quando você dispara esta âncora, está acessando a experiência de recursos. Esta é uma experiência que lhe mostra aquilo que você sabe que pode atingir.

4. Olhe para cima e à direita e construa uma imagem do objetivo ou comportamento desejado que leve em consideração o que você aprendeu a partir das sensações, imagens e palavras associadas à crença problemática. Verifique se isso está em harmonia com sua personalidade e seus relacionamentos. Certifique-se de que há uma conexão clara entre as recordações e o objetivo positivo. Talvez você queira modificar o objetivo a partir do que aprendeu com o exame dessas recordações.

5. Faça com que as submodalidades do objetivo desejado se tornem iguais às da experiência positiva que você está usando como referência. Enquanto faz isso, segure a âncora da experiência de referência. Todo esse processo lhe permitirá aprender com o passado e libertar sua expectativa futura das garras dos fracassos passados. Você estará pensando sobre o objetivo com submodalidades de expectativa positiva.

NÍVEIS DE APRENDIZAGEM

Em seu nível mais simples, a aprendizagem é um processo de tentativa e erro, com ou sem orientação. Aprendemos a escolher a melhor opção entre várias disponíveis, a obter a resposta "certa". Isso pode exigir uma ou várias tentativas. Para aprender a ler, a escrever, ou que a luz vermelha no semáforo significa "pare", partimos da incompetência inconsciente e, através do círculo de aprendizagem, chegamos à competência consciente.

Quando uma reação se torna um hábito, paramos de aprender. Em teoria, poderíamos agir de maneira diferente, mas na prática não o fazemos. Hábitos são muito úteis, pois simplificam ou racionalizam aspectos de nossa vida sobre os quais não queremos parar para pensar.

Seria muito maçante ter que pensar como amarrar o cadarço do sapato todos os dias pela manhã. Decididamente, não é uma atividade que exija criatividade. Mas precisamos decidir que aspectos da nossa vida queremos transformar em hábito e em que áreas da nossa vida gostaríamos de continuar aprendendo e criando novas opções. É fundamentalmente uma questão de equilíbrio.
 Esta questão nos leva a um nível superior. Podemos analisar as habilidades que aprendemos e escolher uma delas, ou criar novas opções que servem ao mesmo propósito. Sabendo escolher como vamos aprender, podemos aprender a ser um aprendiz melhor.
 Aquele pobre homem que teve a chance de realizar três desejos no conto de fadas sem dúvida não estava a par dos vários níveis de aprendizado. Se estivesse, em vez de usar seu último desejo para restabelecer a situação inicial, poderia ter desejado ter mais três desejos.
 As crianças aprendem na escola que 4 + 4 = 8. Em um nível, trata-se de uma aprendizagem simples. Não é preciso compreender, apenas lembrar. Há uma associação automática: ela foi ancorada. Fora desse nível, isso poderia significar que o resultado de 3 + 5 não pode ser 8, já que este é o resultado de 4 + 4. É evidente que aprender matemática dessa maneira é inútil. Se as idéias não forem conectadas a um nível superior, ficarão limitadas a um contexto específico. A verdadeira aprendizagem inclui aprender outras maneiras de fazer aquilo que já sabemos fazer. Assim, aprende-se que 1 + 7 = 8, e que 2 + 6 também. A partir daí, é possível passar a um nível superior e compreender as regras que estão por detrás dessas respostas. Sabendo o que deseja, qualquer pessoa poderá encontrar várias maneiras criativas de chegar aonde quer. Algumas pessoas vão preferir mudar o objetivo desejado em vez de mudar o procedimento que estão adotando. Vão desistir de chegar ao resultado 8 porque estão determinadas a continuar usando 3 + 4, e isso não funciona. Outras pessoas talvez prefiram usar sempre 4 + 4 para atingir o resultado 8, sem tentar nada diferente.
 O chamado "currículo oculto" das escolas é um exemplo de aprendizagem de nível superior. Independentemente do conteúdo, o que importa é a maneira como se aprende. Ninguém ensina de maneira consciente os valores do currículo oculto; ele está implícito no contexto geral da escola, e tem mais influência sobre o comportamento das crianças do que as aulas formais. Se a criança nunca aprender que há outras maneiras de aprender além da maneira passiva, repetitiva, dentro de um grupo de colegas e com alguém que represente a autoridade, estará na mesma situação daquela criança que aprende que 4 + 4 é a única maneira de obter o resultado 8.
 Existe ainda um nível mais alto de aprendizagem, que provoca uma profunda mudança na maneira como nos percebemos e como percebemos o mundo. Envolve a compreensão das relações e paradoxos entre as diversas maneiras de aprender a aprender.

Em seu livro *Steps to the ecology of mind* (Passos para uma ecologia da mente), Gregory Bateson conta uma história interessante sobre uma ocasião em que estava estudando os padrões de comunicação dos golfinhos no Instituto de Pesquisa Marinha, no Havaí. Ele observava os instrutores ensinarem os golfinhos a fazer truques para o público. No primeiro dia, quando o golfinho fez algo diferente, como por exemplo pular para fora da água, o instrutor apitou e jogou-lhe um peixe como recompensa. Sempre que o golfinho se comportava daquela maneira, o instrutor apitava e atirava-lhe um peixe. Como aprendeu rapidamente que aquele comportamento lhe garantia um peixe, o golfinho passou a repeti-lo cada vez mais e a esperar a recompensa.

No dia seguinte, o golfinho dava seu pulo, esperando a recompensa, mas não recebia nenhum peixe. Repetia o salto durante algum tempo e então resolvia fazer algo diferente, como uma cambalhota. O instrutor então apitava e jogava-lhe um peixe. O golfinho repetia o novo truque e sempre recebia um peixe como recompensa. Nunca recebia um peixe pelo truque do dia anterior, apenas por algo novo. Este padrão se repetiu durante catorze dias. O golfinho vinha, fazia o truque que tinha aprendido no dia anterior durante algum tempo, sem receber recompensa. Quando fazia algo novo, era recompensado. Isso sem dúvida era muito frustrante para o golfinho. No décimo quinto dia, entretanto, ele de repente percebeu as regras do jogo. Ficou enlouquecido e fez um show magnífico, que incluía oito novos comportamentos diferentes, quatro dos quais completamente inéditos, que nunca tinham sido observados em golfinhos antes. Portanto, o golfinho havia passado a um nível superior de aprendizagem. Parecia entender não apenas como gerar novos comportamentos, mas as regras desses comportamentos e quando gerá-los.

Mais uma observação: durante os catorze dias Bateson viu o instrutor jogar peixes aos golfinhos fora do contexto do treinamento. Quando lhe perguntou por que fazia isto, ele respondeu: "Isto é para manter o meu relacionamento com o golfinho. Se não tivermos um bom relacionamento, ele não vai querer aprender mais nada".

DESCRIÇÕES DA REALIDADE

Para aprender o máximo possível em qualquer situação ou experiência, precisamos reunir informações a partir do maior número possível de pontos de vista. Cada sistema representacional fornece uma maneira diferente de descrever a realidade. Novas idéias surgem dessas diferentes descrições, da mesma forma que a luz branca emerge da combinação de todas as cores do arco-íris. É impossível funcionar com apenas um sistema representacional. São necessários pelo menos dois: um para receber a informação e outro para interpretá-la num nível diferente.

Da mesma maneira, o ponto de vista de uma única pessoa terá sempre pontos cegos, fruto de sua maneira habitual de perceber o mundo, ou seja, de seus filtros de percepção. Se aprendermos a perceber o mundo a partir do ponto de vista de outras pessoas, teremos a possibilidade de enxergar através dos nossos próprios pontos cegos, da mesma forma como pedimos a um amigo um conselho quando nos sentimos sem saída. Como mudar nossa percepção para escapar ao nosso ponto de vista limitado sobre o mundo?

DESCRIÇÃO TRIPLA

Há pelo menos três formas diferentes de olhar uma experiência. No trabalho mais recente de John Grinder e Judith DeLozier, essas perspectivas são chamadas de primeira, segunda e terceira posição perceptiva. Primeiro, você pode ver o mundo totalmente a partir do seu ponto de vista, de sua realidade interior, de uma maneira totalmente associada, sem levar em consideração o ponto de vista das outras pessoas. Nesse caso, você pensa simplesmente: "De que maneira isto me afeta?" Reflita e concentre-se num momento em que estava intensamente consciente daquilo que pensava, sem levar em consideração qualquer outra pessoa envolvida na situação. Essa é a "primeira posição", e você acabou de vivenciá-la enquanto se concentrava na sua própria realidade, não importa o exemplo escolhido.

Segundo, você pode pensar como a situação seria vista, sentida e ouvida do ponto de vista de outra pessoa. É evidente que a mesma situação pode ter um significado diferente para cada pessoa. É essencial levar em consideração o ponto de vista de outra pessoa e perguntar: "Como isto seria para ela?" Essa é a chamada "segunda posição", comumente conhecida como empatia. Quando estamos em conflito com outra pessoa, é necessário perceber como ela se sente em relação ao nosso comportamento. Quanto mais forte a empatia, o *rapport* que estabelecemos com a outra pessoa, mais facilmente poderemos entender a realidade dela e adotar essa segunda posição.

Terceiro, você pode ver o mundo a partir de um ponto de vista exterior, como um observador completamente independente, sem nenhum envolvimento na situação. A pergunta nesse caso seria: "Como uma pessoa que não está envolvida nesta situação veria o que está acontecendo?" Essa perspectiva nos dá um ponto de vista objetivo e é conhecida como "terceira posição". Essa posição está num nível diferente do das outras duas, porém não superior. Estar na terceira posição não é o mesmo que estar dissociado. Para que a terceira posição seja útil, a pessoa precisa estar num estado de recursos forte. Ter um ponto de vista objetivo e com recursos do seu próprio comportamento lhe permite avaliar e gerar algumas opções úteis em qualquer situação difícil.

Essa capacidade de adotar uma terceira posição pode evitar muito estresse e problemas resultantes de ações impensadas.
As três posições são igualmente importantes, a questão é saber passar de uma para outra. A pessoa que está presa na primeira posição é um monstro egoísta. Aquela que está sempre na segunda posição é o tipo de pessoa eternamente influenciada pela opinião dos outros. E alguém que vive na terceira posição será sempre um mero observador da vida. A idéia da tripla descrição é apenas um dos aspectos da abordagem de John Grinder e Judith DeLozier em seu livro *Turtles all the way down**, que descreve a PNL de maneira mais simplificada. Essa abordagem, chamada de "novo código" da PNL, pretende atingir um melhor equilíbrio entre os processos conscientes e inconscientes.

Todos nós passamos parte do tempo em cada uma dessas três posições naturalmente, e elas nos ajudam a entender melhor qualquer situação ou objetivo. A capacidade de passar de uma posição para outra, consciente ou inconscientemente, é necessária para que possamos agir com sabedoria e dar valor à maravilhosa complexidade de nossos relacionamentos. As diferenças que vemos quando olhamos o mundo de outra maneira o tornam mais rico e nos dão mais opções. A primeira, a segunda e a terceira posição são uma prova de que o mapa não é o território. Há muitos mapas diferentes.

A questão é estar consciente da diferença, em vez de tentar impor uma uniformidade. O importante é perceber as diferenças e as tensões entre essas diversas formas de observar o mundo. É isso que gera interesse e criatividade. A uniformidade cria tédio, mediocridade e conflito. Dentro da evolução biológica, são as espécies idênticas que criam conflito e luta pela sobrevivência. As guerras surgem quando as pessoas disputam os mesmos parcos recursos. A sabedoria vem do equilíbrio, que não pode ser alcançado se não existirem diferentes forças a serem equilibradas.

ROBERT DILTS: O CAMPO UNIFICADO DA PNL

Para que se possa entender melhor a mudança pessoal, a aprendizagem e a comunicação, Robert Dilts criou um modelo simples e preciso que reúne essas noções de contexto, relacionamento, níveis de aprendizagem e posições perceptivas. Ele cria um contexto para a compreensão das técnicas de PNL e uma estrutura para organizar e reunir informações, o que nos permite identificar o melhor ponto de intervenção para obter a mudança desejada. Ninguém muda por partes ou segmentos, mas organicamente. A questão é saber em que ponto exato a borboleta tem que bater suas asas, que botão apertar para criar uma diferença.

---

* A ser publicado pela Summus Editorial.

A aprendizagem e a mudança podem ocorrer em níveis diferentes.

1. ESPIRITUAL
Trata-se do nível mais profundo, onde examinamos e vivenciamos as grandes questões metafísicas. Por que estamos aqui? Qual é nosso objetivo? O nível espiritual oferece uma direção, uma forma e um fundamento à nossa existência. Qualquer mudança nesse nível tem profundas repercussões em todos os outros níveis, como ocorreu com Paulo quando encontrou a estrada para Damasco. Em certo sentido, ele contém tudo o que somos e fazemos, apesar de não ser nenhuma dessas coisas.

2. IDENTIDADE
E o sentimento fundamental de mim mesmo, meus valores profundos e minha missão na vida.

3. CRENÇAS
São as várias idéias que consideramos verdadeiras e em que baseamos nossa ação diária. As crenças tanto podem constituir uma permissão quanto uma limitação.

4. CAPACIDADE
É o conjunto dos comportamentos, talentos, habilidades e estratégias que usamos em nossa vida.

5. COMPORTAMENTO
É o conjunto de ações específicas que realizamos, independentemente de nossa capacidade.

6. MEIO AMBIENTE
E tudo aquilo a que regimos, tudo e todos que nos cercam.

Vejamos como um vendedor, por exemplo, refletiria sobre seu trabalho nesses diferentes níveis:

Ambiente: Este bairro é uma boa área para o meu trabalho de vendas.
Comportamento: Fiz esta venda hoje.
Capacidade: Posso vender este produto às pessoas.
Crença: Se me sair bem nas vendas, poderei ser promovido.
Identidade: Sou um bom vendedor.

Este é um exemplo de sucesso. O modelo também pode ser aplicado a um problema. Por exemplo, digamos que eu escreva errado uma palavra. Eu poderia atribuir isso ao meio ambiente: o barulho me distraiu. Ou ir ao nível do comportamento: escrevi errado esta palavra.

Poderia também generalizar e questionar minha capacidade de redigir, ou acreditar que tenho que estudar mais para melhorar minha ortografia, ou ainda colocar minha identidade em questão, pensando que sou estúpido.

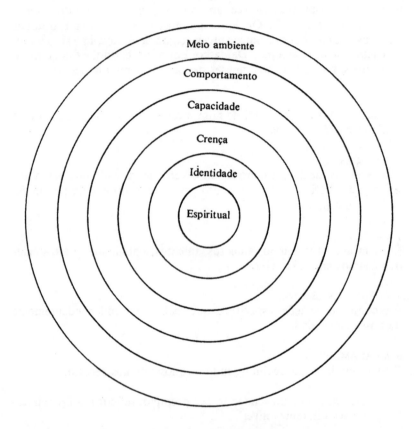

Níveis neurológicos

O comportamento é com freqüência considerado uma prova de identidade ou capacidade, e é assim que a confiança e a competência são destruídas na sala de aula. Fazer uma soma errada não significa que a pessoa seja estúpida ou ignorante em matemática. Pensar assim é confundir os níveis lógicos: é o mesmo que pensar que uma placa de "não fumar" dentro de um cinema se destina às personagens do filme.

Se deseja mudar, ou mudar os outros, a pessoa precisa reunir informações, as partes emergentes do problema, os sintomas que a fazem sentir-se desconfortável. Temos aí o estado atual. Menos óbvias do que os sintomas são as causas subjacentes que fazem com que o problema persista. O que a pessoa faz para manter o problema? Existe o estado desejado, ou seja, o resultado final que é o objetivo da mudança. Há também os recursos, que vão permitir que a pessoa alcance seu objetivo. E existem os efeitos colaterais, que afetarão tanto a pessoa quanto os outros, uma vez atingido o objetivo. Este modelo nos permite perceber que podemos nos envolver em dois tipos de conflito. Talvez a pessoa tenha dificuldade em decidir se deve ficar em casa assistindo televisão ou ir ao teatro. Esse é um conflito simples de comportamento.

Mas há um outro tipo de conflito, em que algo é bom em um nível e ruim em outro. Por exemplo, uma criança que é boa na aula de teatro julga que esse talento pode torná-la impopular com os colegas de classe e portanto decide não participar da aula de teatro. Nossos comportamentos e capacidades podem ser muito recompensados, mas entrar em conflito com nossas crenças ou nossa identidade.

A maneira como percebemos o tempo é importante. Um problema pode estar relacionado a um trauma do passado que continua a ter repercussões no presente. Um exemplo disso seria a fobia, mas existem vários outros, menos dramáticos, nos quais momentos difíceis e infelizes do passado afetam nossa qualidade de vida no presente. Muitas escolas de terapia acham que os problemas atuais são determinados por acontecimentos do passado. Embora o passado nos influencie e crie nossa história pessoal, pode ser usado como recurso, e não como limitação. Na técnica de mudança de história pessoal, como vimos, o passado é reavaliado com base no conhecimento que temos do presente. Não estamos condenados a repetir eternamente os erros do passado.

Por outro lado, expectativas e medos em relação ao futuro podem paralisar a pessoa no presente. Isso abrange desde a insegurança de fazer um discurso até questões importantes de segurança pessoal e financeira. Toda a nossa história pessoal e todos os futuros possíveis convergem para o momento presente. Podemos imaginar nossa vida numa linha temporal, que começa no passado mais longínquo e vai até o futuro distante, e observar como o estado atual e o estado desejado, a identidade, as crenças, a capacidade, o comportamento e o ambiente relacionam-se coma nossa história pessoal e nosso futuro possível.

Nossa personalidade total é como um holograma, uma imagem tridimensional criada por raios de luz. Qualquer elemento do holograma mostra a imagem completa. Podemos mudar pequenos elementos, como as submodalidades, e observar o efeito de baixo para cima, ou atuar de cima para baixo, mudando uma crença importante. A melhor maneira se tornará evidente à medida que formos reunindo informações sobre o estado atual e o estado desejado.

Uma mudança num nível inferior não causará necessariamente uma mudança nos níveis superiores. A mudança no ambiente provavelmente não vai mudar minhas crenças. Já a maneira como eu me comporto pode modificar algumas de minhas crenças sobre mim mesmo. Entretanto, uma mudança nas crenças certamente mudará a maneira como eu me comporto. Uma mudança no nível superior sempre afetará os níveis inferiores, e será mais profunda e mais duradoura. Portanto, se quero modificar meu comportamento, devo atuar sobre minhas capacidades e crenças. Se me falta capacidade, devo atuar sobre minhas crenças. As crenças selecionam capacidades, que selecionam comportamentos, que por sua vez constróem nosso ambiente. É muito importante ter um apoio no ambiente, pois um ambiente hostil pode tornar a mudança muito difícil.

É difícil fazer uma mudança no nível de identidade ou além dele sem crenças e capacidades que nos apóiem. Não basta que um homem de negócios acredite que pode ser um ótimo administrador — ele precisa basear sua crença no trabalho. Sem capacidades e comportamentos que lhes sirvam de argamassa, as crenças são como castelos construídos na areia.

O campo unificado é uma maneira de reunir as diferentes partes da PNL numa estrutura construída a partir das noções de níveis neurológicos, tempo e posição perceptiva. Ele nos permite compreender o equilíbrio e o relacionamento dos diferentes elementos presentes em nós mesmos e nos outros. A chave da questão é o equilíbrio. Os problemas surgem da falta de equilíbrio, e o campo unificado permite identificar quais os elementos que tomaram uma importância demasiada e quais os que estão ausentes ou são muito fracos.

Por exemplo, uma pessoa pode estar dando ênfase excessiva ao passado, prestando atenção exagerada aos acontecimentos passados, deixando que eles influenciem sua vida e desvalorizando o presente e o futuro. Outra pessoa talvez passe tempo demais na primeira posição, sem levar em consideração o ponto de vista dos outros. Outras ainda podem se concentrar demais nos comportamentos e no ambiente, sem dar atenção suficiente à sua identidade e às suas crenças. A estrutura do campo unificado permite identificar um desequilíbrio, um primeiro passo para encontrar formas de atingir um equilíbrio mais saudável. Para os terapeutas, trata-se de um valioso instrumento de diagnóstico, pois permite identificar que técnicas, dentre as várias disponíveis, devem ser usadas. Trata-se de um modelo muito rico, e deixamos que o leitor pense nas várias maneiras de utilizá-lo.

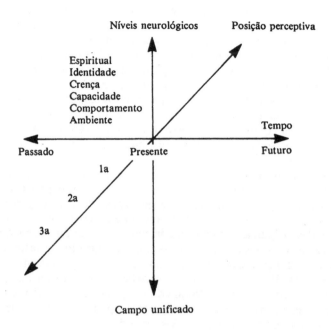

CRENÇAS

"Não posso acreditar!", disse Alice.
"Não pode?", disse a rainha, penalizada. "Tente de novo: respire profundamente e feche os olhos."
Alice riu. "Não vale a pena tentar", disse. "Não se pode acreditar em coisas impossíveis."
"Ouso dizer que você não tem muita prática", disse a rainha. "Quando eu tinha a sua idade, fazia isso durante meia hora por dia. Às vezes chegava a acreditar em seis coisas impossíveis antes mesmo do café da manhã."

Através do espelho e o que Alice encontrou lá
Lewis Carrol

Nossas crenças influenciam profundamente nosso comportamento. Elas nos motivam e dão forma àquilo que fazemos. É difícil aprender alguma coisa sem acreditar que ela será prazerosa e útil. O que são crenças? Como elas são formadas e como nós as mantemos?

As crenças são princípios orientadores, mapas internos que usamos para dar sentido ao mundo. Elas proporcionam estabilidade e continuidade. Partilhar crenças com outras pessoas nos dá uma sensação mais profunda de empatia e de comunhão do que partilhar um mesmo trabalho. Todos nós compartilhamos algumas crenças básicas que o mundo físico comprova todos os dias. Acreditamos nas leis da natureza. Não pulamos do topo dos edifícios nem precisamos comprovar todos os dias que o fogo realmente queima. Mas, no que diz respeito a nós mesmos e ao mundo em que vivemos, nossas crenças não são tão claramente definidas. As pessoas não são tão constantes e imutáveis quanto a força da gravidade.

As crenças nascem de muitas fontes: de nossa educação, do exemplo de pessoas importantes, de traumas passados e de experiências repetidas. Criamos crenças através da generalização de nossa experiência do mundo e de outras pessoas. Como saber que experiências podem ser generalizadas? Algumas crenças vêm da cultura e do ambiente em que nascemos e vivemos. As expectativas das pessoas que são importantes para nós criam crenças. Grandes expectativas (desde que realistas) geram competência. Poucas expectativas provocam incompetência. Quando crianças, acreditamos naquilo que dizem de nós porque não temos como testar essas afirmações, e essas crenças podem persistir sem serem modificadas por nossas realizações posteriores.

Quando acreditamos em alguma coisa, agimos como se isso fosse verdade. É difícil provar o contrário, porque as crenças atuam como filtros perceptivos muito fortes. Os acontecimentos passam a ser interpretados com base nessa crença, e as exceções só servem para confirmar a regra. Nosso comportamento mantém e reforça nossas crenças. A crença não é apenas um mapa do que aconteceu, mas também um esboço para futuras ações.

Em uma pesquisa, uma turma de crianças de idêntico QI foi dividida em dois grupos. Os professores foram avisados de que um dos grupos tinha um QI mais alto, e que portanto devia se sair melhor do que o outro. Embora a única diferença entre os dois grupos fosse a expectativa dos professores (uma crença), o grupo supostamente dotado de QI mais alto obteve melhores resultados em testes posteriores. Esse tipo de profecia auto-realizadora é às vezes conhecida como efeito Pigmalião.

Um tipo semelhante de profecia auto-realizadora é o efeito placebo, bem conhecido em medicina. Pacientes melhoram quando acreditam que estão ingerindo um remédio eficaz, embora estejam tomando apenas um placebo, isto é, uma substância inócua sem nenhum efeito médico comprovado. A crença provoca a cura. Nem sempre medicamentos são necessários, mas a crença na recuperação da saúde é fundamental.

Várias pesquisas demonstraram que cerca de 30% dos pacientes reagem bem aos placebos. Em um dos estudos, pacientes que sofriam de úlcera péptica supurada receberam uma injeção de água destilada acreditando tratar-se de um remédio miraculoso. Setenta por cento dos pacientes tiveram excelentes resultados que duraram mais de um ano.

Crenças positivas funcionam como uma autorização para colocar em prática nossas capacidades. As crenças criam resultados. Há mesmo um provérbio que diz: "Quer você acredite que pode ou não pode fazer algo... você está certo".

Geralmente, as crenças limitadoras envolvem a frase "Eu não posso...". Devemos considerar esta frase como a simples declaração de um fato, válida apenas para o momento. Por exemplo, dizer "eu não posso fazer acrobacias" significa que eu posso (não fazer acrobacias). É muito fácil não fazer acrobacias. Qualquer pessoa é capaz disso. Se acreditarmos que a frase "não posso" descreve nossa capacidade presente e futura — em vez de ser apenas a descrição do nosso comportamento atual —, estaremos programando nosso cérebro para fracassar, o que nos impede de descobrir nossas verdadeiras capacidades. As crenças negativas não se baseiam na experiência.

Uma boa metáfora para o efeito das crenças limitadoras é a maneira como funcionam os olhos de um sapo. Um sapo enxerga a maioria das coisas do seu ambiente imediato, mas apenas interpreta as coisas que se movem e têm a forma específica de seu alimento preferido, ou seja, as moscas. Trata-se de uma maneira muito eficiente de se alimentar. Entretanto, como apenas os objetos escuros e móveis são reconhecidos como alimento, um sapo morrerá de inanição se o deixarem dentro de uma caixa cheia de moscas mortas. Portanto, apesar de muito eficientes, filtros perceptíveis muito estreitos podem nos impedir de ter boas experiências mesmo quando estamos rodeados de possibilidades interessantes, porque elas não são percebidas.

A melhor maneira de descobrir do que somos capazes é fingir que podemos fazer qualquer coisa. Aja "como se" você pudesse. O que não puder fazer você não fará. Não se preocupe, porque se seu objetivo for impossível você logo descobrirá. (Certifique-se de criar medidas de segurança, caso necessárias.) Enquanto acreditar que algo é impossível você nunca vai descobrir se é possível ou não.

As crenças não nascem conosco, como a cor dos olhos. Elas mudam e se desenvolvem. Mudamos de idéia, nos casamos, nos divorciamos, mudamos de amigos e agimos diferentemente porque nossas crenças se modificam.

Podemos escolher nossas crenças, deixando de lado as que nos limitam e criando outras que tornarão nossa vida mais prazerosa e mais eficiente. Crenças positivas nos permitem descobrir o que é verdadeiro e do que somos capazes. Funcionam como uma autorização para explorar um mundo de possibilidades. Que crenças vale a pena manter porque nos ajudam a atingir nossos objetivos? Pense em algumas das crenças que você tem sobre si mesmo. Elas são úteis? Funcionam como uma permissão ou como um obstáculo? Todos nós temos crenças arraigadas sobre o amor e sobre o que é importante na vida. Também criamos muitas crenças sobre nossas possibilidades e nossa felicidade, mas elas podem ser mudadas. Um fator essencial do sucesso é ter crenças que nos permitam alcançá-lo. Embora não sejam uma garantia de sucesso permanente, elas nos mantêm num estado de recursos, criando a possibilidade de atingi-lo.

A Universidade de Stanford desenvolveu algumas pesquisas sobre "expectativas de eficiência", ou seja, estudos que analisaram como o comportamento se modifica para se adaptar a uma nova crença. Um estudo comparou o grau de eficiência que as pessoas acham que têm com a eficiência que realmente possuem. Foram usadas várias atividades, desde a matemática até a maneira de segurar uma cobra.

Inicialmente, a crença e o desempenho real se equipararam: as pessoas desempenhavam as tarefas tão bem quanto acreditavam que o fariam. Em seguida, os pesquisadores começaram a construir a crença das pessoas em si próprias, estabelecendo objetivos, organizando demonstrações práticas e oferecendo treinamento especializado. As expectativas aumentaram, mas o desempenho, como era de se esperar, caiu, porque elas estavam tentando novas técnicas. Verificou-se um ponto de diferença máxima entre o que elas acreditavam que podiam fazer e o que realmente conseguiam fazer. Se o sujeito em estudo se empenhava na tarefa, seu desempenho crescia para corresponder às suas expectativas. Mas se perdesse a motivação, seu desempenho voltava ao nível inicial.

Pense em três crenças que têm limitado sua vida e anote-as num papel.
Agora, mentalmente, veja-se diante de um espelho imenso e feio. Imagine como será sua vida dentro de cinco anos se continuar a agir como se essas crenças limitadoras fossem verdadeiras. Como será sua vida em dez anos? E em vinte?
Pare um instante e limpe sua mente. Levante-se, ande pela sala e respire profundamente algumas vezes. Agora pense em três novas crenças que poderiam fortalecê-lo e melhorar significativamente sua qualidade de vida. Pare durante alguns segundos para anotar essas crenças.
Mentalmente, olhe para um espelho grande e amistoso. Imagine-se agindo como se essas novas crenças fossem verdadeiras. Como será sua vida daqui a cinco anos? E daqui a dez? E a vinte?

A mudança de crenças sempre faz com que o comportamento se modifique, e ele mudará ainda mais rápido se você tiver uma capacidade de ou uma estratégia para levar essa tarefa adiante. Também é possível modificar a crença de uma pessoa através da mudança do seu comportamento, mas isso nem sempre é tão confiável. Muitas pessoas nunca se convencem diante da repetição da experiência, porque vêem nisso apenas coincidências desconexas.

As crenças são uma parte importante da nossa personalidade, e no entanto são expressas em termos extraordinariamente simples: "Se eu fizer isso... aquilo vai acontecer", " Eu posso...", "Eu não posso..", o que se traduz em: "Eu devo...", "Eu tenho que...", "Eu não tenho que..." As palavras se tornam muito importantes. E como é que essas palavras ganham poder sobre nós? A linguagem é uma parte essencial do processo que usamos para compreender o mundo e expressar nossas crenças. No próximo capítulo examinaremos melhor a parte lingüística da programação neurolinguística.

CAPÍTULO
5

PALAVRAS E SIGNIFICADOS

"Mas 'glória' não significa 'um argumento arrasador'", contestou Alice.

"Quando uso uma palavra", disse Humpty Dumpty num tom de desprezo, "ela significa exatamente aquilo que eu quero que signifique — nem mais nem menos."

"A questão", ponderou Alice, "é saber se o senhor pode fazer as palavras dizerem coisas diferentes."

"A questão", replicou Humpty Dumpty, "é sabem quem é que manda — é só isso."

Através do espelho e o que Alice encontrou lá,
Lewis Carroll

Este capítulo é sobre o poder da linguagem. É sobre a certeza de que estamos dizendo o que queremos dizer, compreendendo da maneira mais clara possível o que os outros querem dizer e permitindo que eles compreendam o que querem dizer. Esse capítulo é sobre a religação da linguagem à experiência.

Segundo o ditado, palavras não custam caro. Não custam nada; no entanto, têm o poder de evocar imagens, sons e sentimentos no ouvinte ou leitor, como sabem muito bem os poetas e os publicitários. Podem iniciar ou terminar relacionamentos, destruir relações diplomáticas, provocar brigas e guerras.

Palavras podem nos colocar em estados positivos ou negativos; são âncoras para uma série complexa de experiências. Portanto, a única resposta à pergunta "O que significa realmente uma palavra?" é "Para quem?" A linguagem é um instrumento de comunicação, e portanto as palavras significam aquilo que as pessoas convencionam que elas signifiquem. É uma maneira de comunicar experiências sensoriais. Sem a linguagem, não existiria a sociedade como a conhecemos.

Confiamos na instuição de pessoas que falam a mesma língua e no fato de que nossa experiência sensorial é suficientemente semelhante para que nossos mapas tenham muitas características em comum. Sem essas características, as conversas não teriam sentido e todos seríamos como o Humpty Dumpty da história de Alice. Mas não compartilhamos exatamente o mesmo mapa. Cada pessoa vivencia o mundo de uma maneira muito específica. As palavras não têm um sentido inerente, como fica claro quando ouvimos uma língua estrangeira que não compreendemos. Damos sentido às palavras por meio de associações ancoradas a objetos e experiências no decorrer da nossa existência. Nem todas as pessoas vêem os mesmos objetos ou têm as mesmas experiências. O fato de outras pessoas terem mapas e significados diferentes é que dá riqueza e variedade à vida. Todos concordamos com o significado da palavra "pudim" porque todos já compartilhamos a visão, o cheiro e o paladar do pudim. Mas discutiremos bastante a respeito do significado de algumas palavras abstratas, tais como "respeito", "amor" e "política". As possibilidades de confusão são imensas. Essas palavras particularmente são como o teste Rorschach, cujas imagens têm significados diferentes, dependendo da pessoa. Isto sem mencionar coisas como a falta de atenção, de empatia, de clareza, ou a incapacidade mútua para compreender algumas idéias. Como sabemos que compreendemos outra pessoa? Quando damos significado às palavras que ela usa — nosso significado, não o significado dela. E não há garantia de que esses dois significados sejam iguais. Como damos sentido às palavras que ouvimos? Como escolhemos palavras para nos expressar? E como as palavras estruturam nossas experiências? Estamos chegando ao cerne da parte lingüística da PNL.

Duas pessoas que dizem que gostam de ouvir música podem descobrir que têm muito pouco em comum quando souberem que uma gosta de Wagner enquanto a outra gosta de rock. Se eu disser a um amigo que passei o dia relaxando, ele pode imaginar que fiquei sentado numa cadeira de balanço, vendo televisão a tarde inteira. Mas se souber que na verdade joguei *squash* e depois dei uma longa caminhada pelo parque, ele poderá pensar que sou maluco. Também poderá pensar como é possível que a mesma palavra, relaxamento, possa ser usada para expressar duas coisas tão diferentes. Na maior parte das vezes, damos às palavras significados suficientemente parecidos para que haja uma compreensão adequada. Mas há momentos em que é muito importante que a comunicação seja precisa, como no contexto de relacionamentos íntimos ou de acordos de negócios. Queremos ter certeza de que a outra pessoa partilha conosco o mesmo significado, queremos saber o significado da palavra no seu mapa e também que ela se expresse o mais claramente possível.

As palavras têm significados diferentes dependendo do ponto de vista da pessoa.

PENSANDO EM VOZ ALTA

A linguagem é um filtro poderoso de nossa experiência individual. Ela faz parte da nossa cultura e não pode ser modificada. Canaliza nossos pensamentos em direções específicas, tornando mais fácil pensar de algumas maneiras e mais difícil pensar de outras. Os esquimós têm muitas palavras para "neve". Como a vida deles pode depender da identificação correta de um certo tipo de neve, eles precisam saber diferenciar entre a neve que pode ser ingerida, a neve que pode ser usada na construção etc. Você pode imaginar como o mundo seria diferente se pudéssemos diferenciar dezenas de variedades diferentes de neve?

Os povos *hanuoo*, da Nova Guiné, têm um nome para cada uma das noventa e duas variedades de arroz que possuem. Trata-se de uma questão extremamente importante para a economia do país. Duvido, entretanto, que eles tenham uma palavra sequer para designar hambúrger, enquanto que em inglês existe pelo menos uma dezena delas. Também temos mais de cinqüenta modelos de carro devidamente designados. A linguagem faz distinções sutis em algumas áreas e não em outras, dependendo do que é importante naquela cultura. O mundo é tão rico e variado quanto desejarmos que ele seja, e a linguagem que herdamos desempenha um papel fundamental para direcionar nossa atenção para algumas partes dele, e não para outras.

Palavras são âncoras para a experiência sensorial, mas a experiência não é a realidade e o mundo não é a experiência. A linguagem está portanto muito distante da realidade. Discutir o verdadeiro significado de uma palavra é como discutir que um cardápio tem um gosto melhor do que outro, porque preferimos os pratos que constam dele. Pessoas que aprendem outras línguas quase sempre dizem que houve uma mudança radical na maneira como passaram a perceber o mundo.

COMO ENTENDER AS PALAVRAS — O METAMODELO

Os bons comunicadores usam as qualidades e as deficiências. A habilidade de usar a linguagem com precisão é essencial para qualquer comunicador profissional. Ser capaz de usar palavras específicas que terão um significado no mapa de outra pessoa e de determinar precisamente o que ela quer dizer com as palavras que usa são habilidades valiosas de comunicação.

A PNL tem um mapa útil que mostra o funcionamento da linguagem. Ele pode salvá-lo dos comunicadores do tipo Humpty Dumpty e evitar que você se torne um deles. Na literatura da PNL, esse mapa da linguagem é conhecido como metamodelo. O radical "meta" vem do grego e significa "para além", ou seja, num nível diferente. O metamodelo usa a linguagem para esclarecer a linguagem e impede que você se iluda achando que está entendendo o que as palavras significam. O metamodelo faz a conexão entre linguagem e experiência.

O metamodelo foi um dos primeiros padrões desenvolvidos por John Grinder e Richard Bandler. Eles observaram que dois terapeutas excepcionais, Fritz Perls e Virginia Satir, usavam determinadas perguntas quando estavam colhendo informações.

Quando decidiram comunicar suas descobertas sobre a linguagem, a mudança e a percepção, John e Richard perceberam que precisavam criar um vocabulário para descrevê-las. Descobriram que uma das grandes falhas da formação terapêutica de meados da década de 70 era que, depois de uma educação universitária e de alguns anos de prática, era preciso reinventar a roda, porque não havia um vocabulário capaz de passar a sabedoria da última geração para os novos psicoterapeutas.

Tudo isso mudou em 1975, com a publicação da *The Structure of Magic 1*, editado pela Science and Behaviour Books. O livro descreve o metamodelo detalhadamente e inclui grande parte do material que John e Richard obtiveram a partir da modelagem de Fritz Perls e Virginia Satir. Agora as pessoas poderiam beneficiar-se da experiência de psicoterapeutas excepcionais, que haviam passado muitos anos estudando o que funcionava ou não. O livro é dedicado a Virginia Satir.

DIZENDO TUDO — A ESTRUTURA PROFUNDA

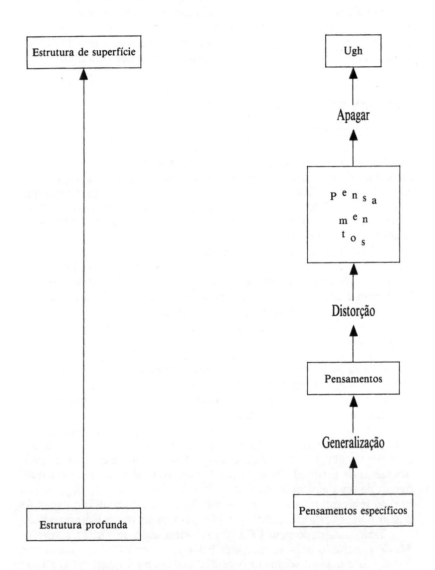

Para sair da estrutura profunda, generalizamos, modificamos e deixamos de fora uma parte das nossas idéias quando falamos com outras pessoas.

Para entender o metamodelo, instrumento que permite compreender mais profundamente o que as pessoas dizem, precisamos observar como os pensamentos são traduzidos em palavras. A linguagem não consegue acompanhar a velocidade, a variedade e a sensibilidade de nosso pensamento. Chega no máximo a uma aproximação. Um orador terá uma idéia completa e plena daquilo que deseja dizer — o que os lingüistas chamam de estrutura profunda. A estrutura profunda não é consciente. A linguagem existe num nível muito profundo da nossa neurologia. Encurtamos essa estrutura profunda de maneira a poder falar claramente, e o que dizemos é chamado de estrutura de superfície. Se não reduzíssemos essa estrutura profunda, a conversa seria muito longa e pedante. Se alguém lhe perguntar como chegar ao hospital mais próximo, não gostará de receber uma resposta que envolva gramática transformacional.

Para passar da estrutura profunda à estrutura de superfície, fazemos três coisas inconscientemente.

Primeiro, selecionamos apenas parte da informação disponível na estrutura profunda. Grande parte será deixada de fora.

Segundo, oferecemos uma versão simplificada, que inevitavelmente implicará uma distorção do significado.

Terceiro, generalizamos. Se falássemos de todas as possíveis exceções e condições, a conversa seria muito maçante.

O metamodelo inclui uma série de questões que tentam reverter e demonstrar as omissões, distorções e generalizações da linguagem. Essas perguntas têm como objetivo preencher as lacunas de informação, reformular a estrutura e propiciar informações específicas para tornar a comunicação compreensível. Vale a pena lembrar que nenhum dos padrões descritos a seguir são intrinsecamente bons ou ruins. Tudo dependerá do contexto no qual eles são usados e das conseqüências de sua utilização.

SUJEITOS NÃO ESPECIFICADOS

Examine a seguinte frase:

Lara, de sete anos de idade, caiu em cima de uma almofada na sala de estar e machucou a mão direita numa cadeira de madeira.

E:

A criança sofreu um acidente.

Embora as frases signifiquem a mesma coisa, a primeira contém muito mais informações. Partindo da primeira frase, podemos chegar facilmente à segunda, deixando de fora ou generalizando determinadas palavras. Por outro lado, ambas as frases estão bem escritas do ponto de vista gramatical. Mas uma frase bem feita do ponto de vista gramatical não é garantia de clareza. Muitas pessoas se expressam claramente do ponto de vista gramatical e nem por isso aprendemos alguma coisa depois de ouvi-las.

O sujeito da frase pode ser omitido pelo uso da voz passiva. Dizemos, por exemplo, "A casa foi construída", em vez de dizer "X construiu a casa". O fato de termos deixado de fora o nome da pessoa que construiu a casa não significa que ela se construiu sozinha. O construtor continua existindo. Esse tipo de omissão pode pressupor uma visão de mundo no qual a pessoa é um espectador e os fatos simplesmente acontecem, sem que ninguém seja responsável por eles.

Portanto, ao ouvir a frase "A casa foi construída", você pode pedir que lhe dêem a informação omitida. *"Quem construiu a casa?"*

Outros exemplos onde os sujeitos não estão especificados são:
"Eles estão me perseguindo." Quem?
"É uma questão de opinião." *O quê?*
"O bairro foi arruinado." *Quem arruinou?*
"Animais domésticos são uma chateação." *Que animais domésticos?*

A "pérola" a seguir vem de uma criança de dois anos quando lhe perguntaram o que acontecera com uma barra de chocolate que estava em cima da mesa.

"Se as pessoas deixam chocolate por aí, as pessoas comem." *Que pessoas?*

Sujeitos não especificados podem ser esclarecidos com a pergunta: "Quem ou o que exatamente...?"

VERBOS NÃO ESPECIFICADOS

Alice ficou tão surpresa que, um minuto depois, Humpty Dumpty continuou. "Eles têm desses humores — sobretudo os verbos, que são os mais orgulhosos. É possível fazer qualquer coisa com os adjetivos, mas não com os verbos. Entretanto, consigo manejar todos eles! Impenetrabilidade! É isso que eu digo!

Através do espelho e o que Alice encontrou lá,
Lewis Carroll

Às vezes, um verbo não está especificado, por exemplo:
"Ele viajou para Paris."
"Ela se machucou."
"Ela me ajudou."
"Estou tentando me lembrar disso."
"Vá e aprenda isso para a próxima semana."

Seria importante saber como essas coisas foram ou serão feitas. Precisamos do advérbio. Por exemplo, como ele viajou? Como ela se machucou? Como ela ajudou você? Como você está tentando se lembrar disso? (Aliás, do que você está tentando se lembrar exatamente?) Como vou aprender isso?

Verbos não especificados são esclarecidos com a pergunta: "De que maneira exatamente...?"

COMPARAÇÕES

Os dois exemplos seguintes de omissão de informação são semelhantes e muitas vezes encontrados juntos: julgamentos e comparações. A publicidade é uma ótima fonte de ambos.

O novo Fluffo é o melhor sabão para lavar roupas.

Há uma comparação aqui, mas ela não é feita claramente. Algo não pode ser melhor isoladamente. Melhor do que o quê? Melhor do que era antes? Melhor do que seus concorrentes Buffo e Duffo? Melhor do que o sabão em pedra?
Qualquer frase que use as palavras "melhor" ou "pior" está fazendo uma comparação. Só é possível fazer uma comparação se há algo com o que comparar. Se esse elemento estiver faltando, é preciso perguntar o que é.
Outro exemplo seria o seguinte:

Eu organizei mal a reunião.

Mal em comparação com o quê? De que maneira você poderia tê-la organizado? Como o João da Silva a teria organizado? E como o Super-Homem a teria organizado?
Com freqüência, a metade omitida da comparação não é realista. Se você se comparar como Super-Homem, vai sair perdendo e depois omitir o padrão de comparação. Assim, só manterá a sensação de incompetência, achando que nada pode fazer.

109

As comparações são esclarecidas com a seguinte pergunta: "Comparado com o quê...?"

JULGAMENTOS

Os julgamentos são os maiores aliados das comparações. Se Fluffo é "o melhor sabão em pó que o dinheiro pode comprar", seria interessante saber de quem é essa opinião. Do diretor administrativo da empresa que fabrica o Fluffo? Trata-se do resultado de uma pesquisa de opinião? Ou da opinião do João da Silva?

Julgamentos não precisam necessariamente englobar comparações, embora com freqüência o façam. Se alguém disser: "Sou uma pessoa egoísta", pode-se perguntar: "Quem disse?" Se a resposta for "Eu!", você poderá perguntar: "Por quais padrões você se julga uma pessoa egoísta?"

Portanto, é útil saber quem está fazendo o julgamento. Talvez ele tenha origem numa recordação de infância. E quais são as razões do julgamento? São boas razões? São suas razões ou razões que lhe foram impostas? Será que a validade desse julgamento não expirou, agora que você já é adulto?

Os julgamentos geralmente vêm atrás de um advérbio. Veja a seguinte frase:

"Obviamente, que ele é o candidato ideal".

Para quem isto é óbvio?

Advérbios terminados *mente* quase sempre omitem a pessoa que está fazendo o julgamento. Se substituirmos a frase que começa por *Claramente* por "É óbvio que...", a comissão ficará evidente. A afirmação deve ser óbvia para alguém. (E para quem ela é tão clara?)

Julgamentos são esclarecidos com a seguinte pergunta: "Quem está emitindo esse julgamento e em que bases esse julgamento está sendo feito?"

SUBSTANTIVAÇÕES

Esse padrão ocorre quando um verbo que descreve um processo contínuo é transformado em substantivo. Os lingüistas chamam a isso substantivação. Leia a frase a seguir e reflita sobre seu significado:

O ensino e *a disciplina*, aplicados com *respeito* e *firmeza* são *essenciais* para o *processo* da *educação*.

É uma frase perfeita do ponto de vista gramatical, mas contém uma substantivação (em itálico) em praticamente todas as palavras. Se um substantivo não pode ser visto, ouvido, tocado, cheirado ou provado, em resumo, se não puder ser colocado dentro de um carrinho de mão, é uma substantivação.

Não há nada de errado com as substantivações — elas podem ser muito úteis, mas escondem as maiores diferenças entre os vários mapas de mundo. Vejamos a palavra "educação", por exemplo. Quem está educando quem? Qual o conhecimento que está sendo transmitido? Ou ainda a palavra "respeito". Quem está respeitando quem? E como isso está sendo feito?

A palavra "memória" é um exemplo interessante. O que significa alguém dizer que tem uma memória ruim? Para descobrir, é necessário perguntar que informação específica a pessoa tem dificuldade em decorar e como ela faz para memorizar alguma coisa. Em toda substantivação, um ou mais sujeitos estão faltando (de certa maneira de falar) e um verbo não está especificado.

Um verbo envolve uma ação e um processo contínuo. Mas isso se perde se ele for substantivado e transformado num substantivo estático. Alguém que acha que tem uma memória ruim está em maus lençóis se pensar nessa questão da mesma maneira que pensa numa dor nas costas. Como disse George Orwell, "Se o pensamento pode corromper a linguagem, a linguagem também pode corromper o pensamento". Acreditar que o mundo externo é moldado pela maneira como falamos dele é ainda pior do que comer o cardápio — é comer a tinta com que ele foi impresso. As palavras podem ser combinadas e manipuladas de uma forma que nada tenha a ver com a experiência sensorial. Posso dizer que porcos podem voar, mas isto não significa que seja verdade. Pensar assim é o mesmo que acreditar em mágica.

As substantivações são os dragões do metamodelo. Não causam problemas desde que não se pense que elas realmente existem. Elas omitem tantas informações que praticamente nada resta. Condições terapêuticas e enfermidades são exemplos interessantes de substantivações, o que explica por que os pais muitas vezes se sentem perdidos e sem opção. Por transformar processos em coisas, as substantivações são um padrão de linguagem extremamente enganador.

A substantivação pode ser esclarecida se a transformarmos em verbo e buscarmos a informação que foi omitida: "Quem está substantivando o quê? E como essa pessoa está fazendo isso?"

OPERADORES MODAIS DE POSSIBILIDADE

Existem regras de conduta que acreditamos não poder ou não dever desrespeitar. Em lingüística, expressões como "não posso" e "não devo" são chamadas de operadores modais, porque estabelecem limites impostos por regras não explícitas.

Existem dois tipos principais de operadores modais: operadores modais de necessidade e operadores modais de possibilidade. Operadores modais de possibilidade são os mais fortes. "Posso" e "não posso", "possível" e "impossível" são exemplos desses operadores. Eles definem (no mapa de quem fala) o que é considerado possível. Evidentemente (espero que o leitor reconheça um julgamento aqui — *Evidente para quem?*), existem leis da natureza. Porcos não podem voar, seres humanos não podem viver sem oxigênio. Entretanto, os limites estabelecidos pelas crenças da pessoa são muito diferentes. "Simplesmente não pude recusar", ou "Eu sou assim, não posso mudar" ou ainda "É impossível contar a verdade a eles".

Não há nenhum problema se a pessoa acha que tem algumas capacidades (a não ser que isto evidentemente não seja verdade ou desafie as leis da natureza). É o "não posso" que é limitante, porque geralmente é aceito como um estado absoluto de incompetência, não passível de mudança.

Aos clientes que diziam "não posso", Fritz Perls, criador da Gestalt terapia, costumava responder o seguinte: "Não diga que não pode, diga que não quer". Esta ressignificação bastante drástica imediatamente desloca a pessoa do estado de paralisia para um estado em que ao menos é capaz de reconhecer a possibilidade de escolha.

Uma pergunta mais clara (e menos suscetível de quebrar o *rapport*) é: "O que aconteceria se você fizesse isso?" Ou "O que o impede?" Ou ainda: "Como você se impede?" Quando alguém diz que não pode fazer algo, estabeleceu um objetivo e depois o colocou fora de seu alcance. A pergunta "O que o impede?" enfatiza o resultado final e o obriga a identificar as barreiras, uma primeira etapa para ultrapassá-las.

Professores e terapeutas trabalham para modificar essas limitações, e o primeiro passo é questionar o operador modal. Os professores se vêem diante disso todos os dias quando alunos dizem que não conseguem entender alguma coisa ou que sempre fazem a lição errado. Os terapeutas ajudam os clientes a vencer suas limitações.

Se a pessoa diz "Não consigo relaxar", deve ter alguma noção do que é o estado de relaxamento e de como sabe que não está conseguindo atingi-lo. Deve-se tomar o objetivo positivo (o que você poderia fazer) e descobrir o que está impedindo que ele se realize (o que o impede), ou examinar cuidadosamente as conseqüências (o que aconteceria se você o fizesse). São essas conseqüências e barreiras que foram omitidas. Num exame mais profundo, elas podem se revelar menos difíceis do que parecem inicialmente.

Operadores modais de possibilidade — "Eu não posso" — são esclarecidos com a pergunta: "O que aconteceria se você...?" ou "O que o impede de...?"

OPERADORES MODAIS DE NECESSIDADE

Os operadores modais de necessidade pressupõem necessidade e são indicados pelo uso das expressões "deveria" e "não deveria", "tenho que" e "não tenho que", "sou obrigado a" e "não sou obrigado a". Nelas, há uma regra de conduta que não fica explícita. Quais são as conseqüências, reais ou imaginárias, de se quebrar essa regra? Elas vêm à tona com a pergunta: *"O que aconteceria se você fizesse, ou não fizesse, isso?"*

"Devo sempre que colocar os outros em primeiro lugar."
O que aconteceria se você não colocasse?

"Não devo falar em sala de aula."
O que aconteceria se você falasse?

"Tenho que aprender essas categorias de metamodelo."
O que aconteceria se você não aprendesse?

"Você não deveria falar com essas pessoas."
O que aconteceria se você falasse?

"Você deve lavar as mãos antes das refeições."
O que aconteceria se você não lavasse?

Do momento que ficam explícitas, as conseqüências e as razões podem ser examinadas e avaliadas. Se não o forem, elas apenas limitam as opções e o comportamento.

As regras de conduta são evidentemente importantes, já que a sociedade sobrevive a partir de um código moral. Mas há uma imensa diferença entre dizer "Você deve ser honesto nos seus negócios" e "Você deve ir ao cinema com mais freqüência". "Dever" e "não dever" geralmente contêm julgamentos morais que não deveriam ser emitidos.

Muitas descobertas foram feitas através da pergunta *"O que aconteceria se...?"* Se eu continuasse velejando para o oeste? Se eu pudesse viajar à velocidade da luz? Se eu permitisse que a penicilina crescesse? Se a Terra girasse ao redor do Sol? Estas perguntas são a base do método científico.

O campo da educação pode se tornar um terrível campo minado de operadores modais, comparações e julgamentos. O conceito de normas e testes sobre o que as crianças deveriam ou não ser capazes de fazer é tão vago que chega a ser inútil ou, pior ainda, tão restritivo que chega a ser esmagador.

Se eu disser a uma criança "Você deveria ser capaz de fazer isto", estou apenas declarando minha crença. E, nesse caso, não posso responder de maneira sensata à questão racional "O que aconteceria se eu não fizesse?"

No que diz respeito às capacidades, é muito mais útil pensar em termos daquilo que a pessoa pode ou não fazer do que em termos daquilo que ela deveria ou não ser capaz de fazer. O uso do "deveria" aplicado às capacidades é geralmente considerado uma repreensão, uma censura. Como a pessoa deveria ser capaz de fazer algo, mas não pode, cria-se um sentimento de fracasso desnecessário. Usar a palavra "deveria" dessa maneira, seja para si mesmo ou para os outros, é uma excelente maneira de criar culpa instantaneamente (já que uma regra foi quebrada), abrindo uma brecha artificial entre a expectativa e a realidade. Seria essa expectativa realista? Esta regra é útil ou apropriada? "Deveria" é geralmente uma reação de censura e raiva de alguém que não admite sua raiva nem suas expectativas, e tampouco assume a responsabilidade por elas.

Os operadores modais de necessidade — "Eu não devo/eu tenho que" — são esclarecidos com a seguinte pergunta: "O que aconteceria se você fizesse/não fizesse...?"

QUANTIFICADORES UNIVERSAIS

A generalização ocorre quando um exemplo é tomado como sendo representativo de um número muito grande de possibilidades. Se não generalizássemos, teríamos que repetir as coisas indefinidamente e pensar em todas as possíveis exceções e qualificações, o que seria um grande desperdício de tempo. Classificamos o nosso conhecimento em categorias gerais, mas antes obtemos conhecimento através da comparação e da avaliação das diferenças. É importante continuar a estabelecer essas diferenças, para que as generalizações possam ser modificadas, caso necessário. Há momentos em que precisamos ser específicos e não convém generalizar. Cada caso precisa ser examinado isoladamente. Mas corremos o risco de não enxergar as árvores da floresta se um grande segmento de experiência estiver concentrado em uma única espécie.

A capacidade de admitir exceções nos torna mais realistas. As decisões não devem ser tomadas a partir de "tudo ou nada". A pessoa que pensa que está sempre certa é uma ameaça maior do que aquela que pensa que está sempre errada. Em casos extremos, isso pode significar preconceito, discriminação e estreiteza de espírito. As generalizações são o "enchimento" lingüístico que impede a boa comunicação.

Como as generalizações tomam alguns exemplos como representativos de um grupo, geralmente contêm sujeitos generalizados e verbos não especificados. Muitas dessas categorias de metamodelo se sobrepõem. Quanto mais vaga a declaração, mais facilmente ela incluirá diversos padrões diferentes.

As generalizações são geralmente expressas por palavras como "tudo", "cada um", "sempre", "nunca" e "nenhum". Essas palavras não admitem exceções e são conhecidas como quantificadores universais. Em alguns casos, elas estão ausentes, porém implícitas, como por exemplo: "Acho que os computadores são uma perda de tempo" ou "Música pop é uma droga".
Outros exemplos seriam:

"A comida indiana tem um gosto horrível."
"Todas as generalizações são erradas."
"Casas são muito caras."
"Os atores são pessoas interessantes."

Paradoxalmente, os quantificadores universais são limitadores. Ampliar uma declaração para que ela inclua ou exclua todas as possibilidades torna mais difícil enxergar uma exceção. Cria-se um filtro perceptivo, ou seja, uma profecia auto-realizadora, e a pessoa passa a enxergar e a ouvir o que espera enxergar e ouvir.

Nem sempre os quantificadores universais estão errados. Eles podem ser concretos, reais. "Depois do dia sempre vem a noite", "Maçãs nunca caem para cima". Há uma grande diferença entre esse tipo de afirmação e "Nunca faço nada certo". Uma pessoa que acredita nisso só observa as ocasiões em que erra e esquece ou despreza seus acertos. Ninguém consegue fazer tudo sempre errado. Essa perfeição não existe. Mas essa pessoa limita seu mundo quando fala dele dessa maneira.

Pessoas bem-sucedidas e confiantes tendem a generalizar do lado oposto. Acreditam que geralmente fazem as coisas corretamente, com algumas exceções. Em outras palavras, elas acreditam que são capazes.

Por exemplo, para questionar o quantificador universal na frase "Eu NUNCA faço nada certo!", deve-se procurar a exceção: "Você NUNCA faz nada certo? Pode pensar em algum momento em que fez algo certo?"

Richard Bandler conta que uma cliente que foi procurar terapia por falta de autoconfiança (uma substantivação). Ele começou lhe perguntando: "Houve algum momento na sua vida em que se sentiu confiante?"
"Não."
"Você quer dizer que nunca, na sua vida inteira, teve confiança em si própria?"
"Isso mesmo."
"Nem mesmo em uma única ocasião?"
"Não."
"Tem certeza?"
"Absoluta!"

Outra forma de questionar esse tipo de generalização é exagerá-la até o limite do absurdo. Portanto, em resposta a "Nunca vou conseguir entender PNL", você pode dizer: "Você está certo. É mesmo muito difícil para você entender. Por que não desiste já? Não há esperança nenhuma. Nem toda a sua sua vida será suficiente para você entender". Em geral, a pessoa responde da seguinte maneira: "Tudo bem. Também não sou tão estúpida assim".

Se você questionar a generalização, exagerando-a bastante, a pessoa geralmente vai acabar defendendo o ponto de vista oposto. Você estará alimentando o absurdo da afirmação. A pessoa vai se tornar mais moderada se você passar a defender a posição extrema de maneira ainda mais radical do que ela.

Os quantificadores universais são questionados através do pedido de um contra-exemplo: "Já houve um momento em sua vida em que...?"

EQUIVALÊNCIA COMPLEXA

A equivalência complexa ocorre quando duas afirmações são ligadas como se sempre significassem a mesma coisa, por exemplo: "Você não está sorrindo... não está se divertindo".

Outro exemplo seria "Se você não olha para mim quando estou falando com você, então não está prestando atenção". Esta acusação é geralmente feita por pessoas que são predominantemente visuais e precisam olhar para a pessoa que está falando para entender o que ela está dizendo. Uma pessoa que pense de maneira mais cinestésica vai olhar para baixo para processar o que que está ouvindo. Para uma pessoa mais visual, isso significa que a outra não está prestando atenção, porque se ela, pessoa visual, estivesse olhando para baixo, ela não estaria prestando atenção. Portanto, essa pessoa generalizou sua própria experiência, esquecendo-se de que as pessoas pensam de maneira diferente.

Equivalências complexas podem ser questionadas com a seguinte pergunta: "De que maneira isto significa aquilo?"

PRESSUPOSIÇÕES

Todas as pessoas possuem crenças e expectativas construídas a partir da sua experiência pessoal. É impossível viver sem elas. Já que temos que fazer algumas pressuposições, seria bom que pelo menos elas nos dessem liberdade, opções, divertimento, em vez de nos limitar. Geralmente obtemos aquilo que esperamos obter.

Pressuposições limitadoras devem ser trazidas à tona. Freqüentemente, elas assumem a forma de perguntas que começam com "Por que ...?" "Por que você não cuida de mim adequadamente?" pressupõe que você não está cuidando da pessoa adequadamente. Se tentarmos responder a esse tipo de pergunta diretamente, estaremos perdidos. "Que pijama você vai usar para dormir, o verde ou o vermelho?" Trata-se de uma armadilha. Oferece-se uma opção em uma área, mas se a pressuposição principal for aceita: neste caso, ir dormir. Esta pressuposição pode ser questionada com a seguinte pergunta: "O que o faz acreditar que eu vá dormir?"

Frases que contêm as expressões "desde que", "quando" e "se" geralmente englobam uma pressuposição. O mesmo acontece com o complemento que vem após os verbos "perceber", "dar-se conta", "estar consciente" ou "ignorar", como por exemplo: "Perceba por que damos tanta importância ao indivíduo".

Outros exemplos de pressuposição são: "Quando você ficar mais esperto, vai entender isto" (Você não é esperto).
"Você vai me contar outra mentira?" (Você já me contou uma mentira).
"Por que você não sorri mais?" (Você não sorri o suficiente).
"Você é tão estúpido quanto seu pai". (Seu pai é estúpido).
"Vou me esforçar neste trabalho". (Este trabalho é difícil).
"Meu cachorro tem um sotaque engraçado". (Meu cachorro pode falar).

Uma pressuposição pode ainda conter outros padrões de metamodelo que precisam ser classificados ou esclarecidos. (Então você acha que não sorrio o suficiente? Quanto seria suficiente? Em que circunstâncias você espera que eu sorria?)

As pressuposições podem ser trazidas à tona com a seguinte pergunta: "O que o leva a acreditar que...?"

RELAÇÃO DE CAUSA E EFEITO

"Você fez com que eu me sentisse mal. Não posso evitar." Muitas línguas incentivam o pensamento em termos de causa e efeito. O sujeito ativo faz alguma coisa ao objeto passivo, o que é uma simplificação grosseira. Há o perigo de se pensar nas pessoas como bolas de bilhar que seguem as leis de causa e efeito. "A luz do sol faz as flores crescerem" é uma maneira simplificada de expressar uma relação extremamente complexa. Pensar nas causas não explica nada, simplesmente abre caminho para a pergunta seguinte: "Como?"

Mesmo assim, há uma imensa diferença entre dizer "O vento fez com que a árvore se curvasse" e "Você fez com que eu me sentisse zangado". Acreditar que alguém é responsável pelo seu estado emocional é lhe dar um poder psíquico sobre você que ela na verdade não tem.

Exemplos desse tipo de distorção seriam:
"Você me chateia" (Você me deixa chateado).
"Estou contente porque você foi embora" (Sua ida me faz ficar contente).
"Esse tempo me chateia" (A temperatura faz com que eu me chateie).
Ninguém tem controle sobre o estado emocional de outra pessoa. Pensar que é possível forçar as pessoas a terem determinados estados de espírito é muito limitador e provoca muitas chateações. Ser responsável pelos sentimentos dos outros é uma carga pesada. Você vai ter de tomar cuidados desnecessários e exagerados com tudo o que disser e fizer. Com os padrões de relação de causa e efeito você se torna a vítima ou a ama seca dos outros.

A conjunção "mas" muitas vezes pressupõe a relação de causa e efeito, pois introduz um motivo que impede a pessoa de fazer algo: "Eu até ajudaria você, mas estou muito cansado."
"Eu tiraria férias, mas aquela empresa não funciona sem mim."
Existem dois níveis de questionamento da relação de causa e efeito. Uma das reações seria simplesmente perguntar como exatamente uma coisa causa a outra, o que geralmente propõe novas opções de resposta. Entretanto, isso ainda mantém intacta a crença na relação de causa e efeito. Trata-se de uma crença que está muito enraizada na nossa cultura, isto é, de que os outros têm poder ou são responsáveis por nossos estados emocionais. Entretanto, a verdade é que criamos nossos próprios sentimentos. Ninguém pode fazer isso por nós. Pensar que outras pessoas são responsáveis por nossos sentimentos é fazer parte de um universo inanimado, como uma bola de bilhar. Os sentimentos que criamos em reação à ação de outra pessoa geralmente resultam de uma cinestesia. Ouvimos ou vemos algo e reagimos com um sentimento. Assim, parece que a ligação entre ambos é automática.

Diante da pressuposição de relação de causa e efeito do gênero "Ele me deixa zangado", a pergunta é: "Como exatamente você se deixa ficar zangado com o que ele diz?" Isto cria a idéia de que a pessoa tem alguma escolha quanto à sua reação emocional.

Não é fácil para niguém assumir a responsabilidade por seus sentimentos; portanto, utilize esse tipo de pergunta somente quando tiver estabelecido um ótimo *rapport*, pois ela pode parecer uma provocação.

A relação de causa e efeito pode ser questionada com a seguinte pergunta: "Como exatamente isto causa aquilo?" ou "O que precisaria ter acontecido para que isso não tivesse sido causado por aquilo?"
Para questionar a crença na relação de causa e efeito, pergunte: "Como exatamente você se deixa sentir ou reagir dessa maneira ao que viu ou ouviu?"

LEITURA DA MENTE

A leitura da mente ocorre quando uma pessoa pressupõe saber o que outra pessoa está pensando ou sentindo. Fazemos isso com freqüência. Às vezes, é uma resposta intuitiva a alguma pista não-verbal que observamos no nível inconsciente. Às vezes, é alucinação pura, ou aquilo que nós mesmos pensaríamos ou sentiríamos naquela situação. Projetamos nossos próprios pensamentos e sentimentos inconscientes, vivenciando-os como se eles tivessem partido da outra pessoa. É sempre o avarento que acha que os outros não são generosos. As pessoas que lêem a mente geralmente acham que estão certas, mas isso nem sempre é verdade. Por que tentar adivinhar quando podemos perguntar?

Existem dois tipos de leitura de mente. No primeiro, a pessoa presume saber o que a outra está pensando. Exemplos:
"Jorge está infeliz."
"Posso apostar que ela não gostou do presente que lhe dei."
"Sei o que o faz ficar zangado."
"Ele estava zangado, mas não queria admitir."

Precisamos ter bons indícios sensoriais para atribuir pensamentos, sentimentos e opiniões a outras pessoas. Podemos dizer: "Jorge está deprimido", mas seria mais apropriado "Jorge está olhando para baixo e à direita, seus músculos faciais estão soltos e sua respiração está rápida. Os cantos de sua boca estão virados para baixo e seus ombros estão caídos".

O segundo tipo de leitura da mente é um espelho do primeiro e dá aos outros o poder de ler nossa mente. Depois usamos isso para culpá-las por não nos compreenderem. Por exemplo:
"Se você gostasse de mim saberia o que quero."
"Você nem repara como estou me sentindo."
"Estou chateado por você não ter levado em consideração meus sentimentos."
"Você deveria saber que gosto disso."

A pessoa que usa esse padrão não comunica claramente aos outros aquilo que deseja. Apenas presume que eles devem saber o que ela quer. Isto pode provocar algumas boas brigas.

A maneira de questionar a leitura da mente é perguntar de que maneira exatamente a pessoa sabe o que você está pensando. Ou, no caso da leitura da mente projetada, de que maneira exatamente você deveria saber como a outra pessoa está se sentindo.

Quando procuramos esclarecer a leitura da mente perguntando "Como você sabe?", a resposta geralmente contém alguma crença ou generalização. Por exemplo:

"Jorge não se importa mais comigo."
"Como você sabe que Jorge não se importa mais com você?"

"Porque ele nunca faz aquilo que eu digo."

Assim, no modelo do mundo dessa pessoa, "fazer o que eu digo" é igual a "se importar comigo". Esta é, no mínimo, uma pressuposição muito questionável. É uma equivalência complexa e convida às seguintes perguntas: "Como exatamente se importar com alguém significa fazer o que ele quer? Quando se importa com alguém, você sempre faz o que ele diz?"

A leitura da mente é questionada com a seguinte pergunta: "Como exatamente você sabe que...?"

O metamodelo reassocia a linguagem às experiências e pode ser usado para:

1. Reunir informações.
2. Esclarecer significados.
3. Identificar limitações.
4. Criar novas opções.

O metamodelo é um instrumento extremamente poderoso no mundo profissional, no campo da terapia e da educação. A idéia básica que está por trás do metamodelo é que as pessoas criam diferentes modelos do mundo e ninguém pode pressupor que sabe o que as palavras significam.

Em primeiro lugar, ele nos permite reunir informações fundamentais quando é importante compreender exatamente aquilo que a pessoa quer dizer. Se o cliente procura um terapeuta se queixando de depressão, ele precisa descobrir, dentro do modelo do cliente, exatamente o que isto significa, em vez de pressupor (erradamente) que sabe exatamente o que o cliente quer dizer.

Nos campo dos negócios, muito dinheiro é jogado fora porque alguém entendeu mal as instruções recebidas. Quantas vezes ouvimos a seguinte lamentação: "Mas pensei que você queria dizer que..."

Quando um aluno diz que sempre erra os problemas de geometria, podemos descobrir se houve algum momento em que acertou e exatamente como ele consegue errar com tanta freqüência.

O metamodelo não contém a pergunta "Por quê?" Esse tipo de pergunta tem pouco valor; no máximo recebe justificativas ou longas explicações que de nada servem para modificar a situação.

Em segundo lugar, o metamodelo esclarece significados. Fornece uma estrutura sistemática para a pergunta: "O que exatamente você quer dizer?"

Terceiro, o metamodelo nos dá opções. Crenças, generalizações, substantivações e regras estabelecem limites. E os limites estão nas palavras, não no mundo. O questionamento e a descoberta das conseqüências ou exceções podem abrir grandes opções na vida, porque as crenças limitadoras são identificadas e modificadas.

O padrão de metamodelo utilizado vai depender do contexto da comunicação e do objetivo desejado. Vamos examinar a frase seguinte:

"Por que essas pessoas horrorosas sempre tentam me ajudar? Isso me deixa ainda mais chateado. Sei que deveria manter a calma, mas não consigo".

Esta frase contém leitura da mente e pressuposição (as pessoas tentam me chatear), relação de causa e efeito (isso me deixa ainda mais), quantificadores universais (sempre), julgamentos (horrorosas), comparações (mais chateado), operadores modais de possibilidade e necessidade (deveria, não consigo), verbos não especificados (tentar e ajudar), substantivação (calma) e sujeitos não especificados (pessoas).

Neste exemplo, a leitura da mente, as pressuposições e a lei de causalidade alimentam todas as outras. Separá-las e classificá-las seria o primeiro passo em direção à mudança. A substantivação, os verbos não especificados e os sujeitos não especificados são o menos importante. O resto — as generalizações, os quantificadores universais, os julgamentos, as comparações e os operadores modais — tem uma importância relativa. Uma estratégia mais geral seria especificar os sujeitos-chaves, em seguida os verbos-chaves e depois as distorções, dando prioridade aos operadores modais. É bom lembrar que nunca se pode especificar todas as omissões. Com a prática do metamodelo, você começará a perceber o que é importante questionar.

O metamodelo é uma maneira poderosa de reunir informações, esclarecer significados e identificar limites no pensamento de uma pessoa. É particularmente útil obter o estado desejado da pessoa que está insatisfeita. O que ela preferiria ter? O que ela preferiria ser? Como ela preferiria estar se sentindo? Perguntas são também intervenções. Uma boa pergunta pode orientar a mente de uma pessoa em outra direção e modificar sua vida. Por exemplo, pergunte-se com freqüência: "Qual a pergunta mais útil a ser feita agora?"

Há também um perigo real de obtermos muitas informações quando usamos o metamodelo. É necessário se perguntar: "Preciso realmente saber isso? Qual é o meu objetivo?" É importante usar essas perguntas do metamodelo dentro de um contexto de *rapport* e com um objetivo mutuamente estabelecido. Questões repetidas podem ser tomadas como agressão e as provocações não precisam ser tão diretas. Em vez de perguntar "Como exatamente você sabe disso?", pode-se dizer: "Estou curioso em saber como exatamente você sabia disso?", ou então "Não entendo como você sabia disso".

As conversas não precisam ser interrogatórios. Podemos usar um tom de voz educado e delicado para suavizar a pergunta.

121

Padrão de metamodelo	Pergunta
Omissões	
Sujeito não especificado	"Quem ou o que exatamente...?"
Verbo não especificado	"Como exatamente isso aconteceu?"
Comparação	"Comparado com o quê?"
Julgamento	"Quem disse que...?"
Substantivação	"Como isto está sendo feito?"
Generalizações	
Operador modal de possibilidade	"O que impede você de...?"
Operador modal de necessidade	"O que aconteceria se você fizesse/não fizesse...?"
Quantificador universal	"Sempre? Nunca? Todo mundo?"
Distorções	
Equivalência complexa	Como é que isto significa aquilo?"
Pressuposição	"O que o leva a acreditar que...?"
Relação de causa e efeito	"Como exatamente você *se faz* fazer isso...?"
Leitura da mente	"Como você sabe que...?"

Robert Dilts conta que estava fazendo um curso de lingüística na Universidade de Santa Cruz, no início dos anos 70, quando John Grinder dava um curso de duas horas sobre metamodelo. Numa quinta-feira, ele propôs à classe que treinasse o metamodelo. Na terça-feira seguinte, metade da turma estava muito desanimada. Haviam brigado com os namorados, professores e amigos, pois os tinham destruído com o metamodelo. Por isso, o *rapport* é o primeiro passo de qualquer padrão usado em PNL. Se usado sem sensibilidade e sem *rapport*, o metamodelo se torna meta-sofrimento, metamutilação e metaconfusão.

Sempre é possível fazer uma pergunta de maneira clara e precisa. Por exemplo, se uma pessoa disser (olhando para cima): "Meu trabalho não está dando certo", você pode responder: "Eu me pergunto como você veria o seu trabalho se ele estivesse dando certo".

Outra maneira de usar o metamodelo é aplicá-lo ao seu próprio diálogo interno. Isto poderá ter mais efeito do que passar anos e anos em seminários aprendendo a pensar com clareza.

Uma boa estratégia para aprender a usar o metamodelo é escolher uma ou duas categorias e passar uma semana simplesmente observando exemplos na conversa do dia-a-dia. Na semana seguinte, escolha categorias diferentes. À medida que se tornar mais familiarizado e mais experiente na percepção dos padrões, você poderá fazer perguntas mentalmente. E, por fim, quando tiver uma idéia dos padrões e das perguntas, poderá começar a utilizá-las em situações adequadas.

O metamodelo também se relaciona com os níveis lógicos. Reflita sobre a afirmação seguinte:

"Eu não posso fazer isto aqui".

"Eu" é a identidade da pessoa.
"Não posso" relaciona-se à sua crença.
"Fazer" expressa sua capacidade.
"Isto" indica um comportamento.
"Aqui" é o meio ambiente.

Esta afirmação pode ser questionada a partir de várias bases. Uma maneira de começar é pensar no nível lógico em que você quer trabalhar. Por outro lado, a pessoa pode dar uma pista sobre a parte mais importante da afirmação, enfatizando uma das palavras. Isto é conhecido como marcação tonal.

Se a pessoa disser "Eu não posso fazer isso aqui", você poderia partir do operador modal, perguntando "O que a impede?"

Se ela diz "Eu não posso fazer *isto aqui*", você pode perguntar "O que exatamente?"

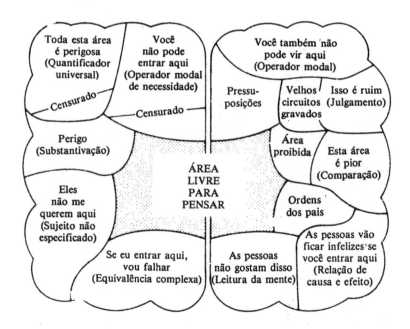

A linguagem pode limitar nosso mundo

Observando que palavras a pessoa enfatiza através do tom de voz ou da linguagem corporal, você saberá que padrão de metamodelo questionar. Outra estratégia é escutar a pessoa durante alguns minutos e observar a categoria que ela usa mais. Isto poderá indicar em que ponto seu pensamento está limitado. A pergunta neste ponto seria a melhor maneira de começar.

Em um contexto de todo dia, o metamodelo nos dá uma maneira sistemática de obter informações quando precisamos saber mais exatamente o que a pessoa quer dizer. É uma técnica que vale a pena aprender.

"Por favor, me diga", pediu Alice, "o que isso significa?"
"Agora você está falando como uma menina sensata", respondeu Humpty Dumpty, parecendo muito feliz. "O que eu quis dizer com 'impenetrabilidade' é que já falamos muito daquele assunto e seria bom se você dissesse o que quer fazer em seguida, pois suponho que não queira ficar parada aqui o resto da sua vida."

Através do espelho e o que Alice encontrou lá,
Lewis Carroll

CAPÍTULO
6

INTERIORIZAÇÃO E EXTERIORIZAÇÃO*

Até este momento, falamos da importância da acuidade sensorial, de manter nossos sentidos abertos e receptivos e observar a reação das pessoas que nos cercam. Na terminologia da PNL, esse estado em que os sentidos se abrem para o mundo exterior é chamado de *uptime*, ou exteriorização. Entretanto, existem também estados que nos levam para dentro da nossa mente, de nossa própria realidade.

Deixe de lado este livro por um instante e lembre-se de um momento em que esteve perdido em seus pensamentos...

Provavelmente você teve que ir lá no fundo do seu pensamento para se lembrar. Voltou sua concentração para dentro, para sentir, ver e ouvir internamente. Todos nós conhecemos esse estado. Quanto mais fundo mergulhamos em nossos pensamentos, menos consciência temos dos estímulos externos. "Perder-se em pensamentos" é uma boa descrição desse estado, conhecido como *downtime*, ou interiorização. As pistas de acesso nos levam para dentro. Sempre que pedimos a alguém que visualize internamente, ouvindo sons ou tendo sensações, estamos lhe pedindo que interiorize. Quando sonhamos de olhos abertos, quando planejamos, quando fantasiamos e criamos possibilidades, estamos interiorizando.

Na prática, raramente estamos completamente interiorizados ou exteriorizados. Nossa consciência do dia-a-dia é uma mistura desses dois estados, parcialmente interna e parcialmente externa. Voltamos nossos sentidos para o exterior ou para o interior dependendo das circunstâncias em que nos encontramos.

Podemos considerar os estados mentais como instrumentos que nos permitem fazer coisas diferentes. Quando jogamos uma partida de xa-

---

* *Downtime* é um termo de economia que significa "tempo de ociosidade". Já o termo *uptime* não está dicionarizado. Optamos por traduzir por "interiorização" e "exteriorização", pois no texto fica patente que se trata de "voltar-se para si mesmo" e "voltar-se para o mundo exterior". (N. da T.)

drez estamos num estado mental diferente daquele que vivenciamos quando estamos comendo. Não há um estado mental ruim ou errado, mas é importante considerar as conseqüências. Essas conseqüências poderiam ser catastróficas se, por exemplo, uma pessoa tentasse atravessar uma rua movimentada no estado mental que usa quando vai dormir — o melhor estado para se atravessar uma rua é sem dúvida alguma o da exteriorização. Muitas vezes, não conseguimos fazer bem alguma coisa porque não estamos no estado mental certo. Ninguém conseguirá jogar uma boa partida de tênis se estiver no estado mental que usa para jogar xadrez.

É possível ter acesso a recursos inconscientes induzindo um tipo de interiorização conhecida como estado de transe. No estado de transe, a atenção se concentra profundamente num foco limitado. Trata-se de um estado alterado de consciência, diferente do estado normal. Cada pessoa terá uma experiência de transe diferente, porque parte de um estado normal diferente, dominado pelos sistemas representacionais preferidos.

VACOG ◄	► VACOG
Interno	Externo
Atenção para dentro	Atenção para fora
Interiorização	Exteriorização
Sonhar de olhos abertos	Esportes
Transe	Dirigir automóvel

A maior parte do trabalho com estados de transe e estados alterados de consciência tem sido feita dentro de um contexto de psicoterapia, porque todas as terapias usam o estado de transe e têm acesso a recursos inconscientes de diversas maneiras. Uma pessoa que faz uma livre associação num divã de analista está interiorizando, assim como a pessoa que representa um papel num contexto de Gestalt terapia. A hipnose usa o transe de maneira explícita.

As pessoas procuram terapia porque não têm mais recursos conscientes. Sentem-se bloqueadas. Não sabem do que precisam nem onde encontrar o que precisam. O estado de transe oferece uma oportunidade para resolver o problema, porque vai além da mente consciente e traz à tona os recursos inconscientes, tornando-os disponíveis. A maioria das mudanças acontece no nível inconsciente e vai subindo até o nível consciente. A mente consciente não é necessária para iniciar mudanças e, muitas vezes, sequer consegue observá-las. O objetivo de qualquer terapia é levar o cliente a recuperar seus recursos. Todo mundo tem uma história pessoal rica, cheia de experiências e recursos que podem ser recuperados. Ela contém todo o material necessário para provocar mudanças, se conseguirmos ter acesso a ele.

Provavelmente, usamos uma parte tão ínfima de nossa capacidade mental porque nosso sistema pedagógico dá muita ênfase aos testes externos, a resultados padronizados e a objetivos já conseguidos por outras pessoas. Não somos educados para utilizar nossas capacidades internas. Grande parte da nossa individualidade é inconsciente. O transe é o estado mental ideal para explorar e recuperar nossos recursos internos.

O MODELO MILTON

"É muita coisa para uma palavra só dizer", disse Alice, com uma inflexão pensativa.
"Quando faço uma palavra trabalhar tanto assim", explicou Humpty Dumpty, "sempre pago hora extra."

Através do espelho e o que Alice econtrou lá,
Lewis Carroll

Gregory Bateson ficou muito entusiasmado com o livro *The Structure of Magic 1*, que continha o metamodelo, porque viu um grande potencial naquelas idéias. Então, disse a John e a Richard: "Há um senhor estranho na cidade de Phoenix, no Arizona. É um terapeuta brilhante, mas ninguém sabe o que ele está fazendo, ou como. Por que vocês não vão até lá e tentam descobrir?" Bateson conhecia esse "senhor estranho", Milton Erickson, há quinze anos e marcou um encontro para que John e Richard o conhecessem.

John e Richard trabalharam com Milton Erickson em 1974, quando ele era considerado o mais famoso hipnoterapeuta do mundo. Erickson foi o fundador da Sociedade Americana de Hipnose Clínica e viajava bastante, dando seminários e palestras, além de trabalhar em seu consultório particular. Tinha se tornado mundialmente famoso por sua sensibilidade como terapeuta, por sua enorme capacidade de observar o comportamento não-verbal. O estudo realizado por John e Richard deu origem a dois livros. O primeiro volume de *Patterns of hypnotic techniques of Milton H. Erickson* (Padrões das técnicas hipnóticas de Milton H. Erickson) foi publicado pela Meta Publications em 1975, e volume 2, em co-autoria com Judith DeLozier, em 1977. Neles, John e Richard expõem suas teorias sobre os filtros perceptivos e os métodos de Erickson, embora o próprio Erickson tenha comentado que os livros davam uma explicação melhor de seu trabalho do que ele próprio poderia dar, o que foi um grande elogio.

John Grinder disse que Erickson foi seu modelo mais importante, por ter aberto a porta não só para uma realidade diferente, mas para toda uma classe diferente de realidades. Seu trabalho com o transe e com estados alterados de consciência era surpreendente, causando uma profunda reformulação no pensamento de John.

Com isso, a PNL também passou por um reformulação. O metamodelo referia-se a significados específicos, ao passo que Erickson usava a linguagem de maneira propositalmente vaga, para que seus clientes pudessem apreender o significado mais apropriado para eles. Ele induzia e utilizava estados de transe, permitindo às pessoas superar problemas e descobrir seus recursos. Essa maneira de utilizar a linguagem ficou conhecida como Modelo Milton, um modelo que se opõe e ao mesmo tempo complementa a exatidão do metamodelo.

O modelo Milton utiliza a linguagem para induzir e manter estados de transe, permitindo que a pessoa entre em contato com os recursos ocultos de sua personalidade. Ele acompanha o funcionamento natural da mente. O transe é um estado em que a pessoa se sente profundamente motivada a captar diretamente as mensagens do inconsciente. Não se trata de um estado passivo, e a pessoa não se encontra sobre a influência de outra. Há uma cooperação entre cliente e terapeuta; as respostas do cliente permitem que o terapeuta saiba o que fazer a seguir.

O trabalho de Erickson baseava-se em várias idéias partilhadas por muitos terapeutas sensíveis e bem-sucedidos. Essas idéias passaram a ser pressupostos da PNL. Ele respeitava a mente inconsciente do cliente e partia do princípio de que há uma intenção positiva por trás de qualquer comportamento, mesmo o mais estranho, e de que as pessoas fazem as melhores escolhas que estão à sua disposição no momento. Erickson trabalhava para oferecer às pessoas mais opções, partindo do princípio de que, em algum nível, elas já possuem todos os recursos de que necessitam para efetuar mudanças.

O Modelo Milton é uma maneira de usar a linguagem para:

1. Acompanhar e orientar a realidade da pessoa.
2. Distrair e utilizar a mente consciente.
3. Ter acesso ao inconsciente e aos recursos.

ACOMPANHAR E ORIENTAR

Milton Erickson era um mestre na obtenção de *rapport*. Respeitava e aceitava a realidade de seu cliente, partindo do princípio de que a resistência se devia à falta de *rapport*. Para ele, todas as respostas eram válidas e podiam ser usadas; não havia clientes resistentes, apenas terapeutas inflexíveis.

Para acompanhar a realidade de alguém, entrar em sintonia com o seu mundo, basta apenas perceber sua experiência sensorial: o que a pessoa deve estar sentindo, ouvindo e vendo. Assim, será fácil e natural para o cliente seguir o que o terapeuta diz. A maneira de falar é importante. Um estado interior de calma será mais facilmente induzido com um tom de voz suave, que acompanhe a respiração da pessoa.

Gradativamente, o terapeuta introduzirá sugestões para guiar suavemente o cliente a um estado de interiorização, direcionando sua atenção para dentro. Tudo é descrito em termos gerais, de maneira a refletir claramente a experiência pessoal. Não é necessário dizer: "Agora você irá fechar os olhos, sentir-se confortável e entrar em transe". Em vez disso, você poderá dizer: "É melhor fechar os olhos sempre que desejar sentir-se mais confortável... Muitas pessoas acham fácil e confortável entrar em transe". Esse tipo de comentário geral abrange qualquer resposta e ao mesmo tempo introduz delicadamente o estado de transe.

Então, cria-se um círculo. Com a atenção concentrada em alguns poucos estímulos, o cliente aprofunda cada vez mais o nível de interiorização. Suas experiências se tornam mais subjetivas e são retroalimentadas pelo terapeuta, para aprofundar ainda mais o estado de transe. Em vez de dizer à pessoa o que fazer, dirige-se sua atenção para o que está ali. Como se pode saber o que a pessoa está pensando? Ninguém pode. A arte está em saber usar uma linguagem suficientemente vaga para que o cliente extraia o significado que lhe convém. Não se trata de lhe dizer o que ele deve pensar, mas de não distraí-lo do estado de transe.

Este tipo de sugestão será mais eficiente se a transição entre as frases for suave. Por exemplo, pode-se dizer algo como: "Enquanto observa o papel de parede colorido diante de você... as sombras que a luz cria sobre a parede... à medida que se torna consciente da sua respiração... do movimento do tórax... do conforto da cadeira... do peso dos pés no chão... e você pode ouvir os sons das crianças brincando lá fora... enquanto escuta o som da minha voz e começa a se perguntar... até que ponto você entrou em transe... agora".

Observe como as palavras "e", "enquanto" e "à medida que" estabelecem uma suave conexão entre as várias sugestões, entre algo que está ocorrendo (o som da sua voz) e aquilo que você deseja que ocorra (entrar em transe).

A falta dessa transição cria frases estanques, separadas, e portanto menos eficazes. Espero que uma coisa fique clara: a fala, como a escrita, pode ser suave ou estacada. Qual delas você prefere?

Normalmente, quando uma pessoa está em transe, fica quieta, com os olhos fechados e o rosto relaxado. O pulso diminui, os reflexos de piscar e de engolir se tornam mais lentos ou desaparecem, e a respiração fica mais suave. Há uma sensação de conforto e relaxamento. Para tirar o cliente do estado de transe, o terapeuta usará um sinal previamente combinado, alguma palavra específica. A pessoa também pode voltar espontaneamente ao nível normal de consciência, se seu inconsciente assim o decidir.

A PROCURA DO SIGNIFICADO

O metamodelo mantém a pessoa voltada para o exterior. Ela não precisa ir para dentro da mente procurar o significado daquilo que ouve. Simplesmente pergunta ao interlocutor o que ele quer dizer exatamente. Assim, o metamodelo recupera a informação que havia sido omitida, distorcida ou generalizada. O modelo Milton é o reverso do metamodelo, uma forma de construir frases cheias de omissões, distorções e generalizações. O ouvinte deve preencher as lacunas e procurar o significado do que está ouvindo em sua própria experiência. Em outras palavras, o contexto é fornecido com um mínimo de conteúdo. Dá-se ao ouvinte a moldura, deixando que ele escolha a imagem a ser colocada dentro dela. Como é o ouvinte que fornece o conteúdo, ele dará ao que ouve o significado mais importante e imediato.

Imagine-se que alguém lhe diga que no passado você teve uma experiência importante. Não lhe dizem o que é; você tem que procurar na sua linha temporal uma experiência que lhe pareça mais importante agora. Isto é feito num nível inconsciente, porque a mente consciente é muito vagarosa para essa tarefa.

Portanto uma frase do tipo "As pessoas podem aprender" vai invocar idéias sobre coisas específicas que posso aprender; e se eu estiver lidando com um determinado problema, esses aprendizados vão se relacionar às questões que estou me colocando. Fazemos esse tipo de pesquisa o tempo todo para entender o que as outras pessoas nos dizem. No caso de um estado de transe, ela é plenamente utilizada. O que interessa é o significado que o cliente dá, o terapeuta não precisa saber do que se trata.

A arte está em dar instruções vagas, de maneira que a pessoa possa escolher uma experiência apropriada e aprender com ela. Deve-se pedir ao cliente que escolha uma experiência importante no passado e reviva-a interiormente para aprender algo de novo a partir dela. Depois pede-se à mente inconsciente que use esse aprendizado em contextos futuros em que ele possa ser útil.

DISTRAÇÃO E UTLIZAÇÃO DA MENTE CONSCIENTE

Uma parte importante do Modelo Milton é sonegar informações, mantendo a mente consciente ocupada em vasculhar seu depósito de lembranças para preencher os vazios. Você já teve a experiência de ler uma pergunta vaga e tentar entender o que ela significa?

As substantivações omitem uma grande parte da informação. Enquanto você fica aí sentado, com uma *sensação* de *calma* e *conforto*, sua *compreensão* do *potencial* desse tipo de *linguagem* cresce cada vez mais, pois cada substantivação nesta frase está em itálico. Quanto menos específica for a frase, menor será o risco de um confronto com a experiência da outra pessoa.

Os verbos também não são especificados. Enquanto você *pensa* na última vez que ouviu alguém *se comunicar* usando verbos não especificados, poderá se lembrar da sensação de confusão que experimentou e como tem de procurar o seu próprio significado para entender esta frase.

Da mesma maneira, os sujeitos e outros substantivos podem ser generalizados ou completamente omitidos. Sabe-se que pessoas podem ler livros e fazer mudanças. (Quem sabe? Que pessoas? Que livros? Como essas pessoas farão essas mudanças? O que, e para o que, elas vão mudar?)

Julgamentos podem ser usados, por exemplo: "É muito bom ver que você está relaxado".

As comparações também incluem omissões: "É melhor entrar num transe mais profundo".

Comparações e julgamentos são uma maneira de fazer pressuposições, que ajudam muito a induzir e utilizar o estado de transe. Você pressupõe aquilo que não quer ver questionado. Por exemplo: 'Talvez você esteja se perguntando quando é que vai entrar em transe". Ou então: "Quando você gostaria de entrar em transe: agora ou mais tarde?" (Isso pressupõe que a pessoa vai entrar em transe, a única questão é saber quando.)

"Eu me pergunto se você se dá conta de como está relaxado?" (Você está relaxado.)

"Quando sua mão se levantar será o sinal que você está esperando." (Sua mão vai se levantar e você está esperando um sinal.)

"Você pode relaxar enquanto sua mente inconsciente aprende." (Sua mente consciente está aprendendo.)

"Você consegue sentir prazer em ficar relaxado e não ser obrigado a se lembrar?" (Você está relaxado e não vai se lembrar.)

Palavras de transição (e, enquanto, à medida que, durante, quando) para ligar várias afirmações são uma forma leve de relação de causa e efeito. Uma forma mais forte seria usar a palavra "fará"; por exemplo: "Olhar para aquela imagem fará você entrar em transe".

Você deve estar curioso para saber como a leitura da mente pode ser colocada dentro deste modelo de utilização de linguagem. Se ela for específica demais, não vai se encaixar. Afirmações gerais sobre o que a pessoa pode estar pensando funcionam para acompanhar e depois orientar sua experiência. Por exemplo: "Você talvez se pergunte como será esse estado de transe", ou "Você deve estar se perguntando sobre algumas das coisas que estou lhe dizendo".

Quantificadores universais também são usados, como por exemplo: "Você pode aprender com qualquer situação", ou "Você se dá conta de que o inconsciente sempre tem um propósito?" Os operadores modais de possibilidade também são úteis: "Você não consegue entender como o fato de olhar para esta luz faz você entrar mais profundamente em transe", o que pressupõe que olhar para a luz aprofunda o estado de transe.

"Você não pode abrir os olhos" seria uma sugestão direta demais, que levaria a pessoa a contestar a afirmação.
"Você pode relaxar com facilidade naquela cadeira" é um exemplo diferente. Dizer que a pessoa pode fazer alguma coisa é uma permissão que não obriga a nenhuma ação. Em geral, ela vai reagir a essa sugestão adotando o comportamento permitido. No mínimo, terá que pensar no assunto.

OS DOIS HEMISFÉRIOS DO CÉREBRO

Como o cérebro processa a linguagem e lida com essas formas vagas de linguagem? A parte frontal do cérebro, o cerebelo, é dividida em dois hemisférios. A informação circula entre os dois lados através do tecido de ligação, o corpo caloso.

Experiências que mediram a atividade de ambos os hemisférios em diferentes tarefas demonstraram que eles têm funções diferentes, porém complementares. O hemisfério esquerdo, geralmente considerado o lado dominante, cuida da linguagem. Ele processa a informação de maneira analítica e racional. O lado direito, conhecido como o hemisfério não dominante, trata a informação de maneira mais holística e intuitiva. Parece também estar mais envolvido na música, na visualização e em tarefas que incluem comparação e mudança gradativa.

Esta especialização dos hemisférios é observada em mais de 90% da população. Em uma pequena minoria (em geral pessoas canhotas), as funções estão trocadas e o hemisfério direito lida com a linguagem. Algumas pessoas têm essas funções espalhadas pelos dois hemisférios.

Há indícios de que o lado não dominante também tem capacidades de linguagem, na sua maioria significados simples e gramática elementar. O hemisfério dominante tem sido identificado com a mente consciente, e o não dominante, com a mente inconsciente, mas trata-se de uma separação simplista. De uma maneira geral, o lado esquerdo do cérebro lida com a compreensão consciente da linguagem, enquanto o lado direito lida com significados simples, de uma maneira inócua, abaixo do nível de consciência.

O Modelo Milton distrai a mente consciente, mantendo o hemisfério dominante sobrecarregado. Milton Erickson era capaz de falar de uma maneira tão complexa, e em vários níveis, que todos os sete (mais ou menos dois) segmentos da atenção consciente ficavam comprometidos, procurando significados possíveis e esclarecendo as ambigüidades. Há muitas maneiras de usar a linguagem para confundir e distrair o hemisfério esquerdo.

A ambigüidade é uma delas. A afirmação pode ser ambígua do ponto de vista sonoro. Um exemplo poderia ser "Quando você vive insegurança... (Em segurança?) Muitas palavras têm a mesma pronúncia, mas significados diferentes, distinguindo-se apenas pela grafia (pôr/por, estático/extático, conserto/concerto). É muito difícil estabelecer o significado de uma ambigüidade fonética.

Outra forma de ambigüidade é a chamada anfibologia. "Ama o pai o filho". Quem ama quem? "Ele encontrou o amigo em sua casa." Na casa de quem? Essa duplicidade de sentido é criada a partir da construção da frase.

Um terceiro tipo de ambigüidade é a chamada ambigüidade de pontuação: "Comece esta frase e termine com a mesma palavra." "Espero que você possa ouvir lendo este livro." Como leva algum tempo para compreender essas formas de linguagem, o hemisfério esquerdo fica profundamente envolvido na tarefa.

COMO TER ACESSO AO INCONSCIENTE E AOS RECURSOS

O hemisfério direito é sensível ao tom de voz, ao volume e à direção do som: aspectos que podem variar gradativamente, ao contrário das palavras, que não mudam. Ele sente o contexto da mensagem, e não o conteúdo verbal. Como é capaz de entender formas simples de linguagem, o hemisfério direito capta diretamente mensagens simples às quais se dê uma ênfase especial. Essas mensagens vão se esquivar do hemisfério esquerdo e raramente serão percebidas em nível consciente.

Existem várias formas de dar esse tipo de ênfase. Pode-se enfatizar segmentos da frase com um tom de voz ou um gesto diferente. Isto chama a atenção da mente inconsciente para determinadas instruções ou questões. Nos livros, esse destaque é feito com o uso do itálico. Quando a autor quiser que o leitor leia *cuidadosamente* uma *frase* em especial, ele a marcará com itálicos.

Você *entendeu* a mensagem?

Da mesma forma que na escrita, as palavras da fala podem ser marcadas com um tom de voz específico, chamando a atenção do ouvinte para um comando embutido na frase. Erickson, que passou grande parte da vida confinado numa cadeira de rodas, gostava de movimentar a cabeça para que certos trechos da fala chegassem ao ouvinte de diferentes direções. Por exemplo, na frase "Lembre-se de que você não tem que *fechar os olhos* para entrar em transe", ele marcava o comando embutido na frase movendo a cabeça ao dizer as palavras que estão em itálico. Esse procedimento de acentuar palavras importantes com a voz ou o gesto é apenas uma ampliação daquilo que fazemos naturalmente durante uma conversa normal.

Aliás, temos aqui uma boa analogia com a música. Os músicos acentuam as notas importantes de uma peça musical. Mesmo que não perceba conscientemente esse expediente utilizado pelo músico, o ouvinte sentirá mais prazer ao ouvir a música.

Também se pode ocultar, ou embutir, perguntas em frases longas: "Eu me pergunto se você sabe qual das suas mãos está mais quente do que a outra". Esta frase contém uma pressuposição. Não se trata de uma pergunta direta, mas o ouvinte vai observar suas mãos para ver qual delas está mais quente. Eu me pergunto se o leitor conseguiu perceber a maneira clara e delicada que este modelo utiliza para reunir informações.

Um outro procedimento que pode ser interessante é o de abrir aspas. Podemos dizer qualquer coisa se antes criarmos um contexto no qual não somos nós que estamos dizendo. A maneira mais fácil de fazer isso é contar uma história onde alguém expressa a mensagem que queremos passar, destacando-a de alguma forma do resto da história.

Lembro-me de que, algum tempo depois de um seminário que organizei sobre esses padrões de linguagem, perguntei a um dos participantes se ele havia ouvido esse padrão de aspas. Ele disse: "Ouvi. Aliás, foi interessante. Eu estava andando pela rua algumas semanas atrás e uma pessoa que eu nunca tinha visto veio até a mim e disse: '*Você não acha esse padrão de aspas interessante?*'"

As negativas constituem outro desses padrões. Elas só existem na linguagem, não na experiência. Ordens negativas funcionam como ordens positivas. A mente inconsciente não processa a negativa lingüística e simplesmente a ignora. Um pai ou um professor que diz a uma criança para não fazer algo está levando-a a repetir o ato. Se uma pessoa estiver à beira de um precipício, deve-se dizer "Tome cuidado"!, e jamais "Não caia!"

Aquilo a que resistimos persiste porque ainda atrai nossa atenção. Por isso, não queremos que você pense quanto sua comunicação seria melhor e mais eficaz se fosse formulada de maneira positiva...

O último padrão de que trataremos aqui chama-se "postulados de conversação". Trata-se de perguntas que literalmente exigem apenas um sim ou não como resposta, e no entanto provocam uma reação. Por exemplo, a frase "Você pode levar o lixo para fora?" não é um pergunta literal sobre sua capacidade física de executar a tarefa, mas um pedido para que você a execute. Outros exemplos são:

"A porta ainda está aberta?" (*Feche a porta.*)
"A mesa já está posta?" (*Ponha a mesa.*)

Esses padrões são usados o tempo todo na conversa normal e todos nós reagimos a eles. Conhecendo-os, você saberá quando usá-los e terá mais opções quanto à forma de reagir a eles. Como esses padrões são muito comuns, John Grinder e Richard Bandler muitas vezes se contradiziam nos seminários. Um dizia "Esse negócio de hipnose não existe", enquanto o outro dizia "Nada disso! Tudo é hipnose". Se a palavra "hipnose" for apenas um sinônimo de uma comunicação capaz de influenciar pessoas em vários níveis, talvez seja correto dizer que todos nós somos hipnotizadores e estamos constantemente entrando e saindo de estados de transe.

METÁFORA

A palavra "metáfora" é usada em PNL de maneira genérica, incluindo qualquer história ou figura de linguagem que implique uma comparação. Inclui desde simples comparações ou similaridades até histórias mais longas, alegorias e parábolas. As metáforas comunicam indiretamente. Metáforas simples fazem simples comparações: branco como leite, feio como o diabo, gordo como um porco. Muitas dessas metáforas tornam-se clichês, mas uma boa metáfora pode esclarecer o desconhecido, relacionando-o a algo que a pessoa já conhece.

Metáforas complexas são histórias com muitos níveis de significado. Uma história contada de maneira clara e simples distrai a mente consciente e ativa a procura inconsciente de significados e recursos. Assim, trata-se de uma excelente maneira de comunicação com uma pessoa que está em transe. Erickson fez grande uso de metáforas com seus clientes.

A mente inconsciente gosta de *relações*. Os sonhos usam imagens e metáforas. Uma coisa equivale à outra quando existe entre elas alguma característica comum. Para criar uma boa metáfora, que aponte a solução de um problema, a relação entre os elementos da história precisa ser igual à relação entre os elementos do problema. Assim, a metáfora vai repercutir no inconsciente e mobilizar os recursos que ali se encontram. A mente inconsciente capta a mensagem e começa a fazer as mudanças necessárias.

Allegro con brio

Criar uma metáfora é como compor uma música.

Criar uma metáfora é como compor uma música, e ambas nos afetam da mesma maneira. Uma melodia compõe-se de notas que guardam uma certa relação entre si. Mesmo que transposta para um tom mais alto ou mais baixo, a melodia continua a mesma, porque a relação entre as notas não muda. Num nível mais profundo, as notas são combinadas numa seqüência de acordes que mantêm uma certa relação entre si. O ritmo indica a duração de cada nota em relação às outras. A música tem um sentido diferente do da linguagem. Vai direto ao inconsciente, ignorando o hemisfério esquerdo do cérebro.

Da mesma forma que a boa música, as boas histórias devem criar expectativa e em seguida satisfazer essa expectativa com o estilo da composição. Soluções do tipo "E de repente ele deu um pulo e se libertou" não são permitidas.

Contos de fadas são metáforas. A frase "Era uma vez..." localiza essas metáforas num tempo interior. Embora não seja útil na vida real, a informação que vem a seguir é processada pelo mundo interior. Contar histórias é uma arte muito antiga. As histórias entretêm, transmitem conhecimento, expressam verdades, indicam possibilidades que estão além das maneiras habituais de ação.

Como criar uma metáfora

Para contar uma boa história é necessário dominar a técnica do Modelo Milton e muitas outras coisas: acompanhamento, orientação, cinestesias, ancoragem, transe e transições suaves. A trama deve ser (psico)lógica e corresponder à experiência do ouvinte.

Para criar uma história útil, primeiro determine o estado atual e o estado desejado do ouvinte. A metáfora será a história da jornada de um ponto para outro.

Estado atual ——————————————————▶ Estado desejado

"Era uma vez..."   "...e viveram felizes para sempre."

Estabeleça os elementos de ambos os estados, as pessoas, os lugares, os objetos, as atividades, o tempo, sem esquecer os sistemas representacionais e submodalidades de cada um desses elementos.

Em seguida, escolha um contexto adequado para a história, que tem de ser interessante para a pessoa, e substitua todos os elementos do problema por elementos diferentes, porém mantendo a relação entre eles. Crie a trama da história de maneira que ela tenha a mesma forma do estado atual e conduza-a, através de uma estratégia de ligação, até a solução do problema (o estado desejado). A mensagem deve evitar o hemisfério esquerdo do cérebro e ir direto ao inconsciente.

Tentarei explicar esse processo com um exemplo, embora a palavra impressa perca o tom de voz, a congruência e os padrões de contador de histórias do Modelo Milton. Logicamente, não pretendo criar uma metáfora relevante para o leitor. Trata-se apenas de um exemplo do processo de criação de metáfora.

Certa ocasião, um cliente meu estava preocupado com a falta de equilíbrio em sua vida. Tinha dificuldade de tomar decisões importantes e preocupava-se por estar gastando muita energia em certos projetos, em detrimento de outros. Alguns projetos lhe pareciam mal planejados, enquanto outros tomavam-lhe um longo tempo de preparação. Isso me lembrou o tempo em que eu era jovem. Eu estava aprendendo a tocar violão e às vezes recebia permissão para ficar acordado até mais tarde e tocar para os convidados depois do jantar. Como meu pai era um ator de cinema, muitas pessoas famosas costumavam jantar lá em casa e entrar noite adentro conversando sobre todo o tipo de assunto. Eu gostava muito dessas reuniões e assim conheci muitas pessoas interessantes.

Certa noite, um dos convidados do meu pai, um ator muito bom, reconhecido tanto por sua técnica no cinema como no palco, veio à nossa casa. Era um dos meus heróis, e eu gostava muito de ouvi-lo falar.

Tarde da noite, um outro convidado lhe perguntou qual era o segredo da sua extraordinária técnica.

"Bem", disse o ator, "é interessante porque também aprendi muita coisa quando fiz essa mesma pergunta a alguém. Quando eu era criança, adorava o circo — era colorido, barulhento, extravagante e excitante. Eu me imaginava no picadeiro, sob as luzes, ouvindo o barulho da multidão. Era maravilhoso. Um dos meus heróis era um equilibrista de um famoso circo itinerante. Tinha um equilíbrio extraordinário na corda bamba. Ficamos amigos durante um verão. Eu estava fascinado com sua técnica e a aura de perigo que pairava sobre ele, pois raramente usava uma rede de segurança. Uma tarde daquele verão, eu estava triste porque o circo ia embora da nossa cidade no dia seguinte. Procurei meu amigo e conversamos muito. Naquele momento tudo o que eu queria era ser como ele. Queria fazer parte do circo. Perguntei-lhe qual o segredo da sua técnica.

'Primeiro', ele disse, 'vejo cada passo como o mais importante da minha vida, o último que darei, e quero que seja o melhor. Planejo cada passo com muito cuidado. Faço muitas coisas na minha vida por força do hábito, mas essa não é uma delas. Tenho cuidado com o que uso, com o que como, com a minha aparência. Repito mentalmente cada passo, imaginando o que vou ver, o que vou ouvir e o que vou sentir. Assim, evito surpresas desagradáveis. Também me coloco no lugar do público e imagino o que eles vão ver, ouvir e sentir. Faço todo esse ensaio mental antes de entrar em cena, no chão. Quando estou em cima da corda, limpo minha mente e dirijo toda a minha atenção para fora'.

Não era exatamente o que eu queria ouvir naquela hora, mas *nunca me esqueci* daquilo que ele disse.

'Você acha que não perco o *equilíbrio?*', ele perguntou.

'Nunca vi você perder o equilíbrio', respondi.

'Você está enganado', ele disse. 'Estou sempre perdendo o equilíbrio. Simplesmente consigo me controlar dentro dos limites que me estabeleci. Não poderia andar na corda bamba se não perdesse o equilíbrio o tempo todo, primeiro para um lado e depois para o outro. O equilíbrio não é algo que a gente tenha, como o nariz falso que os palhaços usam. Trata-se de um movimento controlado para a frente e para trás. Quando desço da corda bamba, revejo o que fiz para descobrir se tenho algo a aprender com aquela experiência. E depois esqueço-a completamente'.

E eu aplico os mesmos princípios à minha carreira", concluiu o ator.

Para finalizar, gostaria de transcrever para vocês uma passagem do livro *The magus* (O mago), de John Fowles, uma história deliciosa que diz muita coisa sobre a PNL. Mas, lembrem-se, é apenas uma maneira de enxergá-la. Deixemos que ela ecoe na nossa mente inconsciente.

O PRINCIPE E O MÁGICO

Era uma vez um jovem príncipe que acreditava em tudo com exceção de três coisas. Não acreditava em princesas, nem em ilhas, nem em Deus. Seu pai, o rei, lhe dissera que essas coisas não existiam. Como no reino não havia princesas, nem ilhas, nem sinal de Deus, o jovem príncipe acreditava no que o pai lhe dissera.

Mas um dia o príncipe fugiu do palácio e chegou a outro reino. Ali, para sua grande surpresa, havia ilhas, e nessas ilhas ele viu criaturas estranhas e perturbadoras às quais não ousava dar nomes. Enquanto procurava um barco, um homem elegantemente vestido se aproximou dele no cais.

"Aquelas ilhas ali são verdadeiras?", perguntou o jovem príncipe.

"Claro que são verdadeiras", disse o homem bem vestido.

"E aquelas criaturas estranhas e perturbadoras?"

"São todas princesas autênticas e verdadeiras."

"Então Deus também deve existir!", exclamou o príncipe.

"Eu sou Deus", respondeu o homem elegantemente vestido, fazendo uma reverência.

O jovem príncipe voltou para casa o mais rapidamente que pôde.

"Ah, você voltou", disse o rei.

"Eu vi ilhas, vi princesas, e vi Deus", disse o príncipe com ar de reprovação.

O rei não se abalou.
"Não existem ilhas, princesas, nem Deus de verdade.
"Eu vi tudo isso!"
"Diga-me como Deus estava vestido."
"Deus estava com uma elegante roupa de noite."
"As mangas do casaco dele estavam enroladas?"
O príncipe se lembrou que sim. O rei sorriu.
"Ah, esse é o uniforme dos mágicos. Você foi enganado."
Então o príncipe voltou ao outro reino e foi ao mesmo cais, onde mais uma vez encontrou o homem elegantemente vestido.
"Meu pai, o rei, me contou quem você é", disse o jovem príncipe, indignado. "Você me enganou, mas não me enganará mais. Agora sei que aquelas ilhas não são verdadeiras, que aquelas princesas não são verdadeiras, porque você é um mágico."
O homem do cais sorriu.
"Você é que foi enganado, meu rapaz. No reino de seu pai existem muitas ilhas e muitas princesas. Mas você está sob o encantamento de seu pai, por isso não consegue vê-las."
O príncipe voltou para casa pensativo. Quando encontrou o pai, olhou-o diretamente nos olhos.
"Pai, é verdade que você não é um rei de verdade, mas apenas um mágico?"
O rei sorriu e enrolou as mangas.
"É verdade, meu filho. Sou apenas um mágico."
"Então o homem no cais era Deus."
"O homem no cais era outro mágico."
"Eu tenho que saber a verdade verdadeira, a verdade além da mágica."
"Não há verdade além da mágica", disse o rei.
O príncipe ficou muito triste.
"Vou me matar", disse.
Então, num passe de mágica, o rei fez com que a Morte surgisse. A Morte ficou na porta e fez um sinal para o príncipe. O príncipe deu de ombros. Lembrou-se das lindas e irreais ilhas e das irreais e lindas princesas.
"Tudo bem", ele disse. "Posso agüentar."
"Como vê, meu filho", disse o rei, "você também está começando a se tornar um mágico."

John Fowles, *The magus*, publicado por Jonathan Cape, 1977.

RESSIGNIFICAÇÃO E TRANSFORMAÇÃO DO SIGNIFICADO

Não existe bem ou mal, é o pensamento que os criam.

William Shakespeare

A humanidade sempre procurou o significado das coisas. As coisas acontecem, mas enquanto não lhes dermos significado, relacionando-as ao resto da nossa vida e avaliando suas possíveis conseqüências, elas não são importantes. Aprendemos o significado das coisas a partir da nossa cultura e da nossa criação. Para os povos antigos, os fenômenos astronômicos tinham grande significado, os cometas eram portadores de mudanças, o relacionamento das estrelas e dos planetas influenciava o destino das pessoas. Hoje os cientistas não acreditam que os eclipses e cometas tenham alguma influência pessoal. São apenas um bonito fenômeno, uma prova de que o universo obedece às leis que criamos para ele.

O que significa uma tempestade? Algo ruim, se estivermos fora de casa sem uma capa de chuva. Algo bom, se você for um fazendeiro e tiver passado por um período de seca. Também pode ser uma má notícia se você tiver organizado uma festa ao ar livre; ou uma boa notícia se seu time estiver perdendo e o jogo for suspenso. O significado de qualquer acontecimento depende da moldura que colocamos ao seu redor. Quando mudamos essa moldura, mudamos também o significado. E quando o significado muda, as reações e comportamentos também mudam. A capacidade de dar um novo significado a um acontecimento oferece maior liberdade de escolha.

Um amigo nosso caiu e machucou seriamente o joelho. A dor era tão forte que o impedia de jogar *squash*, um jogo de que gostava muito. Vendo naquele acidente uma oportunidade, e não uma limitação (dando-lhe portanto um novo significado), ele consultou vários médicos e fisioterapeutas e descobriu como os músculos e ligamentos do joelho funcionam. Felizmente, ele não precisava de uma cirurgia. Submeteu-se a um programa de exercícios e seis meses depois seu joelho estava mais forte do que antes. Ele também estava mais saudável e bem-disposto. Corrigiu os hábitos de postura que o tinham levado a enfraquecer o joelho e até mesmo seu jogo de *squash* melhorou. Machucar o joelho tinha sido muito útil. Isso mostra que a má sorte é apenas um ponto de vista.

As metáforas são instrumentos de ressignificação. Na verdade, elas estão dizendo: "Isso poderia significar que..." Contos de fadas são lindos exemplos de ressignificação. O que parece ser um azar torna-se algo útil. Um patinho feio transforma-se num cisne. Uma maldição é na verdade uma bênção disfarçada. Um sapo pode ser um príncipe. E, se tudo que tocarmos virar ouro, estamos diante de um grande problema.

Os inventores fazem ressignificações. Temos o exemplo bem conhecido do homem que acordou à noite com a ponta da mola de um velho colchão machucando suas costas. Que utilidade aquele colchão velho poderia ter (além de lhe tirar o sono)? Ele deu um novo significado ao colchão, imaginando a possibilidade de fazer das velhas molas porta-ovos de *design* moderno. E, a partir dessa boa idéia, iniciou uma empresa de sucesso.

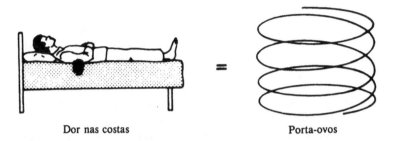

Dor nas costas   Porta-ovos

Piadas são ressignificações. Quase todas as piadas começam colocando um incidente dentro de uma determinada moldura e em seguida modificam essa moldura de maneira drástica e repentina. As piadas tomam um objeto ou uma situação e repentinamente lhes dão um outro contexto ou um significado diferente.

Truques com padrões verbais

A seguir, damos alguns exemplos de diferentes pontos de vista da mesma afirmação:

"*Meu emprego está péssimo e me sinto deprimido.*"

Generalizar: Talvez você só esteja se sentindo deprimido, mas seu trabalho está bom.
Auto-aplicação: Pensando assim, talvez você mesmo esteja se deprimindo.
Evocar valores ou critérios: O que é importante em seu emprego que você acha que está dando errado?
Resultado final positivo: Talvez isso faça com que você trabalhe mais para suplantar o problema.
Mudança de objetivo: Talvez você precise mudar de emprego.
Estabelecer um objetivo extra: Não será possível aprender alguma coisa com a situação atual de seu emprego?
Criar uma metáfora: "É como aprender a andar..."
Redefinir: Sua depressão pode significar que você está com raiva porque seu emprego está exigindo demais de você.

Segmentar para baixo: Que aspectos do seu emprego estão realmente ruins?
Segmentar para cima: Como estão as coisas em geral?
Contra-exemplo: Alguma vez seu trabalho já esteve ruim, sem que você se sentisse deprimido?
Intenção positiva: Isto mostra que você se preocupa com o seu emprego.
Estrutura temporal: É uma fase, vai passar.

A ressignificação não é uma maneira de ver o mundo através de lentes cor-de-rosa. Os problemas não desaparecem por milagre, exigem nossa ação. Mas, quanto mais opções temos, mais fácil fica resolver os problemas.

Ressignificar significa enxergar uma provável vantagem e representar a experiência de uma forma que favoreça nossos objetivos. Quando nos sentimos pressionados por forças que escapam ao nosso controle, não temos liberdade de escolha. A ressignificação nos dá um espaço de manobra.

Há dois tipos de ressignificação: a de *contexto* e a de *conteúdo*.

RESSIGNIFICAÇÃO DE CONTEXTO

Quase todos os comportamentos são úteis numa determinada situação. Poucos são os comportamentos que não têm valor e propósito em algum contexto. Tirar a roupa numa rua cheia de gente pode levá-lo à prisão, mas, num campo de nudistas, não tirar a roupa é que pode causar problemas. Uma conversa maçante não é recomendável numa palestra, mas pode ser muito útil para nos livrar de convidados indesejados. Contar mentiras não fará de você uma pessoa querida entre seus familiares e amigos, mas você poderá usar sua imaginação para escrever um romance de ficção. E quanto à indecisão? Talvez seja útil se você não conseguir decidir se deve perder a paciência... ou não... e enquanto isso esquecer o assunto.

A ressignificação de contexto se aplica melhor a afirmações do tipo: "Sou demasiadamente....." Ou: "Eu gostaria de deixar de fazer..." Pergunte a si mesmo:

"Quando este comportamento seria útil?"
"Onde este comportamento seria positivo?"

Quando encontrar um contexto no qual o comportamento seja apropriado, pode ensaiá-lo mentalmente nesse contexto específico e criar novos comportamentos para o contexto original. O gerador de novos comportamentos pode ser útil neste caso.

Quando um comportamento parece estranho visto de fora, em geral é porque a pessoa está num nível de interiorização e criou um contexto interno que não combina com o mundo exterior. A transferência que costuma ocorrer na terapia é um exemplo disso. O paciente reage ao terapeuta da mesma maneira que reagia aos pais muitos anos antes. O que era apropriado para a criança não tem mais nenhuma utilidade para o adulto. O terapeuta tem que reformular o comportamento e ajudar o paciente a criar outras maneiras de agir.

RESSIGNIFICAÇÃO DE CONTEÚDO

O conteúdo de uma experiência é aquilo em que a pessoa decide concentrar sua atenção. O significado pode ser o que ela quiser. Quando a filha de dois anos de um dos autores lhe perguntou o que significava contar uma mentira, ele explicou, com uma voz grave e paternal (levando em consideração a idade e o nível de compreensão da menina): "Significa contar algo que não é verdade de propósito, fazendo a pessoa pensar que é verdade, quando não é". A menina ficou pensando um instante e então seu rosto se iluminou.

"Que engraçado!", ela disse. "Vamos fazer isso!"

E os dois passaram os minutos seguintes contando ao outro terríveis mentiras.

A ressignificação de conteúdo é útil para afirmações do tipo: "Fico furioso quando as pessoas me fazem exigências". Ou: "Entro em pânico quando tenho um prazo a cumprir".

Observem que essas afirmações usam as relações de causa e efeito apontadas no metamodelo. É bom se perguntar:

"O que mais isso poderia significar?"
"Qual o ponto positivo desse comportamento?"
"De que outra maneira eu poderia descrever este comportamento?"

A política é a arte da ressignificação de conteúdo por excelência. Índices econômicos podem ser tomados isoladamente como prova de uma tendência geral de queda ou como indicação de prosperidade, dependendo de que lado do Congresso o político está. Altas taxas de juros são ruins para quem toma dinheiro emprestado, mas boas para os poupadores. Engarrafamentos de trânsito são horríveis se estamos presos em um deles, mas já foram considerados por um ministro do governo como um sinal de prosperidade. Se os congestionamentos fossem eliminados, ele teria dito, isto significaria a morte de Londres como centro gerador de empregos.

"Não estamos recuando", disse um general. "Estamos avançando para trás."

A publicidade e o marketing são dois outros campos onde a ressignificação é muito importante. Os produtos são colocados sob a melhor luz possível. A publicidade cria uma moldura instantânea para um produto. Se você fumar este cigarro, você é sensual. Usar este sabão em pó significa que você se preocupa com sua família. Usar este pão significa que você é inteligente. O uso da ressignificação é tão universal que encontramos exemplos dela em toda parte.

A simples ressignificação não provoca mudanças profundas, mas pode ser muito eficaz se for feita de maneira congruente, talvez utilizando uma metáfora, e estiver relacionada a assuntos que sejam importantes para a pessoa.

INTENÇÃO E COMPORTAMENTO

O ponto fundamental da ressignificação é a distinção entre comportamento e intenção: o que você faz e o que está realmente tentando obter com essa ação. É uma diferença primoridial que deve ser feita quando lidamos com qualquer tipo de comportamento. Muitas vezes, o que fazemos não nos permite obter aquilo que desejamos. Por exemplo, uma mulher pode se preocupar excessivamente com sua família porque essa é sua maneira de demonstrar amor e carinho. Mas a família se aborrece com esse comportamento. Um homem pode demonstrar amor pela família trabalhando muitas horas por dia. Mas a família talvez deseje que ele lhe dedique mais tempo, mesmo que isso signifique menos dinheiro.

Às vezes o comportamento obtém aquilo que desejamos, mas não se ajusta ao resto da nossa personalidade. Por exemplo, o funcionário de uma firma pode ser dedicado para agradar o chefe e conseguir um aumento, mas se odiar por fazer isso. Outras vezes, nem sabemos o que queremos obter com um comportamento; só sabemos que ele nos aborrece. Há sempre uma intenção positiva por trás de qualquer comportamento. Se não fosse assim, por que o faríamos? Tudo o que fazemos tem um objetivo, embora às vezes esse objetivo possa estar ultrapassado. E alguns comportamentos (fumar é um bom exemplo disto) provocam resultados muito diferentes dos desejados.

A melhor maneira de se livrar de um comportamento indesejável não é tentar eliminá-lo pela força de vontade. Isto só vai mantê-lo, porque estamos lhe dando atenção e energia. Temos que encontrar uma maneira diferente e melhor de satisfazer a intenção, uma maneira que tenha mais a ver com o resto da nossa personalidade. Ninguém joga fora um candeeiro de querosene antes que a luz elétrica seja instalada, a não ser que queira ficar no escuro.

Muitas personalidades vivem em frágil aliança debaixo da nossa pele. Cada parte da personalidade está tentando alcançar seu objetivo. Se essas várias personalidades puderem se aliar e trabalhar juntas harmonicamente, mais feliz a pessoa será. Esses nossos lados entram freqüentemente em conflito. O equilíbrio muda constantemente, e é isto que torna a vida interessante. É difícil ser totalmente coerente, totalmente comprometido com uma ação. Quanto mais importante for essa ação, maior o número de lados envolvidos. É difícil perder hábitos. Fumar faz mal à saúde, mas o cigarro nos relaxa, ocupa nossas mãos e facilita as amizades. Parar de fumar sem levar em consideração essas outras necessidades cria um vácuo. Como disse Mark Twain: "É fácil parar de fumar, eu faço isto todos os dias".

RESSIGNIFICAÇÃO EM SEIS ETAPAS

Somos tão diferentes de nós mesmos quanto dos outros.

Montaigne

A PNL usa um processo formal de ressignificação para acabar com um comportamento indesejado, criando novas alternativas. Assim, podemos manter os benefícios do comportamento. É um pouco como partir em viagem. O cavalo e a carruagem parecem ser a única maneira de nos levar aonde queremos ir, embora lenta e desconfortável, até que alguém nos fale de um trem ou de uma linha aérea que fazem aquela viagem — maneiras melhores de nos levar ao nosso destino.

A ressignificação em seis etapas, também conhecida como "remodelagem em seis etapas", funciona bem quando um lado da pessoa está fazendo com que ela se comporte de maneira indesejável. Ela também pode ser usada para tratar sintomas psicossomáticos.

1. *Primeiro, identifique o comportamento ou reação que deseja modificar.*
Em geral, ele tem a seguinte forma: "Eu quero... mas algo me impede". Ou: "Não quero fazer isso, mas acabo sempre fazendo". Se você está trabalhando com outra pessoa, não precisa conhecer o comportamento problemático para proceder à ressignificação. Este é um tipo de terapia que pode ser secreto.
Pare por um momento, para agradecer a esse "lado" da sua personalidade o que ele tem feito por você e esclarecer que não vai destruí-lo. Isto pode ser difícil se o comportamento (vamos chamá-lo de X) for muito desagradável. Mas você pode reconhecer sua boa intenção, embora não aprove a maneira como ela tem sido levada a cabo.

2. *Estabeleça uma comunicação com o lado responsável pelo comportamento.*
Vá para dentro de si e pergunte ao seu lado responsável pelo comportamento indesejável: "Será que você quer se comunicar comigo cons-

cientemente agora?" Observe a resposta que obtém. Mantenha todos os seus sentidos alertos, para observar qualquer sinal, som ou sensação interior. Não tente adivinhar. Observe um sinal concreto, em geral uma leve sensação corporal. Você consegue reproduzir esse sinal conscientemente? Se puder, repita a pergunta até obter um sinal que não consiga controlar conscientemente.

Isto pode parecer estranho, mas seu lado que é responsável pelo comportamento indesejado é inconsciente. Se estivesse sob controle da mente consciente, você não precisaria proceder à ressignificação e simplesmente deixaria de fazer o que faz. Quando os lados estão em conflito há sempre alguma indicação que vai atingir o consciente. Você já concordou com o pedido de alguém quando ao mesmo tempo tinha dúvida? O que acontece neste caso com seu tom de voz? Você consegue controlar aquela sensação desagradável na boca do estômago quando concorda em trabalhar quando preferiria estar descansando ou cuidando do jardim? Movimentos de cabeça, caretas e modificações no tom de voz revelam a existência de lados conflitantes. Quando existe um conflito de interesse, há sempre um sinal involuntário, em geral muito leve. Você tem de estar alerta. O sinal é o "mas" da frase "Sim, mas...".

Agora transforme essa resposta num sinal sim/não. Peça ao lado com o qual você está se comunicando que intensifique o sinal no caso de um sim e o diminua no caso de um não. Peça-lhe para emitir os dois sinais, um após o outro, até que eles fiquem claros.

3. *Descubra a intenção positiva do comportamento.*

Agradeça ao lado responsável pelo comportamento indesejado por estar cooperando. Pergunte-lhe: "Você concordaria em me deixar saber o que está tentando fazer?" Se a resposta for o sinal positivo, você saberá qual é a intenção, que pode ser uma surpresa para sua mente consciente. Agradeça-lhe pela informação e por estar fazendo isso por você. Pense se você realmente quer ter um lado que faça isso.

Entretanto, não é necessário conhecer a intenção. Se a resposta à sua pergunta for negativa, você pode examinar em que circunstâncias esse seu lado lhe permitiria conhecer o objetivo que está tentando atingir. Caso contrário, parta do pressuposto de que se trata de uma boa intenção. Isto não significa que você aprove o comportamento, simplesmente que você pressupõe que esse seu lado tem um objetivo que lhe traz algum benefício.

Vá para dentro de si mesmo e pergunte a esse seu lado: "Se você tivesse outras maneiras de atingir seu objetivo tão bem ou melhor do que agora, gostaria de experimentá-las?" Se a resposta for negativa, isto significa que os sinais estão confusos. Nenhum lado em sã consciência rejeitaria tal oferta.

4. *Peça a seu lado criativo para gerar novas maneiras de atingir o mesmo objetivo.*
Houve momentos em sua vida em que você foi criativo e teve os recursos necessários. Peça ao lado com o qual está trabalhando que comunique sua intenção positiva a seu lado criativo, aquele que possui os recursos necessários. O lado criativo então será capaz de criar outras maneiras de atingir o mesmo objetivo. Algumas delas serão boas, outras nem tanto. De algumas você terá consciência, mas pouco importa se isto não acontecer. Peça ao seu lado criativo que escolha apenas as opções que considerar tão boas ou melhores que o comportamento original. Essas opções devem estar imediatamente disponíveis. Peça ao seu lado criativo que lhe dê um sinal afirmativo sempre que tiver uma nova opção. Continue até obter três sinais afirmativos. Leve o tempo que quiser nesta fase do processo e agradeça a seu lado criativo quando tiver terminado.

5. *Pergunte ao lado X, responsável pelo comportamento indesejado, se concordaria em usar as novas opções em lugar do antigo comportamento durante as próximas semanas.*
Trata-se aqui da ponte para o futuro, ou seja, do ensaio mental do novo comportamento numa situação futura.
Se tudo estiver bem agora, não haverá razão para você não obter um sinal afirmativo. Se obtiver um não, diga ao lado X que pode usar o antigo comportamento, mas que gostaria que ele tentasse as novas opções antes. Se ainda assim obtiver uma resposta negativa, você poderá ressignificar o lado que cria a objeção fazendo-o passar por todo o processo de ressignificação em seis etapas.

6. *Verificação ecológica*
É necessário saber se há outras partes que teriam alguma objeção às suas novas opções, perguntando: "Há algum lado meu que seja contra qualquer uma dessas novas opções?" Esteja atento aos sinais. Seja bastante cuidadoso aqui. Se aparecer um sinal, peça a esse seu lado que o intensifique se houver realmente uma objeção. Certifique-se de que as novas opções sejam aprovadas por todos os lados interessados, senão um deles vai sabotar o seu trabalho.
Se houver uma objeção, você poderá fazer o seguinte: ou voltar à etapa número 2 e ressignificar o lado que está levantando a objeção, ou pedir ao seu lado criativo que se alie ao lado que tem objeção para criar novas opções. Não se esqueça de checar também essas novas opções para ver se há alguma outra objeção.

A ressignificação em seis etapas é uma técnica terapêutica de desenvolvimento pessoal que lida diretamente com várias questões psicológicas.

Uma delas é o *ganho secundário:* mesmo um comportamento estranho e destrutivo sempre tem um objetivo útil em algum nível, mas esse objetivo em geral está inconsciente. Ninguém faz algo que contrarie totalmente seus interesses. Há sempre algum benefício, mas a mistura de motivações e emoções raramente é harmoniosa.

A outra questão tem a ver com o *estado de transe.* Qualquer pessoa que faça a ressignificação em seis etapas estará num leve estado de transe, com a atenção voltada para dentro.

Em terceiro lugar, a ressignificação em seis etapas envolve uma *negociação* entre os diferentes lados da personalidade de uma pessoa. No próximo capítulo analisaremos as técnicas de negociação dentro de um contexto profissional.

LINHAS TEMPORAIS

Não podemos estar em outro momento a não ser aqui e agora, mas temos uma máquina do tempo dentro da nossa cabeça. Quando dormimos, o tempo pára. Nos sonhos, diurnos ou noturnos, podemos pular do presente para o passado e para o futuro sem nenhuma dificuldade. O tempo parece voar, ou se arrastar, dependendo do que estamos fazendo. Nossa experiência subjetiva do tempo muda o tempo todo.

Medimos o tempo do mundo exterior em termos de distância e movimento — como um ponteiro no relógio. Mas como nossa mente lida com o tempo? Deve haver alguma maneira, ou nunca saberíamos se já fizemos ou ainda vamos fazer alguma coisa, se essa ação pertence ao passado ou ao futuro. Uma sensação de *déjà vu* sobre o futuro não seria nada agradável. Que diferença existe entre a maneira como pensamos num acontecimento passado e num acontecimento futuro?

Talvez possamos obter algumas dicas nas muitas frases que usamos relativamente ao tempo: "Não vejo nenhum futuro nisso", "Ele está preso ao passado", "Revendo os acontecimentos...". Talvez a visão e a direção tenham algo a ver com isso.

Agora, selecione um comportamento repetitivo que faz praticamente todos os dias, como por exemplo escovar os dentes, pentear o cabelo, lavar as mãos, tomar o café da manhã ou assistir televisão.

Pense num momento cinco anos atrás em que você fez isso. Não precisa ser um momento específico. Como você sabe que fez isso há cinco anos, pode até fingir que se lembra.

Agora pense como seria fazer isso neste exato momento.

E daqui a uma semana.

E daqui a cinco anos. Não importa que você não saiba onde vai estar, simplesmente pense que está fazendo aquela atividade.

Agora reúna esses quatro exemplos. Provavelmente você tem uma imagem de cada um dos acontecimentos. Pode ser um filme ou um ins-

tantâneo. Se um duende misturasse todos esses acontecimentos enquanto você não estivesse olhando, como você os reconheceria?
Examine de novo as imagens. Observe as *diferenças* entre cada uma delas em termos das seguintes submodalidades:
Onde estão localizadas no espaço?
Qual o tamanho delas?
Como é a luminosidade delas?
E o foco?
As cores são idênticas?
São imagens que se movem ou fotografias instantâneas?
A que distância elas se encontram?
Não convém generalizar a respeito de linhas temporais, mas uma maneira comum de organizar as imagens do passado, do presente e do futuro é através da localização. O passado em geral está à esquerda. Quanto mais distante o passado, mais afastadas as imagens estarão. O passado "escuro e distante" estará muito afastado. O futuro em geral fica à direita, com o futuro longínquo muito distante, no final da linha temporal. De cada lado, as imagens em geral estão colocadas de uma maneira que nos permite vê-las e examiná-las com facilidade. Muitas pessoas usam o sistema visual para representar uma seqüência de recordações ao longo do tempo, mas podem existir algumas diferenças de submodalidades nos outros sistemas também. Quanto mais próximos do presente, mais altos podem ser os sons, e mais fortes as sensações.

Felizmente, esta maneira de organizar o tempo se ajusta naturalmente às pistas visuais de acesso (e à escrita ocidental, da esquerda para a direita), o que talvez explique por que se trata de um padrão comum. Há muitas maneiras de organizar a linha temporal. Não existe linha temporal "errada", mas cada uma delas tem conseqüências. O local e a maneira como organizamos a linha temporal influencia nossa maneira de pensar...
 Por exemplo, suponhamos que seu passado esteja diretamente à sua frente. Ele estará sempre na sua linha de visão, atraindo sua atenção, e por isso exercerá grande influência sobre sua experiência.
 Imagens grandes e luminosas do futuro distante o tornam muito atraente e o conduzem até ele. Neste caso, você seria uma pessoa orientada para o futuro. No entanto, seria difícil planejar o futuro imediato. Se existissem imagens grandes e luminosas no futuro próximo, o planejamento a longo prazo ficaria dificultado. Em geral, tudo que é grande, luminoso e colorido (se essas forem as submodalidades importantes para você) será mais atraente e chamará mais sua atenção. É possível dizer se alguém tem um passado nebuloso ou um futuro brilhante.
 As submodalidades podem variar em grau. Por exemplo, quanto mais luminosa for a imagem, ou quanto mais focalizada ela estiver, mais perto ela estará do presente. Essas duas submodalidades são boas para representar mudanças gradativas. Uma pessoa pode colocar suas imagens de uma maneira mais definida, utilizando uma localização diferente e separada para cada lembrança. Nesse caso, a pessoa usará gestos bruscos quando fala de suas lembranças, em vez de uma gesticulação mais fluente e suave.
 O futuro pode estar distribuído numa longa linha à sua frente, causando-lhe problemas para cumprir prazos, pois esses prazos parecem estar muitos distantes até que de repente surgem à sua frente. Por outro lado, se o futuro estiver muito comprimido, sem espaço suficiente entre as imagens, a pessoa poderá se sentir pressionada pelo tempo. Tudo parece ter que ser feito imediatamente. Às vezes é útil comprimir a linha do tempo; outras vezes é mais útil expandi-la. Depende daquilo que você deseja. Em geral, as pessoas orientadas para o futuro recuperam-se mais rapidamente de qualquer enfermidade, um fato comprovado por pesquisas médicas. A terapia da linha temporal pode facilitar a recuperação em enfermidades mais sérias.
 As linhas temporais são importantes para o nosso senso de realidade. Portanto, é difícil modificá-las, a não ser que a mudança seja ecológica. O passado tem uma realidade que o futuro não possui. O futuro é incerto, e só existe como potencial ou possibilidade. As submodalidades do futuro em geral refletem isto de alguma maneira. A linha do tempo pode dividir-se em diferentes ramificações, ou as imagens podem ser difusas.

As linhas do tempo são importantes numa terapia. Se o cliente não consegue ver um futuro para si mesmo, muitas das técnicas não darão resultados. Muitas das técnicas de PNL pressupõem a capacidade de movimentação através do tempo, para ter acesso a recursos do passado ou construir um futuro atraente. Às vezes, a linha do tempo tem que ser criada antes que isso possa ser feito.

NO TEMPO E ATRAVÉS DO TEMPO

Em seu livro *The basis of personality*, Tad James descreve dois tipos principais de linhas temporais. O primeiro é o que ele chama "através do tempo", ou o tempo anglo-europeu, no qual a linha temporal vai de um lado para o outro. O passado fica de um lado, o futuro de outro, e ambos são visíveis diante da pessoa. O segundo tipo é chamado de "no tempo", ou seja, o tempo arábico, no qual a linha temporal parte da frente para trás, de forma que uma das partes (em geral o passado) fica atrás da pessoa, portanto invisível, obrigando-a a girar a cabeça para enxergá-lo.

As pessoas "através do tempo" têm uma idéia seqüencial e linear do tempo. Marcam compromissos e os cumprem. Esta é a linha temporal que prevalece no mundo dos negócios. "Tempo é dinheiro." Geralmente, essas pessoas armazenam seu passado em imagens dissociadas. As pessoas "no tempo" não têm a vantagem de ver o passado e o futuro diante de si. Vivem sempre o presente, e portanto prazos, compromissos e horários são menos importantes. Geralmente, suas lembranças são mais associadas. Este modelo organização temporal é mais comum no Oriente, principalmente nos países árabes, nos quais os prazos são mais flexíveis do que no mundo ocidental. Isto pode ser muito exasperador para um empresário ocidental. O futuro é visto como uma série de "agoras", de maneira que a urgência tem a ver com a ação presente. E existem muito mais "agoras" no local de onde eles vêm.

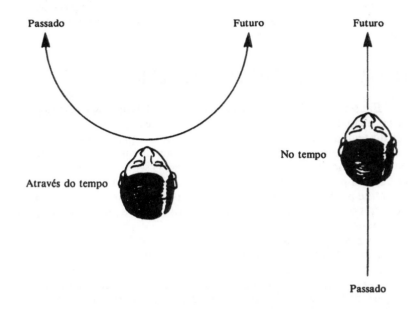

Resumo de algumas generalizações sobre as diferenças entre as duas linhas temporais:

Através do tempo	*No tempo*
Ocidente	Oriente
Da esquerda para a direita	De trás para a frente
Passado/presente/futuro	O tempo presente
Tudo à frente	Nem tudo está à frente
Existência bem ordenada	Tempo flexível
Lembranças geralmente dissociadas	Lembranças geralmente associadas
Horários são importantes	Horários não são importantes
Dificuldade de se manter no momento presente	Facilidade de se concentrar no presente

CONVERSANDO COM O TEMPO

A linguagem afeta o cérebro. Reagimos à linguagem em nível inconsciente. A maneira como falamos sobre os acontecimentos programa a forma como os representamos em nossa mente e, portanto, como reagimos a eles. Já examinamos algumas das conseqüências das substantivações, dos quantificadores universais, operadores modais e outros padrões similares. Os tempos verbais não estavam incluídos, ou estavam?

Pense num momento em que você *estava caminhando*. A forma desta frase provavelmente o fará pensar em imagens móveis e associadas. Se eu disser: "Pense na última vez em que você *deu uma caminhada*", provavelmente você pensará numa foto em que estará dissociado. A forma da frase eliminou o movimento da imagem. No entanto, ambas as sentenças significam a mesma coisa, certo?

Agora pense no momento em que você *dará uma caminhada*. Você continua dissociado. Agora pense no momento em que *estará caminhando*. Provavelmente sua imagem será um filme associado.

Agora, vou convidá-lo a se projetar no futuro distante e pensar numa lembrança do passado que ainda não ocorreu. Complicado? Nem um pouco. Leia a próxima frase:

Pense num momento em que você *já terá dado* a sua caminhada.

Agora, pense no presente. Você influencia outras pessoas e orienta sua linha temporal com o que diz. Sabendo disso, você pode escolher como quer influenciá-las. É impossível evitar isso. Toda comunicação tem alguma conseqüência. Sua maneira de se comunicar faz aquilo que você quer? Ela o ajuda a atingir seu objetivo?

Imagine que uma pessoa ansiosa vá procurar dois terapeutas diferentes. O primeiro diz: "Então você tem se sentido ansioso? É assim que você tem se sentido?" O segundo diz: "Então você está se sentindo ansioso? O que o faz se sentir ansioso?"

O primeiro terapeuta dissocia o cliente da experiência de ansiedade, colocando-a no passado. O segundo associa o cliente à sensação de ansiedade e o programa para se sentir ansioso no futuro. Eu sei com qual dos dois terapeutas gostaria de trabalhar.

Este é apenas um exemplo de como podemos influenciar outras pessoas com a linguagem sem perceber.

Portanto, enquanto você pensa como sua comunicação pode ser clara e eficaz... e olha para trás de posse desses recursos... e observa como era antes de ter mudado... Como era ser desse jeito.... e que passos você deu para mudar... enquanto está sentado aqui agora... com este livro nas mãos?

CAPÍTULO
7

CONFLITO E CONGRUÊNCIA

Todas as pessoas vivem no mesmo mundo, mas, porque criam modelos diferentes deste mundo, entram em conflito. Duas pessoas podem ver o mesmo acontecimento, ouvir as mesmas palavras, e deduzir significados diferentes. É dessa diversidade de modelos e significados que nasce a rica pluralidade de valores, políticas, religiões, interesses e motivações da humanidade. Este capítulo avalia as técnicas de negociação para conciliar conflitos de interesse e algumas das maneiras como essas técnicas estão sendo usadas com sucesso no mundo empresarial.

Algumas das partes mais importantes do nosso mapa são as crenças e os valores que moldam nossa vida, dando-lhe um propósito. Eles orientam nossas ações e podem nos colocar em conflito com outras pessoas. Os valores definem o que é importante para nós. O conflito começa quando insistimos que aquilo que é importante para nós deve também ser importante para os outros. Às vezes, temos dificuldade de conciliar nossos próprios valores, o que nos coloca diante de escolhas difíceis. Será que devo contar uma mentira a um amigo? Será que devo escolher este emprego maçante, com um salário melhor, ou o trabalho empolgante com um salário ruim?

Dentro de cada um de nós existem lados que possuem valores diferentes, interesses diferentes, intenções diferentes, e por isso entram em conflito. Nossa capacidade de perseguir um objetivo depende profundamente da maneira como conciliamos e administramos criativamente esses vários lados da nossa personalidade. É raro alguém ser completamente coerente na luta por um objetivo. Quanto maior for esse objetivo, mais lados da nossa personalidade estarão envolvidos e maiores serão as possibilidades de interesses conflitantes. Já analisamos a técnica de remodelagem em seis etapas, e no próximo capítulo vamos examinar como resolver alguns desses conflitos internos.

A congruência interna nos dá força e poder pessoal. Somos congruentes quando todo o nosso comportamento, tanto verbal como não-verbal, sustenta nosso objetivo. Todas as partes da nossa personalidade estão em harmonia e temos livre acesso a nossos recursos. Crianças pequenas quase sempre são congruentes. Quando querem alguma coisa, querem com todo o seu ser. Estar em harmonia não significa que todas as partes estejam tocando a mesma melodia. Numa orquestra, os diferentes instrumentos se combinam harmonicamente para compor a melodia total, que é mais do que aquilo que pode produzir um instrumento sozinho. É a diferença entre os instrumentos que dá cor, brilho e harmonia à música. Portanto, quando somos congruentes, nossas crenças, nossos valores e interesses agem em conjunto para nos fornecer a energia necessária para perseguir nossos objetivos.

Quando tomamos uma decisão e nos sentimos congruentes, sabemos que podemos ir adiante com chances de sucesso. A questão é saber quando somos congruentes. A seguir, um exercício simples para identificar um sinal de congruência interna.

IDENTIFICAÇÃO DO SINAL DE CONGRUÊNCIA

Lembre-se de um momento em que você realmente quis alguma coisa, aquele presente ou experiência que realmente desejou. Enquanto pensa e associa-se a esse momento, *você começa a perceber como é estar congruente*. Familiarizar-se com este sentimento é importante, para que você possa usá-lo no futuro e saber se está profundamente congruente a respeito de um objetivo. Observe como se sente, observe as submodalidades da experiência enquanto pensa naquela ocasião. Consegue encontrar alguma sensação interna, sinal ou som capaz de definir sem sombra de dúvida que você está sendo congruente?

A incongruência é uma mistura de mensagens conflitantes — um instrumento desafinado numa orquestra, ou uma cor que não combina no quadro. Mensagens internas conflitantes projetam uma mensagem ambígua para a outra pessoa e resultam em ações desagradáveis e autosabotagem. A sensação de incongruência diante de uma decisão importante é uma informação valiosa do inconsciente. A mente inconsciente está lhe dizendo que não convém agir e que é hora de refletir, reunir mais informações, criar mais opções ou considerar outros objetivos. A questão agora é perceber quando está incongruente. Faça o seguinte exercício para aumentar sua percepção do sinal de incongruência.

IDENTIFICAÇÃO DO SINAL DE INCONGRUÊNCIA

Lembre-se de um momento em que sentiu reservas a respeito de algum plano. Embora lhe parecesse uma boa idéia, algo lhe dizia que podia criar problemas. Ou então você se via fazendo aquilo, mas ainda tinha uma sensação de incerteza. Enquanto pensa nessa reserva, haverá uma certa sensação em alguma parte do seu corpo, talvez uma imagem ou um som que lhe permita saber que não estava totalmente empenhado naquilo. Este é o sinal de incongruência. Familiarize-se com ele; é um bom amigo e pode fazê-lo economizar muito dinheiro. Você talvez queira verificar várias experiências sobre as quais teve dúvidas ou reservas. A capacidade de detectar incongruências vai evitar muitos erros.

Vendedores de carros usados têm uma péssima reputação de congruência. A incongruência também aparece nos lapsos freudianos. A pessoa que fala sobre "tecnologia de *ponta*" demonstra não estar nem um pouco informada sobre as últimas novidades da informática. É essencial descobrir a incongruência das outras pessoas, para poder lidar com elas de uma maneira sensível e eficaz. Suponhamos que um professor pergunte aos alunos se entenderam uma idéia que acabou de explicar. Mesmo que o aluno diga que sim, seu tom de voz ou sua expressão podem contradizer suas palavras. Um vendedor que não sabe detectar e lidar com a incongruência do comprador provavelmente não conseguirá fechar a venda, ou, se a fizer, vai provocar o arrependimento do comprador e prejudicar futuros negócios.

VALORES E CRITÉRIOS

Nossos valores afetam profundamente nossa congruência em relação a um objetivo. Os valores traduzem o que é importante para nós e estão fundamentados em crenças. Nós os assimilamos, assim como as crenças, a partir de nossa experiência e do exemplo de nossa família e de nossos amigos. Os valores estão intimamente ligados à nossa identidade; nós realmente nos preocupamos com eles; são princípios fundamentais que regem nossa vida. Agir contra nossos valores nos torna incongruentes. Os valores nos dão motivação e orientação. São os lugares importantes, as capitais, no nosso mapa de mundo. Para serem duradouros e influentes, os valores não podem ser impostos, mas escolhidos livremente, com total consciência das conseqüências. Quando isso acontece, carregam em si muitos sentimentos positivos.

Entretanto, como os valores geralmente são inconscientes, raramente os examinamos de uma maneira clara. Para subir dentro de uma empresa o funcionário precisa adotar os seus valores. Se tiver valores diferentes dos da empresa, ele fatalmente sentirá os efeitos da incongruência. E se esse funcionário estiver num cargo importante, a empresa poderá estar empregando apenas metade de um funcionário.

A PNL usa a palavra *critérios* para descrever esses valores que são importantes dentro de um determinado contexto. Os critérios são mais específicos e menos abrangentes que os valores. São as razões de nossos atos e aquilo que esperamos obter com eles. Trata-se geralmente de conceitos genéricos como riqueza, sucesso, prazer, saúde, êxtase, amor, aprendizagem etc. Nossos critérios determinam por que trabalhamos, para quem trabalhamos, com quem nos casamos (se isto acontecer), como criamos relacionamentos e onde vivemos. E também a marca do carro que dirigimos, as roupas que compramos e os restaurantes que freqüentamos.

Acompanhar os valores ou critérios de outra pessoa cria a base para um bom *rapport*. Se imitarmos seu movimento corporal mas não aceitarmos os seus valores, dificilmente obteremos *rapport*. Acompanhar os valores de outra pessoa não significa que temos que concordar com eles, simplesmente que os respeitamos.

Como evocar critérios

Faça uma lista dos dez valores mais importantes da sua vida. Pode fazer isso sozinho ou com a ajuda de um amigo. Obtenha suas respostas colocando-se as seguintes perguntas:

O que é importante para mim?
O que realmente me motiva?
O que tem de ser verdadeiro para mim?

Critérios e valores precisam ser expressos de maneira positiva. "Evitar a doença" é um valor possível, mas seria melhor expressar esse desejo positivamente, ou seja, "ter boa saúde". Provavelmente você terá mais facilidade para estabelecer valores que o motivam.

Há uma grande possibilidade de que seus critérios sejam expressos através de substantivações, e nesse caso será conveniente utilizar o metamodelo para torná-los mais claros. O que eles significam realmente, em termos práticos? A melhor maneira de descobrir isso é procurar indícios de que o critério foi satisfeito. Nem sempre é fácil encontrar a resposta, mas a pergunta que deve ser feita é:

"Como sei que obtive o que desejo?"

Se um dos seus critérios for aprendizagem, pergunte-se o que e como vai aprender. Quais são as possibilidades? E como saberá que aprendeu? Através de uma sensação? Da capacidade de fazer algo que não conseguia antes? Essas perguntas específicas são muito valiosas. Os critérios tendem a desaparecer numa cortina de fumaça quando entram em contato com o mundo real.

Quando tiver descoberto o que significam realmente esses critérios, você deve se perguntar se eles são realistas. Se sucesso significa conseguir um salário milionário, uma Ferrari, uma casa de campo, uma casa de praia e um apartamento na cidade, tudo isto antes do seu próximo aniversário, provavelmente você vai ficar desapontado. O desapontamento, como gosta de dizer Robert Dilts, exige um planejamento adequado. Para ficar realmente desapontado, você precisa ter sonhado muito alto.

Como os critérios são vagos, podem ser interpretados de maneira muito diferente por outras pessoas. Isso me lembra um casal que conheço bem. Para ela, competência significa realizar uma tarefa com sucesso. Trata-se de um critério descritivo e não muito valorizado. Para ele, ser competente significa ser capaz de executar uma tarefa sempre que *decida fazer isso*. Portanto, a competência é para ele uma fonte de auto-estima e um critério altamente valorizado. Quando ela o chamava de incompetente, ele ficava profundamente chateado — até que entendeu o que ela queria dizer com isso. A maneira como diferentes pessoas vêem o critério da atração entre homens e mulheres é a força motriz que faz funcionar o mundo.

HIERARQUIA DE CRITÉRIOS

Muitas coisas são importantes para nós, e um primeiro passo é perceber a importância relativa dos nossos critérios. Como dependem de contexto, os critérios que se aplicam ao trabalho serão diferentes dos que se aplicam aos relacionamentos pessoais. Podemos usar critérios para examinar várias questões, como por exemplo nosso compromisso em relação a um trabalho ou a um grupo de pessoas. A seguir, um exercício para examinar os critérios sob esse ponto de vista:

1. Suponha que você esteja comprometido com um grupo. O que teria que acontecer para fazê-lo abandonar o grupo? Descubra o valor ou critério que o motivaria a sair do grupo. Não comece por questões de vida ou morte; pense em algo que seria suficiente para fazê-lo se decidir.
2. Em seguida, pergunte-se o que o faria permanecer no grupo mesmo que (1) acontecesse? Descubra um critério mais importante do que aquele que você descobriu em (1).
3. Depois, pergunte-se o que o faria abandonar o grupo mesmo que (1) e (2) ocorressem. Encontre um critério ainda mais importante.
4. Continue até que *nada* o induza a ficar no grupo se seu último critério (n) acontecer. Com certeza você encontrará algumas idéias interessantes nesse trajeto de (1) a (n).

É possível usar os critérios de muitas maneiras. Em primeiro lugar, agimos de determinadas maneiras por muitas razões, que nem sempre expressam plenamente nossos valores. Por outro lado, às vezes desejamos fazer algo que não chega a se concretizar porque outros critérios, mais importantes, se atravessam em nosso caminho. Isto nos faz retornar aos objetivos descritos no primeiro capítulo. Um objetivo talvez precise estar ligado a um objetivo maior, que nos dê maior motivação por estar fundamentado num critério importante. Os critérios nos fornecem a energia para atingir nossos objetivos. Se conseguirmos tornar algo importante para nós, relacionando-o a critérios mais elevados, os obstáculos desaparecerão.

Suponhamos que você ache uma boa idéia fazer ginástica para ficar em boa forma. No entanto, o tempo passa e você não consegue começar a fazer ginástica, talvez por falta de tempo. Se ligar a ginástica ao desejo de ter uma aparência atraente e conseguir mais energia para praticar um esporte agradável, talvez você se sinta motivado a ponto de encontrar tempo. Em geral, há sempre tempo para aquilo que realmente queremos fazer. Só não temos tempo para coisas que não nos motivam suficientemente.

A maneira como pensamos a respeito dos critérios segue a estrutura das submodalidades. Os critérios mais importantes geralmente são representados por uma imagem maior, mais próxima ou mais luminosa, por um som mais alto ou por uma sensação mais forte, talvez localizada numa parte específica do corpo. Quais são as submodalidades dos seus critérios? E como você sabe que critérios são importantes para você? Como não existem regras aplicáveis a todos os casos, é interessante você examinar essas idéias por si próprio.

O JOGO DA ESCADA — SUBINDO E DESCENDO

Ao ligar ações a critérios, estamos jogando o jogo da escada. Podemos começar com uma pequena questão, mas, se a ligarmos a critérios importantes, chegaremos rapidamente ao topo. Ficaremos motivados e pensaremos nessa questão usando submodalidades que a tornarão atraente.

A maneira como ligamos acontecimentos e idéias constitui a substância do nosso mapa, as estradas que ligam as cidades. Compreender uma questão não é apenas ter a informação, mas também ligar essa informação a outras partes do nosso mapa. Podemos relacionar um objetivo menor a um maior para criar energia, ou dividir um objetivo maior numa série de objetivos menores para facilitar sua obtenção. Este é um exemplo de uma idéia geral que na PNL é conhecida como *segmentação*. "Segmentação" é um termo que vem da informática e significa segmentar em bits. "Segmentar para cima" é passar do específico para o geral, da parte para o todo. "Segmentar para baixo" é ir do geral para o particular, do todo para a parte.

A idéia é simples. Tomemos como exemplo uma cadeira. Se segmentássemos para cima, perguntaríamos: "De que este objeto seria um exemplo?" Uma resposta poderia ser: "Um móvel." Mas também poderíamos perguntar: "De que isto faz parte?" A resposta poderia ser:

"Da sala de jantar." Segmentando para baixo, faríamos a pergunta ao contrário: "Qual seria um exemplo específico da classe de objetos conhecidos como cadeiras?" Uma resposta seria: "Uma poltrona." O nível superior sempre contém o que está no nível inferior.

Também é possível segmentar lateralmente e perguntar: "Qual seria outro exemplo desta classe de objetos?" Uma resposta possível seria: "Mesa". Segmentando lateralmente a partir de uma poltrona poderíamos chegar a uma "espreguiçadeira". O exemplo obtido por segmentação lateral é sempre determinado pelo objeto que está no próximo nível superior. Não é possível pedir outro exemplo a não ser que se saiba a que nível pertence esse exemplo.

O metamodelo usa essa mesma idéia. Explora a segmentação para baixo, tornando a idéia cada vez mais específica. Já o Modelo Milton vai para o nível superior, a fim de englobar todos os exemplos específicos que se encontram abaixo.

Se alguém lhe pedir uma bebida e você lhe der um café, talvez o que a pessoa realmente quisesse fosse uma limonada. Como tanto o café como a limonada são bebidas, você precisa de maiores informações.

A segmentação para baixo procura acontecimentos específicos do mundo real, perceptíveis pelos sentidos. (Quero 15 ml de uma limonada da marca Fizzo, servida num copo alto, à temperatura de 5 graus centígrados, com três cubos de gelo, batida e sem coar.) A segmentação para cima pode levar a objetivos e critérios (Quero uma bebida porque estou com sede), se começarmos a perguntar por quê, num nível superior.

As piadas usam a segmentação para cima e quando chegam ao topo mudam subitamente as regras. As pessoas conseguem fazer ligações surpreendentes e maravilhosas (de acordo com o seu mapa). Não devemos pressupor que os outros usem as mesmas regras que nós para ligar idéias, nem que conhecemos as regras que eles usam. Como num jogo chinês de adivinhação, as regras mudam sutilmente, e, quanto mais longe vamos, mais nos distanciamos do ponto onde julgamos estar.

A seguir, um exercício de segmentação que utiliza maneiras diferentes de ligar idéias. No primeiro exemplo, chá e café são membros de uma classe mais geral, a das bebidas. Veja se você consegue encontrar as diferentes classes que incluem o café e cada um dos seguintes elementos:

1. Chá e café? Bebidas.
2. Inhame e café?
3. Cova e café?
4. Anfetamina e café?
5. Ignatia e café?

(*Respostas no final do capítulo.*)

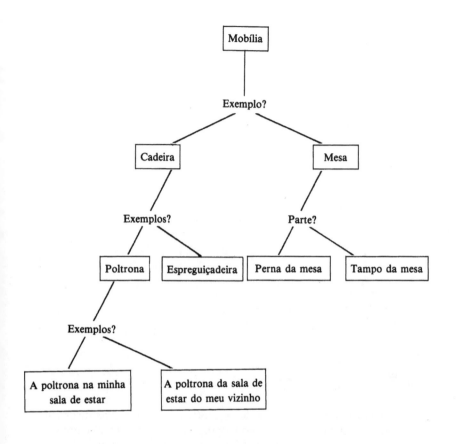

Assim, segmentando lateralmente, é possível chegar a coisas e a locais muito diferentes. Como se costuma dizer, nessa aldeia global seis relacionamentos sociais podem nos levar a qualquer pessoa no mundo inteiro. (Eu conheço Fred (1), que conhece Joan (2), que conhece Susy (3), que conhece Jim (4), e assim por diante.)

Mais uma vez, o significado depende do contexto. As ligações que fazemos são importantes. As paredes não são apenas sustentadas pelos tijolos, mas pela argamassa que os une. Saber o que é úrtil para nós e como ligamos idéias é muito importante em reuniões, negociações e vendas.

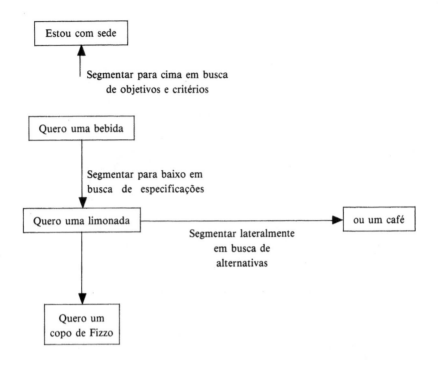

METAPROGRAMAS

Metaprogramas são os filtros perceptivos que normalmente usamos. De tantas informações às quais poderíamos prestar atenção, a maior parte é ignorada porque temos no máximo nove segmentos de atenção consciente. Os metaprogramas são os padrões que usamos para determinar que informação vai chegar ate nós. Por exemplo, pense num copo cheio de água. Agora imagine que você bebeu metade do copo. O copo está meio cheio ou meio vazio? Ambos, é claro. É uma questão de ponto de vista. Algumas pessoas observam o lado positivo de uma situação, o que existe concretamente, enquanto outras observam o que está faltando. Ambas as maneiras de observar são úteis, e cada pessoa vai adotar um ou outro ponto de vista.

Os metaprogramas são sistemáticos e habituais. E se eles nos servem razoavelmente bem, em geral não os questionamos. Os padrões podem permanecer imutáveis em vários contextos, mas, como raras pessoas são *coerentes*, os metaprogramas geralmente mudam quando há uma mudança de contexto. O que atrai nossa atenção no ambiente de trabalho pode ser diferente daquilo a que prestamos atenção em casa.

Portanto, os metaprogramas filtram o mundo para nos ajudar a criar nosso próprio mapa. Podemos identificar os metaprogramas de uma pessoa através da sua linguagem ou do seu comportamento. Como os metaprogramas filtram a experiência, e como transmitimos nossa experiência através da linguagem, alguns padrões de linguagem são típicos de certos metaprogramas.

Os metaprogramas são importantes em áreas como a da motivação e da tomada de decisões. Os bons comunicadores adaptam sua linguagem ao modelo de mundo da outra pessoa. Portanto, a linguagem que está em acordo com os metaprogramas da outra pessoa prefigura a informação e assegura que o interlocutor possa compreendê-la com facilidade. Isso lhe permite economizar energia para tomar decisões e encontrar motivação.

Ao ler cada um dos metaprogramas que analisaremos a seguir, talvez você se sinta atraído por uma categoria em especial. Pode até se perguntar como é que alguém poderia pensar de maneira diferente. Essa é uma pista do tipo de padrão que você utiliza. Dos dois casos extremos de um metaprograma, com certeza haverá um que você não suporta ou não compreende. O outro é o seu.

Há muitos padrões que podem ser qualificados como metaprogramas, e cada livro de PNL vai enfatizar determinados padrões. Vamos mostrar alguns dos mais úteis. Não cabe julgamento de valor sobre esses padrões. Nenhum deles é melhor ou mais correto por si só. Tudo depende do contexto e do objetivo que se deseja atingir. Alguns padrões funcionam melhor para determinadas tarefas. A questão é: Você pode agir da maneira mais útil para realizar a tarefa a que se propõe?

Proativo-reativo

O primeiro metaprograma diz respeito à ação. A pessoa *proativa* toma a iniciativa e faz o que deve ser feito. Não espera que os outros iniciem a ação.

A pessoa *reativa* espera que os outros tomem a iniciativa ou pensa antes de agir. Às vezes, leva muito tempo para tomar uma decisão ou nem chega a agir.

A pessoa proativa usa frases completas, que contêm um sujeito pessoal (substantivo ou pronome), um verbo na voz ativa e um objeto tangível; por exemplo, "Eu vou encontrar o diretor-geral".

A pessoa reativa usa verbos na voz passiva e frases incompletas, muitas vezes com qualificações e substantivações; por exemplo, "Existe uma boa chance de que seja possível arranjar um encontro com o diretor-geral".

Mesmo neste curto exemplo há muitas possibilidades de fazer uso desse padrão. A pessoa proativa é motivada por frases do tipo "Vá em frente", "Faça isso" e "É o momento de agir". Numa venda, as pessoas proativas geralmente tomam rapidamente uma decisão e compram.

Já uma pessoa reativa reagiria melhor a frases do tipo "Espere", "Vamos analisar", "Pense no assunto" e "Veja o que os outros acham". Poucas pessoas se enquadram num desses padrões de maneira tão extrema. A maioria revela uma mistura de ambos os padrões.

Aproximação/afastamento

O segundo padrão refere-se à motivação e revela como as pessoas mantêm o seu nível de concentração. Pessoas que têm um metaprograma de *aproximação* se concentram em seus objetivos. Vão atrás daquilo que querem. Já as pessoas que possuem o padrão de *afastamento* reconhecem facilmente os problemas e sabem o que evitar, porque vêem claramente aquilo que não querem. Isto pode lhes criar problemas na hora de estabelecer objetivos bem formulados.

Isto nos faz lembrar uma velha discussão no mundo dos negócios e da educação: deve-se usar a cenoura ou o chicote? Em outras palavras, é melhor fornecer incentivos ou ameaças? A resposta evidentemente é: tudo depende da pessoa que se quer motivar. As pessoas que têm o padrão de aproximação são motivadas por objetivos e recompensas, ao passo que a motivação das pessoas que têm o padrão de afastamento é evitar problemas e punições. Em geral, é fútil argumentar qual das duas atitudes é a correta.

E fácil reconhecer esses padrões a partir da linguagem. A pessoa fala daquilo que ela quer, daquilo que consegue ou ganha? Ou de situações ou problemas que quer evitar? As pessoas com padrão de aproximação são boas para estabelecer objetivos, enquanto as pessoas com padrão de afastamento são ótimas para encontrar erros, e por isso trabalham bem em tarefas de controle de qualidade. Os críticos de arte geralmente têm um padrão de afastamento bastante forte, como podem testemunhar muitos artistas!

Interno-externo

Este metaprograma refere-se ao local onde as pessoas encontram seus padrões ou normas. Uma pessoa *interna* terá padrões interiorizados e os utilizará para fazer comparações e tomar decisões. Em resposta à pergunta "Como você sabe que fez um bom trabalho?", ela dirá algo do tipo "Eu sei que fiz". As pessoas internas obtêm informação, mas insistem em decidir por si mesmas com base em seus próprios padrões. Uma pessoa fortemente interna vai resistir às decisões alheias por melhores que elas sejam.

As pessoas *externas* precisam que outras pessoas lhes forneçam os padrões e a orientação. Sabem que um trabalho foi bem feito quando alguém lhes diz, porque precisam ter um padrão externo. Perguntam aos outros a respeito dos seus padrões e dão a impressão de ter dificuldade em tomar decisões.

As pessoas internas têm dificuldade em aceitar ordens superiores. Em geral dão bons gerentes, bons empreendedores, e são atraídas para o trabalho autônomo. Essas pessoas pouco precisam de supervisão. As pessoas externas precisam ser dirigidas e supervisionadas. A referência de sucesso tem que vir de fora, senão elas ficam inseguras, sem saber se fizeram o trabalho corretamente ou não. Uma maneira de identificar este metaprograma é perguntar: "Como você sabe que fez um bom trabalho?" As pessoas internas vão dizer que sabem se fizeram ou não, enquanto as externas dirão que sabem porque receberam confirmação de alguma outra pessoa.

Opções-procedimentos

Este metaprograma é importante no mundo dos negócios. Uma pessoa que possui o padrão *opções* quer ter possibilidades de escolha e criar alternativas. Hesitará em seguir caminhos já muito utilizados, mesmo que bons. Já a pessoa que possui o padrão *procedimentos* tende a seguir caminhos já testados. Geralmente, não tem facilidade para criar novos caminhos, pois se preocupa mais com a maneira de fazer do que com o motivo que a leva a fazer algo. Tende a acreditar que há uma maneira correta de fazer as coisas. Evidentemente, não é uma boa idéia empregar uma pessoa que tem esse padrão para criar alternativas, assim como não vale a pena contratar uma pessoa que tem o padrão opções para qualquer tarefa em que o sucesso depende de seguir o procedimento inteiramente. Essas pessoas não se adaptam a rotinas, pois se sentem compelidas a ser criativas.

Este metaprograma pode ser identificado através da pergunta: "Por que você escolheu seu trabalho atual?" As pessoas do padrão opções dirão *por que* fizeram essa escolha, ao passo que as pessoas do padrão procedimentos explicarão *como* chegaram a essa decisão ou apenas apresentarão fatos.

As pessoas do padrão opções reagem bem a idéias que aumentem suas possibilidades de escolha, enquanto as pessoas do padrão procedimentos reagem bem a idéias que lhes indiquem um caminho que já deu bons resultados.

Geral-específico

Este padrão lida com a segmentação. As pessoas do padrão *geral* gostam de ter a imagem completa. Sentem-se mais à vontade quando lidam com grandes segmentos de informação. São pensadores globais. Já a pessoa *específica* sente-se melhor com pequenos segmentos de informação, partindo do específico para o geral. Também gosta de seqüências, e, em casos extremos, só é capaz de lidar com o próximo passo da seqüência que está seguindo. Tendem a usar termos como "etapas" e "seqüências", a fazer descrições muito específicas e a usar nomes próprios.

A pessoa do padrão geral, como o próprio nome indica, generaliza. Tende a pular etapas, o que lhe cria dificuldades para seguir uma seqüência. Vê a seqüência total como um segmento, em vez de uma série de etapas gradativas, e com isso elimina muitas informações. Há algum tempo, comprei umas bolas de acrobacia e percebi que, sem dúvida alguma, as instruções tinham sido escritas por uma pessoa muito geral. Diziam: "Fique de pé, equilibrado sobre os pés bem separados. Respire calmamente. Comece a jogar as bolas".

As pessoas do padrão geral são muito boas para planejar e criar estratégias, enquanto as pessoas específicas são boas em tarefas seqüenciais, em pequenas etapas, que exigem atenção para o detalhe. É possível determinar se uma pessoa é geral ou específica a partir da linguagem que ela utiliza. Ela dá os detalhes ou apenas a imagem geral?

Semelhança-diferença

Este padrão diz respeito a comparações. Algumas pessoas notam aquilo que as coisas têm em comum. Esse padrão é chamado de *semelhança*. As pessoas que possuem o padrão de *diferença* observam as divergêcias quando fazem comparações. Apontam as diferenças e costumam se envolver em discussões. Uma pessoa que segmenta para baixo e nota dessemelhanças examinará com muito cuidado uma informação recebida, preocupada em achar discrepâncias. Com isso, é capaz de levar à loucura uma pessoa que possua o padrão de *semelhança* e raciocine em grandes segmentos. Observe os três triângulos abaixo. Reflita um momento antes de responder a esta pergunta: Qual é a relação entre eles?

É claro que não há uma resposta correta, pois o relacionamento envolve pontos de semelhança e de dessemelhança.

Esta pergunta pode revelar quatro padrões possíveis. As pessoas que observam as *semelhanças*, o que há de comum entre os objetos, podem responder que todos os triângulos são iguais (o que é verdade). Essas pessoas geralmente se contentam em fazer o mesmo tipo de trabalho anos a fio e se adaptam bem a tarefas que permanecem essencialmente imutáveis.

Há pessoas que observam a *semelhança com exceções*. Observam primeiro as semelhanças, e só depois as diferenças. Ao olhar a figura, elas poderiam responder que dois triângulos são iguais e um deles é diferente, pois está de cabeça para baixo (o que é correto). Essas pessoas em geral gostam que as mudanças ocorram gradativa e vagarosamente e preferem que seu trabalho evolua com o passar do tempo. Quando aprendem uma tarefa, aceitam fazê-la por um longo tempo e são boas na maioria das coisas que fazem. Usam muitas comparações, como por exemplo "melhor", "pior", "mais", "menos", e reagem bem à publicidade que utiliza palavras como "melhor", "progressivo" ou "avançado".

As pessoas que possuem o padrão de *diferença* diriam que os três triângulos são diferentes (o que também é correto). Tais pessoas gostam de mudanças e em geral trocam muitas vezes de emprego. Sentem-se atraídas por produtos inovadores, que a publicidade chama de "novos" ou "diferentes".

Há pessoas que observam as *diferenças com exceções*. Como notam primeiro as diferenças e depois as semelhanças, elas podem dizer que os triângulos são diferentes e que dois deles estão na mesma posição. Essas pessoas procuram a mudança e a variedade, porém não no mesmo nível que as que possuem o padrão diferença. Para identificar este metaprograma, deve-se perguntar: "Qual é a relação entre essas duas coisas?"

Padrões de convencimento

Existem dois caminhos pelos quais uma pessoa se convence de algo. O primeiro é o *canal* por onde passa a informação e o segundo o *modo* como a pessoa gerencia a informação que obtém.

Primeiro, o canal. Vamos pensar numa situação de vendas. O que o cliente precisa fazer para se convencer de que o produto é bom? De que prova um gerente precisa para se convencer de que um funcionário é competente numa determinada tarefa? A resposta depende do sistema representacional primário da pessoa. Algumas pessoas precisam *ver* a prova (sistema visual). Outras pessoas precisam *ouvir*. Outras precisam *ler*, um relatório, por exemplo. Outras ainda têm que *fazer* algo. Talvez precisem usar o produto para poder avaliá-lo ou trabalhar junto com o novo funcionário antes de decidir se ele é competente. A pergunta a ser feita para identificar este metaprograma é: "Como você sabe se alguém é bom no que faz?"

Uma pessoa *visual* precisa ver exemplos. Uma pessoa *auditiva* precisa falar com as pessoas e coletar informações. Uma pessoa *leitora* precisa ler relatórios ou referências sobre alguém. E uma pessoa de *ação* tem de fazer a tarefa junto com a outra pessoa para se convencer de que ela é boa no seu trabalho.

Outro aspecto deste metaprograma é o que faz com que a pessoa aprenda novas tarefas com facilidade. Uma pessoa visual aprende mais facilmente uma nova tarefa se alguém lhe mostrar como fazer. Uma pessoa auditiva aprende melhor se ouvir o que deve fazer. Uma pessoa leitora aprende melhor ao ler as instruções. Já uma pessoa de ação aprende melhor fazendo.

O segundo caminho que leva ao convencimento diz respeito à maneira como a pessoa gerencia a informação e, portanto, como ela precisa ser apresentada. Algumas pessoas precisam que as provas lhe sejam apresentadas algumas vezes — talvez duas, três ou mais — antes de se convencerem. São pessoas que se convencem com um número x de exemplos. Outras pessoas não precisam de tantas informações. Com base em alguns fatos, imaginam o resto e decidem rapidamente. Muitas vezes, chegam a conclusões com poucos dados. Chama-se a isto *padrão automático*. Mas há pessoas que nunca chegam a se convencer totalmente. Só ficam convencidas diante de um determinado exemplo ou num contexto específico. Isto é conhecido como *padrão consistente*. No dia seguinte talvez seja necessário provar tudo de novo a este tipo de pessoa, já que o dia seguinte é um outro dia. Essas pessoas precisam ser convencidas o tempo todo. E, por fim, há pessoas que, para se convencerem, precisam que a prova lhes seja apresentada durante um *período de tempo* definido — um dia, uma semana.

Acabamos de dar um rápido resumo de alguns dos principais metaprogramas. Eles foram originalmente criados por Richard Bandler e Leslie Cameron-Bandler e mais tarde ampliados para o campo dos negócios por Rodger Bailey, como a "linguagem e perfil de comportamento". Os critérios são geralmente chamados de metaprogramas, mas não são padrões. São valores e coisas que têm grande importância para a pessoa, e por isso tratamos deles separadamente.

A orientação no tempo é muitas vezes considerada um metaprograma. Algumas pessoas estão *dentro* do tempo, isto é, associadas à sua linha temporal. Outras estão *atravessadas* no tempo, isto é, basicamente dissociadas da sua linha temporal. Outro padrão que muitas vezes é chamado de metaprograma é a posição perceptiva preferencial. Algumas pessoas passam a maior parte do tempo na primeira posição, ou seja, na sua própria realidade. Outras conseguem ter um nível de empatia maior e passam muito tempo na segunda posição, enquanto outras ainda preferem a terceira posição, de observador.

Cada livro oferece uma lista diferente de padrões de metaprogramas. Use os padrões que forem úteis para você e ignore o resto. Lembre-se de que tudo muda dependendo do contexto. Um homem de 90 quilos será considerado pesado demais para uma aula de aeróbica, mas demasiado leve para uma luta de sumô. Uma pessoa que parece muito proativa dentro de um contexto pode parecer reativa em outro. Da mesma maneira, uma pessoa pode ser muito específica dentro do contexto profissional, mas muito geral quando se trata do seu lazer.

Os metaprogramas também podem mudar de acordo com o estado emocional. Uma pessoa pode se tornar mais proativa se estiver estressada e mais reativa quando está relaxada. Assim como com todos os outros padrões apresentados neste livro, a resposta está sempre no indivíduo. O padrão é apenas o mapa. Os metaprogramas não são uma maneira de tentar enquadrar as pessoas. As perguntas importantes são: "Você tem consciência de seus próprios padrões?" "Que opções você pode oferecer aos outros?" Aprenda a identificar apenas um padrão por vez, a usar uma técnica de cada vez, e só utilize as que forem úteis.

Resumo dos metaprogramas

1. Proativo-reativo
A pessoa proativa toma a iniciativa. A pessoa reativa espera que os outros tomem a iniciativa e que as coisas aconteçam. Precisa de um certo tempo para analisar e compreender antes de agir.

2. Aproximação-afastamento
A pessoa que tem o padrão de aproximação concentra-se nos seus objetivos e tem o resultado como motivação. A pessoa que tem o padrão de afastamento concentra-se mais nos problemas que deve evitar do que nos objetivos que deve perseguir.

3. Interno-externo
A pessoa interna tem padrões internos e decide por si mesma. A pessoa externa obtém os padrões de fora e precisa de orientação de outras pessoas.

4. Opções-procedimentos
As pessoas com padrão de opções querem ter possibilidades de escolha e são ótimas para criar alternativas. As pessoas com padrão de procedimentos seguem caminhos conhecidos. Essas pessoas não são motivadas para a ação e têm facilidade para seguir uma série fixa de etapas.

5. Geral-específico
As pessoas gerais se sentem mais à vontade quando lidam com grandes segmentos de informação e não prestam atenção aos detalhes. As pessoas específicas prestam atenção aos detalhes e precisam de pequenos segmentos para entender uma imagem maior.

6. Semelhança-diferença
As pessoas que têm o padrão de semelhança observam os pontos comuns quando fazem uma comparação. As pessoas que têm o padrão de diferença observam as discrepâncias quando fazem uma comparação.

7. Padrão de convencimento
Canal:
Visual: precisa ver a prova.
Auditivo: precisa ouvir.
Ler: precisa ler.
Fazer: precisa agir.

Modo:
Número de exemplos: necessita ter a informação algumas vezes antes de se convencer.
Automático: precisa apenas de informação parcial.
Consistente: precisa receber informação o tempo todo para se convencer e ainda assim só se convence com um exemplo específico.
Período de tempo: necessita que a informação continue consistente por um determinado período de tempo.

VENDAS

Muitos livros têm sido publicados no campo da psicologia de vendas. Vamos abordar rapidamente o assunto, para demonstrar algumas das possibilidades de uso da PNL nesse campo.
Como a publicidade, o campo de vendas tem sido muitas vezes mal compreendido. Segundo uma definição popular, a publicidade é a arte de embotar a inteligência humana o tempo suficiente para ganhar dinheiro com isso. Na verdade, o propósito das vendas, como Spencer Johnson e Larry Wilson escreveram no livro *The one minute sales person*, é ajudar as pessoas a obterem aquilo que desejam. Quanto mais for capaz de ajudar as pessoas a obterem o que desejam, mais bem-sucedido será o vendedor.
Muitas das idéias da PNL visam esse objetivo. A empatia inicial é fundamental. A ancoragem dos recursos vai permitir que a pessoa enfrente os desafios num estado de recursos. A pessoa que se sente bem com o que faz realiza bem o seu trabalho.
A ponte para o futuro pode ajudar a criar situações e sentimentos desejados através do ensaio mental. O estabelecimento de objetivos bem formulados é uma técnica muito valiosa no campo de vendas. No capítulo 1, você aprendeu a aplicar os critérios de boa formulação a seus objetivos. As mesmas perguntas podem ser usadas para ajudar outras pessoas a perceberem claramente o que desejam. Trata-se de uma técnica muito importante no campo de vendas, porque só podemos satisfazer o comprador se soubermos exatamente aquilo que ele deseja.
A idéia de segmentação para cima e para baixo pode nos ajudar a descobrir o que as pessoas desejam. Quais são os seus critérios? O que é importante para elas num produto?
Elas têm um objetivo em mente para aquilo que estão comprando? Se for esse o caso, você pode ajudá-las a atingir esse objetivo?
Vou lhes dar um exemplo pessoal. Numa rua perto de minha casa há muitas lojas de ferramentas. A que mais vende é uma loja pequena. O proprietário se esforça sinceramente para descobrir para que o consumidor deseja comprar determinada ferramenta. Embora nem sempre ele obtenha um bom *rapport*, pois às vezes suas perguntas são inoportu-

nas, ele se certifica de estar vendendo exatamente aquilo que pode ajudar o cliente a atingir o objetivo desejado. Se não tiver a ferramenta adequada, indicará outra loja.

E com isso sobrevive muito bem à forte concorrência de uma grande cadeia de lojas, que oferece preços bem mais acessíveis.

Segundo nosso modelo, ele primeiro segmenta para cima, a fim de descobrir os critérios e objetivos de seus clientes, e em seguida segmenta para baixo, para chegar ao instrumento específico de que eles precisam. Isso às vezes faz o cliente se desviar um pouco do seu objetivo e mudar o que pretendia comprar quando entrou na loja. (É o que sempre acontece quando eu vou até lá.)

A segmentação lateral é muito útil para descobrir do que a pessoa gosta num produto. Quais são os pontos positivos? O que faz uma pessoa escolher um produto ao invés de outro? Examinar o desejo do cliente nessas três direções é um padrão comum aos bons vendedores. A congruência é essencial. O vendedor usaria o que está vendendo? Ele realmente acredita nas vantagens que aponta? A incongruência pode se revelar no tom de voz e na postura, fazendo com que o comprador se sinta inseguro.

ESTRUTURAS

Em PNL, "estrutura" é a maneira como colocamos as coisas em diferentes contextos, a fim de lhes dar significados diferentes; o que é importante para nós num dado momento. A seguir, analisaremos cinco maneiras úteis de estruturar situações. Alguns dos exemplos já estavam implícitos em outros aspectos da PNL, mas vale a pena explicitá-los:

Estrutura de objetivo

Trata-se de uma avaliação dos objetivos. Primeiro, você precisa conhecer seu objetivo e certificar-se de que ele está bem formulado. Está formulado em termos positivos? Trata-se de algo que está ao seu alcance? É suficientemente específico e tem o tamanho adequado? Qual seria o indício de que você atingiu seu objetivo? Você possui os recursos para levá-lo a cabo? De que maneira isso se encaixa com seus outros objetivos?

Em segundo lugar, talvez seja necessário evocar os objetivos das outras pessoas envolvidas para ajudá-las a esclarecer aquilo que desejam, a fim de que todos possam caminhar juntos.

Em terceiro lugar, vem a adaptação dos objetivos. Agora que você conhece seu objetivo e o da outra pessoa, precisa analisar se ambos se encaixam. Talvez seja preciso negociar as possíveis diferenças.

Por fim, mantendo seu objetivo em mente, você pode observar se está caminhando em direção a ele. Se não for o caso, precisará fazer algo diferente.

A estrutura de objetivo equivale a um par de óculos extremamente útil, com os quais enxergamos nossas ações. No campo empresarial, se os executivos não tiverem um ponto de vista claro a respeito de seus objetivos, não terão uma base firme para tomar decisões e não saberão julgar se uma ação é útil ou não.

Estrutura ecológica

Esta estrutura já foi abordada explicitamente no capítulo sobre objetivos e implicitamente em outros capítulos deste livro. Como minhas ações se ajustam aos sistemas mais amplos, como família, amigos, interesses profissionais? Trata-se de um objetivo que expressa minha integridade como ser humano? A congruência é a maneira que nossa mente inconsciente utiliza para nos fazer perceber a ecologia, e um pré-requisito para uma ação sensata.

Estrutura da prova

Esta estrutura visa esclarecer e especificar os detalhes. Como saberemos que atingimos nosso objetivo? O que veremos, ouviremos e sentiremos? Ela faz parte da estrutura de objetivos e às vezes convém aplicá-la isoladamente, em especial no caso de critérios.

Estrutura "como se"

Esta estrutura é uma forma criativa de solucionar problemas. Fingimos que algo já aconteceu a fim de examinar as possibilidades. Devemos começar com as palavras "Se isso acontecesse...", ou "Vamos supor que...". Essa estrutura pode ser útil em muitas ocasiões. Por exemplo, se uma pessoa importante não tiver ido a uma reunião, pode-se perguntar: "Se Fulano estivesse aqui, o que ele faria?". Se alguém conhecer bem o Fulano, as respostas que surgirão podem ser muito úteis. (Sempre se deve confirmar com o Fulano mais tarde, no caso de terem sido tomadas decisões importantes.)

Outra maneira de você utilizar essa idéia é imaginar-se dentro de seis meses ou um ano, num futuro bem-sucedido, olhar para trás e pergunta-se: "Quais foram os passos que me levaram a atingir esse resultado?" Dessa perspectiva, podemos descobrir informações importantes que nem sempre enxergamos no presente, já que estamos envolvidos demais na situação.

Outra maneira de agir é tomar o pior exemplo que pudesse ocorrer. O que você faria se o pior acontecesse? Que opções e que planos você teria? A estrutura "como se" pode ser usada para examinar o pior caso como exemplo de um processo mais geral e muito útil conhecido como racionalização. (Trata-se de um processo que tem garantido muito dinheiro às companhias de seguro.)

Recapitulação

Trata-se de uma estrutura bastante simples. Recapitula-se a informação até então obtida usando as palavras e o tom de voz da outra pessoa. É nisso que essa estrutura difere de um resumo, que em geral distorce sistematicamente as palavras da outra pessoa. A recapitulação é útil para iniciar uma discussão, para informar novos participantes de um grupo e para avaliar a concordância e a compreensão dos participantes de uma reunião. Esta estrutura ajuda a estabelecer *rapport* e é muito valiosa sempre que a pessoa se sentir perdida, pois ilumina o caminho a ser adotado.

Às vezes as pessoas saem de uma reunião com idéias totalmente diferentes do que foi resolvido, embora aparentemente tenham chegado a um acordo. A recapitulação nos ajuda a manter a atenção voltada para o objetivo desejado.

REUNIÕES

Apesar de considerarmos as reuniões dentro de um contexto profissional, esses padrões aplicam-se também a qualquer contexto no qual duas ou mais pessoas se encontrem para colocar em marcha um objetivo comum. Ao ler este capítulo, pense em cada um dos padrões dentro do contexto mais adequado para você.

A PNL tem muito a oferecer num contexto profissional. O maior recurso de qualquer empresa são as pessoas que nela trabalham. Quanto mais eficientes os funcionários, mais eficiente a empresa se tornará. Uma empresa é um grupo de pessoas que trabalha em prol de um objetivo comum. O sucesso dessas pessoas vai depender basicamente de como conseguem lidar com os seguintes pontos:

a) Estabelecer objetivos.
b) Comunicar-se efetivamente dentro do grupo e com o mundo externo.
c) Perceber o ambiente com clareza, tendo sempre em mente as necessidades e reações do cliente.
d) Compromisso com o sucesso: congruência.

A disponiblidade de recursos, a flexibilidade, os filtros perceptivos e a maneira como as pessoas apresentam suas idéias e se comunicam dentro da empresa determinam o nível de sucesso que elas vão atingir. A PNL oferece técnicas específicas que criam sucesso no mundo empresarial.

A PNL vai ao cerne da organização, refinando e desenvolvendo a eficiência de cada indivíduo. As reuniões de negócios requerem muitas dessas habilidades. Vamos começar tratando das reuniões cooperativas, onde a maior parte das pessoas têm o mesmo objetivo. Reuniões onde existem objetivos conflitantes serão examinadas no capítulo sobre negociação.

Toda reunião tem um objetivo, e o objetivo de reuniões cooperativas em princípio é explícito. Por exemplo: trocar informações, tomar decisões, distribuir tarefas, planejar o orçamento do próximo ano, avaliar desempenhos ou rever um projeto.

Ao participar de uma reunião importante, a pessoa precisa estar num forte estado de recursos e congruente a respeito do seu papel. As âncoras podem ser muito úteis, tanto antes da reunião, para ajudar a pessoa a entrar num bom estado mental, quanto durante a reunião, se as coisas desandarem. Lembre-se que os outros serão âncoras para você e que você será uma âncora para eles. A sala pode ser uma âncora. Um escritório geralmente está impregnado do poder e do sucesso da pessoa que o ocupa. Com certeza você necessitará de todos os recursos que puder reunir.

Os participantes e a ordem do dia da reunião devem ser estabelecidos previamente. Você precisa conhecer claramente seu objetivo e ter um indício que lhe indique que ele foi atingido. Precisa saber exatamente o que quer ver, ouvir e sentir. Se você não tem um objetivo para a reunião, provavelmente estará perdendo o seu tempo.

O formato básico de uma reunião de sucesso lembra o seminário de três minutos citado no capítulo 1:

1. Saber o que quer.
2. Saber o que os outros querem.
3. Descobrir como todos poderão obter aquilo que desejam.

Pode parecer simples, mas em geral isso se perde no caminho e o passo número 3 dificilmente será atingido se houver grandes conflitos de interesse.

Quando a reunião começa, deve-se obter um consenso sobre um objetivo comum. É importante que todos concordem com o objetivo da reunião. Estabelecido o objetivo, ancore-o. A maneira mais fácil de fazer isso é usar uma frase-chave e escrevê-la no quadro-negro ou no cavalete. Também será necessário chegar a um acordo quanto aos sinais que indicarão que o objetivo foi atingido. Como todas as pessoas saberão que o objetivo foi atingido? Neste caso, deve-se usar a estrutura da demonstração de prova.

Mais uma vez, o *rapport* é essencial. Será necessário estabelecer *rapport* com os outros participantes, se você ainda não o tem, usando técnicas não-verbais e acompanhamento da linguagem. Esteja atento a qualquer incongruência dos participantes a respeito do objetivo comum. Pode haver intenções ocultas, e é melhor conhecê-las desde o início.

174

Durante a discussão, pode ser interessante utilizar as estruturas de "demonstração de prova", "ecologia", "recapitulação" e "como se". Um problema que sempre surge nas reuniões é que elas escapam ao controle das pessoas. Antes mesmo que se perceba, o tempo acabou e nem se tomou a decisão e nem se atingiu o objetivo. Muitas reuniões já se perderam e acabaram num impasse.

A estrutura de objetivo pode ser usada para colocar em evidência a importância de qualquer contribuição, mantendo a reunião dentro dos limites estabelecidos. Suponhamos que um participante faça uma contribuição para discussão que não se relacione ao objetivo estabelecido no início. Talvez seja uma contribuição interessante, informativa e verdadeira, porém não relevante. Neste caso, pode-se dizer algo como: "Não vejo como essa contribuição nos levará ao objetivo que estabelecemos. Você pode nos dizer de que forma isto se enquadra nesta nossa reunião?" Você pode ancorar este desafio de relevância visualmente, com movimento das mãos ou da cabeça. Aquele que tomou a palavra deve demonstrar de que forma a contribuição é relevante. Se não for o caso, vocês estarão economizando um tempo precioso. A contribuição pode ser importante em outro contexto. Se for o caso, reconheça a importância do assunto e concorde em discuti-lo em outra ocasião. Resuma e conclua todas as questões que surgirem, enquadrando-as dentro do objetivo comum, ou então concorde em discuti-las em outra reunião.

Se um dos participantes estiver criando confusão dentro da reunião, pode-se dizer algo do estilo: "Reconheço que você tem idéias definidas a respeito desta questão e que se trata de algo importante para você. Entretanto, já concordamos que este não é o momento de discutir esse assunto. Podemos nos encontrar mais tarde para resolver essa questão?" Calibre para perceber a congruência quando fizer este tipo de proposta. A calibração pode revelar que X acende um cigarro quando está satisfeito com o objetivo, ou que Y sempre olha para baixo quando está contrariado com alguma coisa (o que lhe daria a oportunidade de perguntar o que lhe falta para aceitar a questão), ou que Z rói as unhas quando está se sentindo infeliz. Existem muitas maneiras de perceber, em um nível mais profundo, como a reunião está progredindo e, assim, eliminar os problemas antes que eles surjam.

Na hora de terminar a reunião, utilize a estrutura de recapitulação para chegar a um acordo sobre o progresso e o objetivo atingido. Defina claramente as ações que devem ser tomadas e por quem. Obtenha a concordância de todos sobre essa decisão. Às vezes, não há uma concordância plena e o encerramento da reunião fica dependendo de algumas atitudes. Nesse caso, pode-se dizer algo como "Se isto acontecesse, e se X fizesse tal coisa, e se convencêssemos Y de que isto está certo, poderíamos proceder?" Isto é chamado de fechamento condicional.

Ancore o acordo usando palavras-chaves e a ponte para ofuturo. O que vai lembrar os participantes de que devem fazer o que foi acordado? Faça com que o acordo ultrapasse as paredes da sala e certifique-se de que ele está ligado a outros acontecimentos que podem funcionar como sinais que lembrem as pessoas de agir como foi combinado. Pesquisas demonstraram que nos lembramos melhor das coisas que ocorrem nos primeiros ou nos últimos minutos de uma reunião. Tire proveito disto e coloque os pontos importantes no início e no final da reunião.

Resumo do formato de reunião

A) *Antes da reunião:*
1. Estabeleça o objetivo e os indícios que indicarão que ele foi atingido.
2. Determine os participantes e a pauta da reunião.

B) *Durante a reunião:*
1. Certifique-se de estar num estado de recursos. Use âncoras de recursos se necessário.
2. Crie *rapport*.
3. Obtenha consenso sobre um objetivo comum e estabeleça a demonstração de prova.
4. Use o desafio de relevância para manter a reunião dentro dos limites estabelecidos.
5. Se a informação não estiver disponível, use a estrutura "como se".
6. Use a estrutura de recapitulação para resumir os pontos aceitos.
7. Continue caminhando em direção ao objetivo, usando o metamodelo ou quaisquer outras ferramentas necessárias.

C) *Fechamento da reunião:*
1. Verifique a congruência dos outros participantes e se eles concordam com as conclusões.
2. Resuma as ações a serem realizadas. Use a estrutura de recapitulação para tirar vantagem do fato de que as conclusões são lembradas com mais facilidade.
3. Teste o acordo final do grupo, se necessário.
4. Use um fechamento condicional, se necessário.
5. Aplique a ponte para o futuro às decisões.

NEGOCIAÇÃO

A negociação tem o objetivo de chegar a uma decisão comum, com a qual ambos os lados concordem de maneira congruente. Trata-se do processo pelo qual se obtém dos outros o que se deseja dando-lhes o que eles desejam. Isso ocorre em qualquer reunião em que há conflito de interesses.

Entretanto, isso não é assim tão fácil. É preciso alcançar um equilíbrio entre a integridade, os valores e objetivos dos vários participantes. Esse movimento da comunicação oscila para a frente e para trás; alguns interesses e valores serão partilhados, outros não. Nesse sentido, a negociação permeia tudo o que fazemos. Estamos lidando aqui mais com o processo que com o objeto da negociação.

A negociação em geral acontece quando há recursos escassos. A chave de uma negociação é conciliar os objetivos: agrupá-los para que todos os participantes obtenham aquilo que desejam (embora isso nem sempre seja o que eles queriam no início da negociação). Partimos do pressuposto de que a melhor maneira de atingir o objetivo é certificar-se de que todos os envolvidos consigam atingir seus objetivos.

O oposto da conciliação de objetivos é a manipulação, na qual os desejos das outras pessoas não são levados em consideração. Quatro monstros ficam à espreita dos que praticam a manipulação: o remorso, o ressentimento, a recriminação e a vingança. Quando negociamos procurando conciliar objetivos, os outros tornam-se nossos aliados, e não nossos oponentes. Se uma negociação puder ser estruturada de modo que os participantes funcionem como aliados em busca da solução de um problema comum, metade do problema já estará resolvido. Essa técnica de conciliação reside em encontrar uma área de concordância.

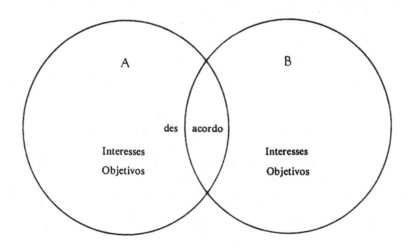

Deve-se separar a pessoa do problema. Vale a pena lembrar que a maioria das negociações envolve pessoas com as quais temos, ou queremos ter, um relacionamento constante. Qualquer que seja o objetivo de uma negociação — venda, aumento de salário ou férias —, se obtivermos o que queremos às custas dos outros, ou se eles se sentirem ludibriados, você estará perdendo a boa vontade deles, que pode valer muito mais a longo prazo do que seu sucesso numa única reunião.

177

Se a pessoa está negociando é porque existem objetivos diferentes. É necessário examinar essas diferenças, pois elas indicarão áreas onde se pode fazer um acordo que satisfaça ambos os lados. Interesses conflitantes em um nível podem ser resolvidos se decobrirmos uma maneira que possibilite a cada parte atingir seu objetivo num nível mais alto. É aí que a segmentação para cima permite descobrir e utilizar objetivos alternativos que se encontram num nível superior. O objetivo inicial é apenas uma das maneiras de se atingir o objetivo mais alto.

Por exemplo, durante uma negociação salarial (objetivo inicial), ganhar mais dinheiro é apenas uma maneira de se obter uma qualidade de vida melhor (objetivo de nível superior). Se não houver dinheiro disponível, talvez existam outras maneiras de conseguir uma melhor qualidade de vida — férias mais longas ou horários de trabalho mais flexíveis, por exemplo. A segmentação para cima geralmente cria uma ponte entre esses pontos de divergência.

As pessoas podem desejar a mesma coisa por razões diferentes. Suponhamos que duas pessoas estejam brigando por causa de uma abóbora. Ambas a desejam. Entretanto, se explicarem exatamente por que a desejam, podemos descobrir que uma quer fazer uma torta enquanto a outra deseja a abóbora para fazer uma máscara de Halloween. Na verdade, elas não estão brigando para conseguir a mesma coisa. Muitos conflitos desaparecem quando são analisados dessa maneira. Este é só um exemplo, mas é fácil imaginar todas as diferentes possibilidades de uma aparente discordância.

Se chegarmos a um impasse e a pessoa se recusar a aceitar uma determinada solução, podemos fazer a seguinte pergunta: "O que precisaria acontecer para que esta questão não fosse um problema?" Ou: "Em que circunstâncias você estaria disposto a aceitar isso?" Esta é uma aplicação criativa da estrutura "como se", e a resposta muitas vezes pode eliminar o impasse. Estamos propondo à pessoa que está criando um obstáculo que pense numa saída para a situação.

Os limites devem ser estabelecidos antes do início da negociação. É muito confuso e cansativo negociar consigo mesmo, quando o objetivo é negociar com outra pessoa. Em seu maravilhoso livro sobre negociação, *Getting to yes* (Como obter um sim), Roger Fisher e William Ury afirmam que o fundamental é conseguir o que eles chamam de BATNA, ou seja, *best alternative to negociated agreement* (a melhor alternativa para negociar um acordo). O que fazer se, apesar de todos os esforços de ambas as partes, não se puder chegar a um acordo? Ter uma BATNA razoável nos dá mais flexibilidade na negociação e uma sensação de maior segurança.

Precisamos nos concentrar mais nos interesses e nas intenções do que no comportamento. É muito fácil cair na tentação de contar pontos para ver quem está ganhando ou condenar o comportamento do outro, mas ninguém sai ganhando desse tipo de situação.

Um acordo sensato e durável levará em consideração os interesses comuns e os interesses ecológicos. Uma solução satisfatória para ambas as partes depende da conciliação de interesses, situação em que todos saem ganhando e não há vencedor ou perdedor. Assim, o importante é o problema, e não as pessoas; as intenções, e não o comportamento; os interesses das partes, e não suas posições.

É também essencial ter um procedimento de demonstração de prova independente das partes envolvidas. Se a negociação tiver como objetivo a busca de uma solução comum, será governada por princípios, e não por pressão. Atenha-se ao princípio, não à pressão.

Muitas coisas devem ser levadas em conta durante uma negociação. Não se deve fazer uma contraproposta imediata à proposta da outra parte. Este é o momento em que a outra parte está menos interessada em qualquer oferta. Primeiro, discuta a proposta. Se discordar dela, apresente suas razões. Mostrar sua discordância imediatamente fará com que a pessoa fique surda a tudo o que você disser a seguir.

Os bons negociadores fazem muitas perguntas. Na verdade, dois bons negociadores em geral iniciam uma negociação com um certo número de perguntas. "Respondi a três das suas perguntas, agora gostaria que você respondesse a algumas das minhas..." As perguntas nos dão tempo para refletir e são uma alternativa para a discordância. É muito melhor fazer com que a outra parte enxergue os pontos fracos da sua posição do que apontar a fragilidade da sua argumentação. E isso se consegue fazendo perguntas.

Os bons negociadores também destacam explicitamente suas perguntas. Eles dirão algo como: "Posso lhe fazer uma pergunta a esse respeito?" Se a outra parte concordar em responder à pergunta, terá que se concentrar na resposta e não poderá fugir ao assunto que está em discussão.

Pode lhe parecer conveniente apresentar o maior número possível de razões para justificar seu ponto de vista. Frases do tipo "Vamos pesar os argumentos" parecem sugerir que é bom empilhar argumentos até que o fiel da balança se incline para o seu lado. Na realidade, o oposto é que é verdadeiro. Quanto menos razões você der, melhor, porque a força da cadeia está no seu elo mais fraco. Um argumento fraco dilui um argumento forte, e se você for obrigado a defendê-lo, estará em maus lençóis. Cuidado com quem diz: "Este é seu único argumento?" Se você tiver um bom argumento, responda: "É". Não se deixe envolver na armadilha, sentindo-se obrigado a apresentar outro argumento mais fraco. Porque então a próxima pergunta de seu oponente poderia ser: "Isso é *tudo*?" Se você engolir esta isca, estará dando munição ao adversário. Felizmente, se a negociação estiver baseada na busca conjunta de uma solução, esse tipo de armadilha não ocorrerá.

Por fim, você poderá usar a estrutura "como se" e fazer o papel do advogado do diabo para testar o acordo: "Não, não acredito que isso vá dar certo, estou achando tudo muito confuso..." Se os outros participantes concordarem com você, ainda há muito trabalho a fazer. Se discordarem, então o acordo está comprovado.

Resumo da negociação

A) *Antes da negociação:*
Estabeleça sua BATNA (a melhor alternativa para negociar um acordo) e os limites da negociação.

B) *Durante a negociação:*
1. Crie *rapport.*
2. Deixe claro seu objetivo e que demonstração de prova deseja obter. Descubra os objetivos dos outros participantes e a demonstração de prova de cada um deles.
3. Estruture a negociação como uma busca conjunta de uma solução.
4. Esclareça as questões importantes e obtenha a concordância de todos dentro de uma estrutura mais ampla. Concilie os objetivos, segmentando para cima, se for necessário, a fim de encontrar um objetivo comum. Verifique se obteve a concordância congruente de todas as partes quanto ao objetivo mútuo.
5. Segmente os objetivos para baixo, para identificar áreas de maior e menor concordância.
6. Partindo das áreas mais fáceis, caminhe em direção ao acordo, utilizando as seguintes técnicas de verificação de problemas:
Se a negociação estiver saindo do rumo... Desafio de relevância.
Se houver objetivos conflitantes... Segmentação para cima e para baixo até chegar a um objetivo comum.
Se houver incerteza... Recapitulação.
Falta de informação... Metamodelo e estrutura "como se".
Impasse... O que teria que acontecer?

Faça a recapitulação assim que tiver obtido concordância em cada uma das áreas e termine com a área mais difícil.

C) *Fechamento da negociação:*
1. Estrutura de recapitulação.
2. Testar a concordância e a congruência.
3. Ponte para o futuro.
4. Colocar o acordo por escrito. Todos os participantes devem receber uma cópia assinada.

Respostas: 1. Chá e café — bebidas. 2. Inhame e café — produtos agrícolas. 3. Cova e café — palavras de quatro letras que começam pela letra C. 4. Anfetamina e café — estimulantes. Ignatia e café — diuréticos.

CAPÍTULO
8

PSICOTERAPIA

Os primeiros modelos da PNL nasceram da psicoterapia, mas ela não se restringe a esse campo. Foi simplesmente por um acidente histórico que John e Richard tiveram acesso a profissionais excepcionais no campo da psicoterapia quando começaram a modelar. O livro *The Structure of Magic 1* analisava como limitamos nosso mundo através da maneira como usamos a linguagem e como podemos usar o metamodelo para nos libertarmos dessas limitações. *The Structure of Magic 2* tratava dos sistemas representacionais e da terapia familiar. A partir dessa base, a PNL criou muitas técnicas poderosas de psicoterapia. Este capítulo mostrará as três principais: a cura rápida da fobia, o padrão *swish* e a negociação interna.

O fundamental nessas técnicas é saber usá-las com sabedoria, levando em consideração os relacionamentos externos do indivíduo e seu equilíbrio interno. A intenção da PNL é sempre oferecer mais opções, nunca eliminá-las.

Dois aspectos essenciais devem ser levados em consideração pelo terapeuta ou qualquer pessoa que esteja ajudando outra a fazer mudanças em sua vida. O primeiro deles é o relacionamento. Construir, criar e manter *rapport* implica estabelecer uma atmosfera de confiança. O segundo aspecto é a congruência. Precisamos estar totalmente congruentes quanto ao que fazemos para ajudar a outra pessoa. A incongruência enviará mensagens confusas e reduzirá a eficácia do processo de mudança. Isto significa que precisamos agir de maneira congruente, acreditando que as técnicas vão dar resultados. O relacionamento e a congruência estão num nível lógico mais alto que qualquer outra técnica que possa ser aplicada com eles. Use a estrutura de objetivo para reunir informações sobre o estado atual, o estado desejado e os recursos necessários para passar de um para outro. Tendo sempre em mente o objetivo, mantenha-se atento ao que está vendo, ouvindo e sentindo, e receptivo à preocupação da pessoa em relação à mudança. Só depois de levar em consideração todos esses princípios é que se deve aplicar a técnica. As técnicas são apenas meios. Esteja preparado para mudá-las ou abandoná-las e usar outros meios para atingir o objetivo.

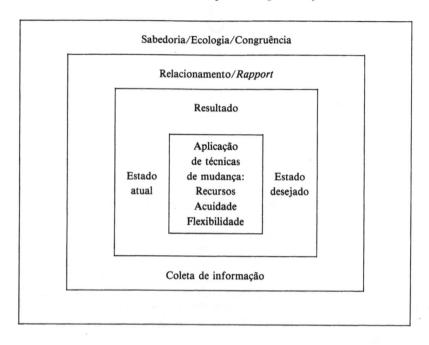

MUDANÇA DE PRIMEIRA ORDEM

Primeiro, precisamos para saber em que situações aplicar essas técnicas. A mais simples seria uma situação onde se deseja obter um determinado objetivo: um estado ou reação diferente numa dada situação. A isto chamamos *mudança de primeira ordem*. Por exemplo, você pode descobrir que sempre fica zangado com uma determinada pessoa, ou sempre se sente desconfortável ao lidar com um colega de trabalho, ou sempre fica nervoso e inseguro quando tem que falar em público.

A ressignificação simples é uma boa maneira de começar a mudar esse tipo de situação, descobrindo quando essa reação seria útil e que outro significado ela poderia ter. Técnicas de ancoragem também podem ser aplicadas neste caso. A desintegração, a junção ou o encadeamento de âncoras vão fornecer recursos que se encontram disponíveis em outros contextos. Se o comportamento ou o estado original for ancorado, você poderá usar o mesmo processo que criou o estado problemático para modificá-lo. O gerador de novos comportamentos e o ensaio mental também darão bons resultados se você necessitar de uma nova capacidade ou de um novo comportamento.

Às vezes essas técnicas de ancoragem não dão resultados porque a pessoa tem uma reação excessiva a um objeto ou situação. Acontecimentos passados podem dificultar uma mudança de direcionamento no presente. Talvez a mudança de história pessoal não funcione porque a pessoa tem dificuldade de lembrar experiências traumáticas do passado, uma vez que elas lhe causam uma sensação desagradável. Essas situações podem ter sido responsáveis pelo surgimento de uma fobia, na qual um objeto ou situação gera pânico instantâneo por estarem associados a traumas passados. As fobias podem variar muito: medo de aranhas, medo de voar, medo de espaços abertos. Qualquer que seja a causa, a reação é o aparecimento de uma profunda e paralisadora ansiedade. Pode-se levar anos para curar fobias usando os métodos convencionais. A PNL tem uma técnica que pode curar fobias em apenas uma sessão. Esta técnica é geralmente conhecida como dissociação visual/cinestésica (V/C). Leia a nota de advertência da página 71 antes de aplicar essas técnicas.

A CURA RÁPIDA DE FOBIA

Só é possível ter uma sensação no momento presente. A sensação ruim causada por uma recordação desagradável nasce da *maneira* como nos lembramos do incidente. Você já se sentiu mal naquela ocasião. Uma vez basta.

Se você se lembrar de um acontecimento traumático do passado através de uma imagem associada, fatalmente vai reviver as sensações ruins. Você está lá, vendo tudo através de seus próprios olhos e sentindo de novo as mesmas sensações. Se você se lembrar uma situação de maneira dissociada, olhando a si mesmo naquela situação, a sensação ficará bastante reduzida no presente.

Essa é a melhor maneira de apagar as sensações ruins de acontecimentos passados, porque nos permite olhar para o que passou de um ponto de vista diferente. Se você quiser trabalhar com uma fobia ou uma recordação muito desagradável, é melhor pedir a um terapeuta ou um amigo que o oriente nas etapas a seguir. Esta pessoa poderá lhe dar um apoio incalculável enquanto você está lidando com questões pessoais difíceis. Descreveremos essa técnica do ponto de vista do orientador ou terapeuta.

1. Como o cliente está passando por uma jornada difícil no passado, crie uma forte âncora de segurança. É possível criar uma âncora no presente ou pedir ao cliente que pense, de maneira associada, numa experiência passada em que se sentiu totalmente seguro. Peça ao cliente que

veja a cena, ouça os sons e revivencie a sensação de segurança. Ancore essa sensação de segurança cinestesicamente através de um toque. Certifique-se de que esse toque provoca a sensação de segurança. Segurar a mão da pessoa dá bons resultados, porque você estará literalmente em contato com que ela está sentindo. Você poderá manter esta âncora durante todo o processo, ou usá-la quando necessário.

2. Peça ao cliente que se imagine num cinema ou diante da televisão, numa imagem fixa, congelada na tela. Quando o cliente tiver conseguido isso, peça-lhe que se imagine saindo da tela para ver a si mesmo olhando para ela.

3. Peça ao cliente que viaje de volta na sua linha temporal até chegar ao acontecimento desagradável, ou até o primeiro incidente que gerou a fobia. Nem sempre é possível chegar ao primeiro incidente, mas deve-se tentar chegar o mais perto possível. Diga ao cliente para passar um filme desse incidente, começando um pouco antes do início da situação, quando ele ainda estava seguro, até o ponto em que o perigo imediato passou e ele se sentiu seguro novamente. Embora este pedido tenha ocupado apenas uma frase neste texto, o cliente pode levar muito tempo para fazer esta experiência. Ele estará se vendo num estado dissociado duplo, em que se vê olhando para a si mesmo, mais jovem, passando pela experiência na tela. Isso lhe permite manter um distanciamento emocional. A partir da posição A do diagrama, o cliente observa sua

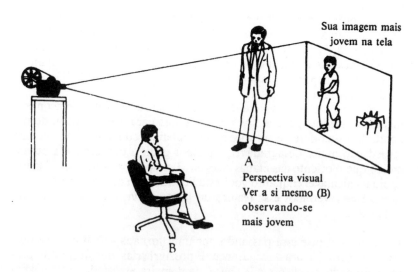

própria fisiologia na posição B, olhando para a tela. Se sua fisiologia indicar que ele está prestes a entrar em estado fóbico, diga-lhe para apagar a tela imediatamente. Peça-lhe que recomece o filme e mude as submodalidades da imagem na tela, diminuindo-lhe o tamanho, escurecendo-a ou afastando-a. Isso reduz a intensidade dos sentimentos negativos e permite ao cliente enxergar o acontecimento com outra atitude. Tudo isso demanda tempo e muita atenção. Seja criativo e flexível para ajudar o cliente neste processo básico. Você precisa ser muito específico no uso da linguagem enquanto orienta o cliente através da experiência, falando com ele, aqui, agora, enquanto ele se vê mais jovem na tela, lá, naquela ocasião. Se em qualquer momento o cliente voltar a ter aquela sensação desagradável, retorne ao presente, restabeleça a âncora de segurança e recomece todo o processo. (Apenas se o cliente o desejar, é claro.) Talvez seja necessário tranqüilizar o cliente dizendo-lhe algo do tipo: "Você está seguro aqui, fingindo que assiste a um filme". Este estágio só estará completo quando o cliente conseguir assistir ao filme todo confortavelmente.

4. Quando o filme tiver acabado, cumprimente o cliente por ter revivenciado a experiência pela primeira vez sem aqueles sentimentos negativos e peça-lhe que volte para dentro do seu corpo. No diagrama, A volta à posição B. Assim, a perspectiva visual estará integrada à posição corporal no momento presente.

5. Agora o cliente deve-se imaginar entrando na tela para dar à imagem de si mesmo mais jovem o apoio e o incentivo necessários. Ele poderá dizer à sua imagem mais jovem: "Vim do futuro. Você sobreviveu, está tudo bem. Você nunca mais vai ter que passar por isso". Com os conhecimentos que tem hoje, o ser presente possui a força e os recursos para lidar com o incidente. Se o incidente envolvia um perigo real, é normal que a pessoa ainda sinta alguma ansiedade. Por exemplo, se a fobia era de cobras, é bom continuar mantendo um respeito saudável pelo perigo que elas representam, mas o medo paralisante, que é inútil, terá desaparecido.

6. Quando a imagem mais jovem tiver compreendido que o perigo já passou, peça ao cliente para trazê-la de volta para dentro do seu corpo e manter-se algum tempo em silêncio, para recuperar e integrar as profundas mudanças que ocorreram.

7. Ponte para o futuro. Peça ao cliente que pense (associado) numa próxima vez em que sentiria o mesmo medo. Isto pode provocar uma leve ansiedade, mas não o medo paralisante anterior. Todos nós carregamos medos e limitações do passado. Se conseguirmos eliminar um pouco dessa carga, estaremos dando um presente a nós mesmos e aos outros.

De certa maneira, as fobias são um grande acontecimento. Trata-se de uma forte reação baseada em uma única experiência. As pessoas nunca esquecem aquela reação fóbica. Um exemplo de uma "boa fobia" é o que chamamos de "amor à primeira vista". Seria bom poder proporcionar a nós mesmos e aos outros boas fobias. Eu sempre me pergunto como é que uma pessoa aprende a ter um medo tão forte e constante de aranhas e não consegue aprender a se sentir constantemente apaixonada.

Muitos casamentos terminam porque um ou ambos os parceiros fazem uma "cura rápida de fobia" inconsciente com seus bons sentimentos, dissociando-se dos bons tempos e associando-se aos tempos difíceis.

O padrão *swish* é uma técnica poderosa que usa mudanças radicais de submodalidades. Aplica-se a determinados comportamentos que a pessoa gostaria de eliminar ou a reações que preferiria não ter. É uma boa técnica a ser usada com hábitos indesejáveis. O padrão *swish* modifica um estado ou comportamento problemático, redirecionando-o. Com ele, não estamos apenas substituindo o comportamento, mas criando uma mudança geradora.

O PADRÃO *SWISH*

1. Primeiro identifique o comportamento que gostaria de modificar. Roer unhas, comer em excesso ou fumar seriam exemplos desses comportamentos. Também pode-se escolher uma situação na qual a pessoa gostaria de reagir de maneira mais criativa.

2. Trate esta limitação como se fosse um sucesso. Como você sabe que vai ter esse problema ou comportamento? Quais são as pistas que geram o comportamento ou problema? Imagine que você vai ensinar alguém a ter esta limitação. O que a pessoa teria que fazer?
Sempre existe uma pista clara e específica do que provoca a reação. Se esse sinal for interno, gerado por seus próprios pensamentos, crie uma imagem que mostre exatamente como você vivencia isso. Se for um sinal externo, imagine exatamente o que acontece, numa imagem associada. Por exemplo, o sinal de que vai roer as unhas pode ser uma imagem de sua mão se aproximando da boca. (O padrão *swish* fica mais fácil se usarmos imagens visuais, embora seja possível utilizar pistas auditivas ou cinestésicas, trabalhando com submodalidades auditivas ou cinestésicas.)

3. Identifique pelo menos duas submodalidades visuais da imagem-pista que sejam capazes de modificar sua reação a ela. Em geral, o tamanho e a luminosidade funcionam bem. Para a maioria das pessoas, aumentar o tamanho e a luminosidade de uma imagem provoca um impacto

maior. Entretanto, outras submodalidades também podem ser eficazes. Teste essas duas submodalidades com outra imagem, para avaliar o efeito desejado. Você deve escolher submodalidades que permitam uma grande variedade de imagens.
Quebre o estado e pense em algo diferente antes de continuar.

4. Agora pense como você gostaria de ser, no tipo de pessoa que reagiria de maneira diferente, que não teria esta limitação. Como você se vê se já tivesse feito a mudança desejada? Você teria mais opções, seria mais capaz e estaria mais perto da pessoa que gostaria de ser? Você deve criar uma imagem de si mesmo com as qualidades desejadas, e não uma imagem de si mesmo se comportando de uma determinada maneira. Para ser motivadora e atraente, a imagem precisa estar dissociada. Uma imagem associada vai lhe dar a impressão de que você já fez a mudança, e portanto não será motivadora.
Verifique se essa nova auto-imagem é ecológica e se ela se ajusta à sua personalidade, aos seus relacionamentos e ao ambiente em que você vive. Talvez você queira fazer alguns ajustes.
Pense nos recursos que essa auto-imagem teria. Serão necessários recursos para lidar com a intenção do antigo comportamento. Verifique se a imagem está equilibrada, se ela é possível no mundo real e se não está intimamente ligada a uma situação específica. Também assegure-se de que a imagem é atraente o suficiente para produzir uma mudança marcante em direção a um estado mais positivo.
Agora quebre o estado e pense em algo diferente.

5. Pegue a imagem da pista e torne-a maior e mais luminosa, no caso de serem essas as submodalidades mais importantes. Na extremidade dessa imagem, coloque um quadro pequeno e escuro de sua nova auto-imagem. Agora pegue a imagem maior e luminosa, que contém a limitação, e rapidamente torne-a pequena e escura, ao mesmo tempo em que torna sua nova auto-imagem maior e mais luminosa. A velocidade é essencial. Certifique-se de que a antiga imagem desaparece enquanto a nova cresce. Pode ser útil imaginar ou emitir realmente um som que represente essa mudança: *"Swish!"* Deixe que esse o som represente a empolgação de estar se tornando uma nova pessoa. Limpe a tela. Repita esta operação cinco vezes *rapidamente*.
O cérebro funciona muito rápido. Você já teve a sensação de que uma pessoa passava por um processo à medida que você o descrevia? Você tem razão. Foi isso o que aconteceu. (Pense na porta de entrada da sua casa... *mas ainda não!*)
Limpe a tela rapidamente após cada *swish* e veja algo diferente. Um *"swish"* invertido" pode cancelar o *swish* positivo. Certifique-se de que está fazendo uma viagem só de ida. Se isso não der resultado após cinco repetições, pare. Seja criativo. As submodalidades talvez precisem ser

ajustadas, ou talvez a auto-imagem desejada não seja suficientemente atraente. O processo funciona. Quem, em sã consciência, manteria um comportamento problemático diante de novas capacidades tão interessantes?

6. Quando estiver satisfeito, teste o resultado com a ponte para o futuro. Pense na pista. Ela ainda provoca a mesma reação? Na próxima vez que se encontrar na mesma situação, procure a nova reação. As técnicas de PNL, assim como o cérebro, funcionam rápida e eficientemente. Usamos o padrão *swish* para criar todos os tipos de problemas sem perceber. Agora, podemos usar conscientemente o mesmo processo para chegar a algo mais interessante. Essas técnicas demonstram que podemos mudar rapidamente de direção sem dor nem estresse.

MUDANÇA DE SEGUNDA ORDEM

A mudança de segunda ordem é feita quando existem múltiplos objetivos e considerações secundárias a serem examinadas. Praticamente todas as terapias envolvem mudanças de segunda ordem, já que o novo recurso ou reação precisa estar apoiado num certo crescimento ou reequilíbrio do resto da personalidade. A mudança de primeira ordem ocorre quando isto não é importante e pode ser ignorado.

A mudança de segunda ordem é usada para revelar o que é necessário caso os objetivos secundários sejam bastante fortes para bloquear o objetivo principal. A remodelagem em seis etapas é uma boa técnica para lidar com objetivos secundários.

CONFLITO INTERNO

Se existirem idéias conflitantes, podemos aplicar as técnicas de negociação entre as diferentes partes da nossa personalidade. A solução de um problema pressupõe chegar a um equilíbrio no presente que seja pelo menos tão poderoso quanto era o antigo.

Como o equilíbrio é algo dinâmico e não estático, podem surgir conflitos entre os diferentes lados da nossa personalidade, que carregam valores, crenças e capacidades diferentes. Talvez a pessoa deseje ter experiências que são incompatíveis. Um exemplo disto são aquelas situações em que a pessoa é interrompida por um lado seu que tem exigências conflitantes. Se a pessoa ignora essas exigências, esse lado faz com que a pessoa se sinta mal. O pior é que nenhuma das atividades é desfrutada plenamente. Por exemplo, quando estamos descansando, um lado nosso pode criar nítidas imagens do trabalho que deveríamos estar fazendo. Quando estamos trabalhando, tudo o que desejamos é descansar. Se esse conflito for constante e estiver atrapalhando ambas as atividades, chegou o momento de estabelecer uma trégua.

Resolução de conflito interno

1. Identifique e separe claramente os lados em conflito. Por exemplo, um lado seu pode querer liberdade e lazer, enquanto o outro deseja segurança e um salário fixo. Um lado pode ser muito parcimonioso com dinheiro, enquanto o outro deseja fazer extravagâncias. Um lado pode estar muito preocupado em agradar as pessoas, enquanto o outro se ressente com as exigências que elas fazem. Cada um dos lados emitirá um julgamento negativo em relação ao outro. Alguns lados nossos são construídos sobre valores herdados de nossos pais, e às vezes esses valores não coexitem tranqüilamente com os lados que se formaram a partir de nossa experiência de vida. Todos os lados têm algo valioso a oferecer.

2. Crie uma representação clara de cada um dos lados. Caso existam dois lados, você poderia colocar um em cada mão, ou imaginá-los sentados ao seu lado em cadeiras. Crie uma imagem visual, cinestésica e auditiva de cada um dos lados. Qual é a sua aparência? O que eles sentem? Que som fazem? Há alguma palavra ou frase que poderia caracterizá-los? Faça com que ambos os lados examinem sua linha temporal, presente e futura, para que possam se definir, definir sua própria história pessoal e sua direção.

3. Descubra a intenção de cada um dos lados. Reconheça que eles têm uma intenção positiva. Segmente para cima, até que eles consigam chegar a um objetivo comum. Ambos provavelmente vão concordar em fazer algo para o seu bem-estar e devem chegar a um acordo. Comece a negociar, como se estivesse falando com duas pessoas de verdade. Se os lados estiverem envolvidos numa briga séria, o único objetivo mútuo possível talvez seja a sobrevivência da pessoa.

4. Negocie. Que recursos possui cada um dos lados para ajudar o outro a acalmar suas preocupações? Que concessões cada um pode fazer? De que maneira eles podem cooperar? O que cada um exige do outro para ficar satisfeito? Isso deixará claro que é o conflito entre ambos que está impedindo que eles atinjam seus objetivos. Consiga que cada lado concorde em dar um sinal quando precisar de alguma coisa, por exemplo, mais tempo, permissão, atenção ou reconhecimento.

5. Pergunte a cada um dos lados se ele está disposto a se integrar ao outro para solucionar o problema. Não é fundamental que os dois se juntem. Talvez seja melhor para eles se manter separados. Mas, se eles estiverem dispostos a se integrar, traga ambos para o seu corpo fisicamente, como se sentir melhor. Se eles estavam em suas mãos, esmague-os

os visualmente, apertando uma mão contra a outra. Depois, crie uma imagem visual, sonora e cinestésica desse seu novo lado resultante da integração e coloque-o dentro de si. Leve nisso o tempo que for confortável para você. Dê a si mesmo algum tempo em silêncio para reconhecer a mudança. Esse novo lado talvez queira reexaminar sua linha temporal, remodelando experiências e acontecimentos passados à luz do seu novo conhecimento e de sua nova compreensão.

Durante essa negociação interna, outros lados podem vir à tona. Quanto mais profundo o conflito, mais será provável que isto aconteça. Todos os lados talvez queiram participar da negociação. Virginia Satir montava encenações onde várias pessoas representavam os diferentes lados de um cliente, reservando-lhe a função de diretor do drama.

A negociação entre os vários lados de uma pessoa é uma maneira eficaz de resolver conflitos muito profundos. É impossível eliminar totalmente o conflito. Porém, apesar dessa limitação, trata-se de uma preliminar saudável e necessária para se atingir um ponto de reequilíbrio. A riqueza do ser humano nasce da diversidade, e a maturidade e a alegria surgem do equilíbrio e da cooperação entre os diversos aspectos de sua personalidade.

CAPÍTULO 9

APRENDIZAGEM ATRAVÉS DA MODELAGEM

A capacidade de aprender é um dom natural do ser humano. Para muitos, essa capacidade diminui com a idade, enquanto outros continuam aprendendo por toda a vida. Desde bebês, nós mesmos nos ensinamos a andar e a falar observando as pessoas. Diariamente, agimos (nossos primeiros passos), observamos os resultados (as repetidas quedas) e modificamos nossas ações de acordo com eles (buscando o apoio de cadeiras ou pessoas). Em essência, essa é a aprendizagem através da modelagem. Quando crescemos, reinterpretamos esse processo natural de aprendizagem numa série de pequenos "sucessos" e "fracassos". Com o reforço dos nossos pais e amigos, passamos a ansiar pelos sucessos e a temer os fracassos. Mais do que qualquer outra coisa, é esse medo de "errar" que inibe nosso processo natural de aprendizagem. Mark Twain disse certa vez que se as pessoas aprendessem a falar e a andar como aprendem a ler e a escrever, todo mundo seria manco e gago.

Então, qual é a diferença entre a maneira natural de aprender e essa maneira que não dá bons resultados? Vamos comparar esse processo natural de aprendizagem com os primeiros estudos de John e Richard sobre a modelagem.

COMO A MODELAGEM DA PNL COMEÇOU

Em 1972, quando John e Richard se conheceram e se tornaram amigos na Universidade da Califórnia, John era professor adjunto no Departamento de Lingüística e Richard estava no último ano da faculdade. Richard tinha grande interesse em Gestalt terapia e tinha feito pesquisas e alguns vídeos sobre o trabalho de Fritz Perls para seu amigo Bob Spitzer, proprietário da editora Science and Behaviour Books. Essas fitas foram usadas no livro *Eyewitness to therapy*.

Bob Sptizer tinha uma propriedade perto de Santa Cruz que emprestava a amigos. Gregory Bateson morou lá durante um certo tempo e se tornou vizinho de Richard. Nessa época, Richard começou a organizar grupos de Gestalt terapia, cobrando 5 dólares por noite de cada participante, e entrou novamente em contato com John Grinder, que se interessou em participar dos grupos.

Na primeira reunião, John ficou curioso. Richard sabia dirigir os grupos de Gestalt, mas queria saber exatamente como fazia isso e que padrões eram eficazes. Há uma grande diferença entre ter uma técnica e saber exatamente como utilizá-la com sucesso. John e Richard fizeram um trato. Richard mostraria a John como aplicava a Gestalt terapia e John o ensinaria a entender exatamente o que estava fazendo. Assim, John participaria do grupo e modelaria Richard. Para isso, Richard teria que lhe mostrar que padrões julgava mais importantes com movimentos dos olhos e entonações de voz diferentes.

John aprendeu rapidamente. Em dois meses, já dominava os padrões e era capaz de conseguir os mesmos resultados que Richard. Ele costumava fazer o que ambos chamavam de "repetição de milagres". Nas noites de quinta-feira, as pessoas recebiam das mãos de John as mesmas mudanças milagrosas em suas vidas que outro grupo tinha recebido na segunda-feira das mãos de Richard.

Richard então foi contratado para gravar um programa de treinamento de um mês que Virginia Satir estava dando no Canadá para terapeutas familiares. Nessa época, Richard e Virginia já eram amigos. Durante o seminário, Richard ficava isolado na pequena sala de gravação, e seu único contato com a sala do seminário era através de microfones. Usava dois fones de ouvido: num, verificava os níveis de gravação, e no outro ouvia fitas de Pink Floyd. Na última semana do curso, Virginia Satir propôs uma situação e perguntou aos participantes como lidariam com ela usando o que tinham aprendido. Ninguém sabia o que fazer. Então Richard veio correndo da sua sala e solucionou o problema. "É exatamente isso", disse Virginia, e Richard se viu na estranha situação de saber mais sobre os padrões terapêuticos de Virginia do que qualquer outro participante, mesmo sem ter tentado aprender de maneira consciente. John modelou alguns dos padrões de Virginia Satir a partir de Richard e tornou-os explícitos. A eficiência de ambos estava melhorando, porque dessa vez conseguiram reduzir o período de modelagem de dois meses para três semanas.

Agora, tinham duas descrições de uma terapia eficaz, dois modelos diferentes e complementares: Virginia Satir e Fritz Perls. O fato de ambos terem personalidades totalmente diferentes e não serem capazes de coexistir amigavelmente na mesma sala tornou os exemplos especialmente valiosos. Os padrões terapêuticos que tinham em comum eram muitos mais claros justamente porque seus estilos pessoais eram tão diferentes.

Em seguida, modelaram Milton Erickson, acrescentando ao seu arsenal uma rica coleção de padrões hipnóticos. O processo de modelagem das técnicas utilizadas por bons profissionais na área de negócios, educação, saúde etc. é extremamente produtivo e cresceu rapidamente em abrangência e sofisticação desde os seus primórdios.

MODELAGEM

A modelagem é portanto o núcleo central da PNL. A PNL é o estudo da excelência, e a modelagem é o processo que torna explícitos os padrões comportamentais de excelência. Quais são os padrões de comportamento das pessoas bem-sucedidas? Como essas pessoas conseguem esses resultados? Qual a diferença entre o que elas fazem e o que fazem as pessoas que não são bem-sucedidas? Qual é a diferença que faz a diferença? A busca de uma resposta a essas perguntas gerou todas as técnicas, habilidades e pressupostos da PNL.

A modelagem pode ser definida simplesmente como um processo de duplicação da excelência humana. Geralmente, acredita-se que a excelência é fruto de um talento inato. A PNL ignora essa explicação e analisa como uma pessoa pode alcançar a excelência da maneira mais rápida possível. Se utilizarmos nossa mente e nosso corpo da mesma maneira que o faz uma pessoa que tem um ótimo desempenho, podemos melhorar imediatamente a qualidade de nossas ações e nossos resultados. A PNL modela o que é possível, aquilo que seres humanos conseguiram fazer.

O processo de modelagem se divide em três fases. A primeira consiste em observar o modelo enquanto ele está tendo o comportamento que se quer modelar. Durante essa primeira fase, a pessoa se imagina dentro da realidade do outro, usando a segunda posição e imitando o que o outro faz até obter basicamente os mesmos resultados. A pessoa se concentra *naquilo* que o outro faz (comportamento e fisiologia), *como* ele o faz (estratégias de pensamento interno) e *por que* ele o faz (crenças e pressuposições em que se apóia). *Aquilo* que ele faz pode ser obtido através da observação direta; o como e o porquê são obtidos através de perguntas.

Na segunda fase, analisa-se sistematicamente os elementos do comportamento do modelo para descobrir o que faz a diferença. Se algum elemento for deixado de fora e fizer pouca diferença, é porque não é necessário. Se alguma coisa for deixada de fora e isto fizer diferença quanto aos resultados obtidos, trata-se de uma parte essencial do modelo. Durante esta segunda fase, refina-se o modelo e tenta-se compreendê-lo conscientemente. Isso é exatamente o oposto dos processos tradicionais de aprendizagem. A aprendizagem tradicional recomenda que se acrescente um segmento de conhecimento por vez, até formar o todo. Mas isso impede que se perceba facilmente o que é essencial. A modelagem, que é a base da aprendizagem acelerada, reúne todos os elementos e depois subtrai para descobrir o que é realmente necessário.

193

A terceira fase, a fase final, propõe uma maneira de ensinar essas habilidades a outras pessoas. Um bom professor deve criar um ambiente em que os alunos sejam capazes de aprender por si mesmos como obter os resultados desejados.

Os modelos são criados segundo critérios de simplicidade e possibilidade de verificação. Não é necessário saber por que ou como eles funcionam, assim como ninguém precisa conhecer o funcionamento de um carro para dirigi-lo. Se você estiver perdido no labirinto do comportamento humano, precisará de um mapa que lhe indique a saída, e não de uma análise psicológica que lhe explique por que você quer sair do labirinto.

A modelagem oferece técnicas e bons resultados em qualquer campo, além de mais ferramentas para outras modelagens. A PNL gera resultados que podem ser aplicados para torná-la ainda mais eficiente. A PNL é um programa contínuo de desenvolvimento pessoal. A pessoa pode modelar seus próprios estados criativos e entrar em cada um deles de acordo com sua vontade. Quanto mais recursos e criatividade a pessoa tiver à sua disposição, mais capaz e criativa ela se tornará...

Se você conseguir modelar com sucesso, obterá os mesmos resultados que seu modelo. Para descobrir como uma pessoa consegue ser criativa ou ficar deprimida, fazem-se as mesmas perguntas-chaves: "Se eu tivesse que ficar no lugar dela durante um dia inteiro, o que eu teria que fazer para pensar e me comportar como ela?"

Cada pessoa imprime sua personalidade e seus próprios recursos àquilo que faz. Cada pessoa é única, e ninguém pode se tornar um Einstein, um Beethoven ou um Edison. Para obter os resultados que eles obtiveram e pensar da mesma maneira que eles, seria necessário ter a mesma fisiologia e também a mesma história pessoal de cada um. A PNL não afirma que uma pessoa pode se tornar um Einstein, mas que qualquer pessoa pode pensar como Einstein e aplicar essa maneira de pensar à sua vida. Ao fazer isso, ela estará mais próxima da plena expressão do seu talento e de sua própria excelência.

Resumindo, é possível modelar qualquer comportamento humano. Basta dominar as crenças, a fisiologia e os processos mentais, isto é, as estratégias que estão por trás desse comportamento. Antes de examinar isso tudo mais detalhadamente, vale a pena lembrar que estamos apenas tocando a superfície de um campo que é tão vasto quanto nosso próprio potencial futuro.

CRENÇAS

As crenças que temos sobre nós mesmos, sobre os outros e sobre o mundo têm um grande impacto sobre a qualidade da nossa experiência. Por serem uma profecia que tem a capacidade de se "auto-realizar", as crenças influenciam o comportamento. Elas podem dar apoio ou inibir um comportamento. É por isso que as crenças de modelagem são tão importantes.

Uma das maneiras mais simples de modelar as crenças de pessoas excepcionais é perguntar a elas por que fazem o que fazem. As respostas conterão muitas revelações sobre suas crenças e valores. Conta-se que uma criança romana passou horas observando um jovem que trabalhava com total concentração. No fim, a criança perguntou ao jovem: "Senhor, por que está batendo nesta pedra?" Michelangelo olhou para a criança e respondeu: "Porque dentro dela há um anjo que quer sair".

As crenças em geral têm uma das três formas seguintes. Elas podem ter crenças a respeito do que significam as coisas. Por exemplo, se você acreditar que a vida é basicamente uma luta feroz até a morte, provavelmente terá uma experiência de vida bem diferente da que teria se acreditasse que a vida aqui na terra é uma escola espiritual com muitas lições a oferecer.

As crenças também podem se referir às causas dos acontecimentos (relação de causa e efeito) e, nesse caso, criam as regras pelas quais escolhemos viver. Ou ainda podem dizer respeito ao que é importante e ao que vale a pena, gerando nossos valores e critérios.

Ao modelar crenças, é melhor nos concentrarmos nas que são mais importantes para as capacidades específicas em que estamos interessados. A seguir, algumas boas perguntas para evocar crenças e metáforas:

1. Por que você faz o que faz?
2. O que isso significa para você?
3. O que aconteceria se você não fizesse isso?
4. Como é isso? A que isso se compara?
5. O que lhe dá forças quando faz isso?

Depois de evocar as crenças do seu modelo, você pode começar a experimentá-las. Quando se vai além da simples compreensão e realmente se "experimenta" uma crença para "ver se ela funciona", as diferenças podem ser profundas. Isto será possível se voce agir durante algum tempo "como se" a crença fosse verdadeira e observar as mudanças que ocorrem em você quando age assim. Einstein acreditava que o universo é um lugar amistoso. Imagine como o mundo lhe pareceria diferente se você agisse como se isto fosse verdade.

Como você agiria se acreditasse nisso?
O que você faria diferente?
O que mais seria capaz de fazer?

Se você se der conta de que a única coisa que o separa daquilo que deseja é uma crença, poderá começar a adotar uma nova crença simplesmente agindo como se ela fosse verdadeira.

FISIOLOGIA

Imagine por um momento que você está olhando para um bebê muito pequeno. Quando o bebê olha para você, com os olhos bem abertos, você abre um imenso sorriso. O bebê se agita com alegria e sorri também. Ao copiar sua fisiologia, neste caso o seu sorriso, o bebê estará vicenciando um pouco da sua alegria. Este fenômeno é conhecido como *entreinamento* — em que os bebês inconscientemente imitam exatamente as expressões e os movimentos das pessoas que os cercam. Também nós, adultos, podemos assumir as expressões, o tom de voz e os movimentos das pessoas que nos cercam e reproduzir seu estado interior, o que nos permitirá ter acesso a recursos emocionais até então inacessíveis. Pare para pensar em alguém que admira ou respeita. Imagine como essa pessoa estaria sentada se estivesse lendo este livro. Como ela estaria respirando? Que expressão ela teria no rosto? Agora tente se sentar e respirar da mesma maneira, com a mesma expressão no rosto. Observe os novos pensamentos e sentimentos que surgem ao fazer isso.

Em algumas habilidades, a reprodução da fisiologia é a parte mais importante. Para modelar um excelente esquiador, por exemplo, deve-se observá-lo enquanto esquia e depois movimentar o corpo como ele faz. Isto nos dará uma vivência de como é fazer o que ele faz. Podemos inclusive ter uma intuição de como é ser aquela pessoa ou, pelo menos, como é estar dentro daquele corpo. Reproduzindo exatamente os padrões de movimento, de postura e de respiração de uma pessoa, você começará a sentir o mesmo que ela sente *por dentro*. E com isso poderá ter acesso a recursos que ela talvez tenha levado anos para descobrir.

ESTRATÉGIAS

As estratégias mentais são talvez o componente menos óbvio da modelagem. Por essa razão, vamos examiná-las mais profundamente antes de passar a outros aspectos da modelagem.

Estratégia é a maneira como a pessoa organiza seus pensamentos e comportamentos para levar a cabo uma tarefa. As estratégias sempre visam um objetivo positivo. Elas podem ser acionadas ou desligadas pelas nossas crenças. Para ter sucesso numa tarefa, você precisa acreditar que pode fazê-la. Caso contrário, você não se empenhará completamente nela.

Você também precisa acreditar que merece aquilo que deseja e estar disposto a dedicar um certo tempo à prática ou à preparação. Finalmente, é necessário acreditar que a tarefa vale a pena. Ela deve despertar seu interesse ou sua curiosidade.

As estratégias que usamos são um dos nossos filtros perceptivos. Elas determinam como percebemos o mundo. Há um pequeno jogo que demonstra isto de maneira eloquente. Leia em voz alta a próxima frase e conte quantas vezes você vê a letra E:

OS DADOS COMPLETADOS DEVEM SER REMETIDOS SEM DEMORA SEMPRE QUE ACABADOS.

Fácil? O interessante é que as pessoas vêem vários números diferentes de E e quase sempre acreditam que estão certas. E estão, de acordo com a sua própria realidade. A maioria das pessoas enxerga três ou quatro E, embora algumas vejam mais. Lembre-se: se algo não estiver dando certo, é melhor fazer algo diferente. Na verdade, algo bem diferente. Que tal ler a frase de trás para a frente, letra por letra? Quantos E você percebeu conscientemente da primeira vez e quantos lhe passaram despercebidos? Quando você olha palavra por palavra de trás para a frente, de modo que as letras não formam uma palavra já conhecida, os E ficam mais visíveis. O mundo parece muito diferente quando se muda a estratégia.*

RECEITA PARA O SUCESSO

Para compreender o que são estratégias, pense num mestre-cuca. Se você usar sua receita, provavelmente será capaz de cozinhar tão bem quanto ele, ou pelo menos chegará a um resultado muito próximo. Uma estratégia é uma receita bem-sucedida. Para fazer um prato saboroso, é necessário conhecer três coisas básicas: os ingredientes, as quantidades de cada ingrediente e a qualidade desses ingredientes. E também é necessário saber a ordem correta das etapas. Faz uma grande diferença acrescentar os ovos antes, durante ou depois de ter colocado o bolo no forno. A ordem que você segue para fazer uma coisa é muito importante, mesmo que tudo aconteça em questão de segundos. Os ingredientes de uma estratégia são os sistemas representacionais, e a quantidade e a qualidade, as submodalidades.

Para modelar uma estratégia, você precisa conhecer:
1. Os ingredientes (sistemas representacionais).
2. A quantidade e a qualidade de cada ingrediente (submodalidades).
3. A seqüência das etapas.

Suponhamos que um amigo seu seja muito habilidoso em algum campo de atividade: decoração de interiores, compras, cálculos matemáticos, acordar de manhã ou ser a alma da festa. Peça a esse amigo para repetir o comportamento ou pense num momento específico em

---

* No original, o jogo propunha encontrar as letras F, e a pessoa não os percebia todos porque, em vez de olhar, lia mentalmente a frase e captava o som das palavras. Assim, os F que têm som de V passavam despercebidos, como na palavra OF. Isso se perdeu na tradução. Em português, talvez se pudesse fazer o jogo com a letra O, que muitas vezes tem som de U.

que ele fez isso. Certifique-se de que tem *rapport* e de que ele está num estado congruente e associado.
Pergunte: "Qual foi a primeira coisa que você fez ou pensou nessa situação?" Fatalmente será algo que ele viu (V), ouviu (A) ou sentiu (C). Quando tiver a resposta, pergunte: "Qual foi a segunda coisa que aconteceu?" Continue até repassar toda a experiência.
Suas perguntas e observações, talvez utilizando o metamodelo, vão ajudá-lo a descobrir os sistemas representacionais que a pessoa está usando e em que ordem. Depois, faça perguntas sobre as submodalidades de todas as representações VAC que você descobriu. Você vai descobrir pistas de acesso e predicados muito úteis para orientar suas perguntas. Por exemplo: se você perguntar "O que acontece em seguida?" e a pessoa disser que não sabe e olhar para cima, você poderá perguntar se ela está vendo alguma imagem mental, já que o próximo passo para ela pode ser o visual interno. Se a pessoa responder: "Não sei, mas tudo me *parece muito claro*", você também deve fazer uma pergunta a respeito das imagens internas.
Na estratégia, os sentidos podem estar dirigidos para o mundo externo ou para o interior. Se eles estiverem sendo usados internamente, você será capaz de descobrir, através das pistas visuais de acesso, se estão sendo usados para lembrar ou criar.
Por exemplo, alguém pode ter uma estratégia de motivação que comece por ver o trabalho que tem a fazer (visual externo) (V^e). Depois, ele cria uma imagem interna do trabalho já feito (visual interno construído) (V^{ic}), sente uma boa sensação (cinestésico interno) (C^i) e diz para si mesmo que é melhor começar (diálogo interno) (A^{di}). Se você quisesse motivar essa pessoa, diria algo como: "Veja o trabalho, pense como vai se sentir bem quando o tiver terminado e como é melhor começar logo".
Estratégia total: $V^e > V^{ic} > C^i > A^{di}$.

Uma abordagem totalmente diferente será necessária para alguém que olha para o trabalho (V^e) e se pergunta (A^{di}): "O que aconteceria se eu não completasse isto?" Ele imagina as conseqüências possíveis (V^{ic}) e tem uma sensação ruim (C^i). Como não quer sentir isso nem sofrer as conseqüências, começa a trabalhar. A primeira pessoa procura a sensação boa, enquanto a segunda evita a sensação ruim. É possível motivar a primeira pessoa mostrando-lhe futuros atraentes, enquanto a segunda será motivada pela ameaça de conseqüências negativas.
Professores, gerentes, instrutores, todo mundo precisa motivar outras pessoas; portanto, essas estratégias são muito úteis. Como todo mundo tem uma estratégia para comprar, um bom vendedor não falará do mesmo jeito com todos os clientes. Algumas pessoas precisam ver o produto e conversar consigo mesmos até sentirem que desejam aquilo. Outras talvez precisem ouvir opiniões, sentir que é uma boa idéia e se ve-

rem usando o produto antes de comprar. Se quiser satisfazer realmente seus clientes, o vendedor precisa mudar sua abordagem.

É importantíssimo que os professores compreendam e saibam como reagir às diferentes estratégias de aprendizado dos alunos. Algumas crianças precisam ouvir o professor e criar imagens internas para compreender uma idéia. Outras precisam ter, antes de mais nada, uma representação visual. Uma imagem pode substituir mil palavras, mas tudo depende de quem está olhando para ela. Alguns alunos preferem ouvir mil palavras. Um professor que insiste em que só há uma maneira de aprender provavelmente pretende que todo mundo use sua própria estratégia. Os alunos que não compartilham de sua estratégia fatalmente terão dificuldade de aprender.

As pessoas que sofrem de insônia podem aprender uma estratégia para dormir. Poderiam começar a prestar atenção à sensação de relaxamento corporal (C^i), enquanto dizem a si mesmas, numa voz lenta e sonolenta (A^{di}), como estão confortáveis. Talvez essas pessoas estejam utilizando a estratégia errada, ou seja, prestando atenção às sensações corporais desconfortáveis enquanto escutam uma voz interna e ansiosa que lhes diz como é difícil dormir. Se acrescentarmos a isso algumas imagens rápidas, luminosas e coloridas, eles terão uma excelente estratégia para permanecerem acordados, exatamente o oposto daquilo que desejam.

Toda estratégia tem um resultado. Esse é o resultado que você deseja? Você está chegando aonde quer com ela? Assim como um trem, qualquer estratégia funciona muito bem, mas, se você pegar o trem errado... vai chegar aonde não quer. E a culpa não é do trem.

ESTRATÉGIA MUSICAL

Algumas dessas idéias nasceram de um estudo feito por um dos autores deste livro sobre a maneira como músicos talentosos memorizam partituras musicais. Como eles conseguiam decorar toda uma seqüência musical ouvindo-a apenas uma ou duas vezes? Os alunos foram solicitados a repetir um trecho musical, cantando ou marcando o ritmo com as mãos. Sua estratégia foi evocada através de perguntas, da observação das pistas de acesso e dos predicados utilizados.

Os alunos mais bem-sucedidos apresentaram vários padrões comuns. Adotavam uma postura, uma respiração e pistas de acesso visual semelhantes, em geral com a cabeça levemente caída para um lado e os olhos voltados para baixo enquanto ouviam. Eles sintonizavam e afinavam o corpo com a música.

Enquanto ouviam (A^e), obtinham uma sensação geral da música (C^i). Muitos descreveram isso como o "clima", a "personalidade" da peça musical. Essa sensação representava a peça como um todo e seu relacionamento com ela.

199

O próximo passo era criar uma representação visual da música. A maioria visualizava uma espécie de gráfico, no qual o eixo vertical representava as subidas e descidas de tom, enquanto o eixo horizontal representava a duração das notas no tempo (V^{ic}). Quanto mais longa e mais difícil a peça musical, mais os alunos se apoiavam nessa imagem. A imagem era sempre luminosa, clara, bem focada e colocada a uma distância confortável para ser lida. Alguns alunos visualizavam a pauta com todas as notas, como numa partitura, mas isto não era essencial.

A sensação, o som e a imagem eram construídos ao mesmo tempo na primeira audição. A sensação fornecia o contexto geral para a imagem detalhada. As audições subseqüentes eram utilizadas para fixar os trechos que ainda não estavam totalmente memorizados. Quanto mais difícil a melodia, mais importantes eram essa sensação e essas imagens visuais. Os alunos repetiam mentalmente a melodia assim que acabavam de ouvi-la, no tom original e em geral numa velocidade mais rápida (A^{ic}).

Todos os alunos ouviam mentalmente a música, quase sempre na sua tonalidade original (A^{ir}), enquanto cantarolavam ou marcavam o ritmo com as mãos. Também reviam a imagem e conservavam a sensação geral. Assim, tinham três maneiras diferentes de armazenar e ter acesso à peça musical. Segmentavam a peça musical em porções menores e observavam os padrões repetidos de tonalidade e ritmo. Essas características eram lembradas visualmente, mesmo após uma única audição.

Embora se julgue que para lembrar uma peça musical é necessário uma boa memória auditiva, este estudo mostrou que se trata de cinestesia. É como se a pessoa ouvisse a imagem da sensação da música. Os alunos ouviam a melodia, criavam uma sensação que representava a peça como um todo e usavam o que ouviam e sentiam para criar uma imagem da música.

A estratégia básica — $A^e > C^i > V^{ic} > A^i$ — mostra alguns princípios gerais sobre a memorização e a aprendizagem. Quanto mais representações tivermos do material, mais facilidade teremos para nos lembrar dele. Quanto mais aspectos de nossa neurologia empenharmos, mais forte será a lembrança. Os melhores alunos também conseguiam passar de um sistema representacional para outro, às vezes concentrando-se na sensação, às vezes na imagem, dependendo do tipo de música. E todos acreditavam na sua capacidade. Portanto, o sucesso pode ser resumido como a soma de empenho, crença e flexibilidade.

Para encerrar nossos comentários sobre as estratégias musicais, vamos transcrever um trecho de uma carta em que Wolgang Amadeus Mozart revela como compunha:

Tudo isso incendeia minh'alma, e, desde que nada me distraia, o tema se amplia, ganha método e se define, e o todo, por mais longo que seja, surge quase completo e acabado em minha mente, o que me permite observá-lo com um só olhar, como se fosse um belo quadro ou uma formosa estátua. Não ouço em minha imaginação as partes sucessivas, mas o todo, de uma só vez. Que delícia absolutamente indescritível!

Carta de Mozart escrita em 1789, citada em E. Holmes em
The life of Mozart, including his correspondence,
Chapman and Hall, 1878.

ESTRATÉGIA DE MEMORIZAÇÃO

Você tem boa memória? Esta é uma pergunta ardilosa, porque a palavra "memória" é uma substantivação — não se pode vê-la, ouvi-la nem tocá-la. O mais importante é o processo de memorização. Como as substantivações são ações cristalizadas no tempo, a memória passa a ser vista como algo estático e imutável. O melhor é observar como você memoriza e como pode melhorar essa capacidade.

Qual sua estratégia de memorização? Como você decoraria a seguinte seqüência? (Finja que é muito importante memorizá-la.)

DJT18ED4L21S

Você tem TRINTA SEGUNDOS.

Tempo esgotado.

Cubra a página, respire profundamente e escreva a seqüência. Como você se saiu? E, o que é mais importante, o que você fez?

A mente consciente não tem capacidade para reter doze dígitos, ou seja, doze unidades separadas. Para lembrar a seqüência toda, é preciso agrupar as unidades em blocos.

Talvez você tenha repetido a seqüência várias vezes até formar um circuito fechado (A^i), mas esses circuitos permanecem na memória por muito pouco tempo. Talvez você tenha recitado a seqüência num certo ritmo. Você também pode ter escrito a seqüência (C^e). Ou pode tê-la observado atentamente durante algum tempo e depois tentado visualizá-la internamente (V^{ic}), enquanto olhava para cima e para a esquerda. Talvez você tenha usado cores ou qualquer outra submodalidade para se lembrar da sua imagem interna.

As imagens ficam retidas na memória por longo tempo, ao passo que os circuitos fechados são memorizações de curto prazo. Se você propuser esse teste a outra pessoa, provavelmente será capaz de dizer qual a estratégia que ela usou. Os movimentos dos lábios ou dos olhos, percorrendo silenciosamente a seqüência, podem lhe indicar como ela está memorizando. Talvez a pessoa sorria ao fazer alguma ligação engraçada. Uma estratégia muito útil é dar à seqüência aleatória um significado qualquer. Por exemplo: Don Juan (DJ) tinha (T) dezoito anos (18) e devorou quatro *ladies* (D4L) em 21 segundos (21S). Trata-se de uma boa estratégia porque está de acordo com a maneira como o cérebro trabalha naturalmente. Se você visualizar mentalmente Don Juan devorando as pobres *ladies* em poucos segundos, provavelmente não vai se esquecer da seqüência.

Robert Dilts conta como uma mulher descreveu sua estratégia de memorização num seminário. A seqüência era: A2470558SB. Ela era uma cozinheira de primeira. Então, começou com a primeira letra do alfabeto, A. Depois vinha o número 24, a idade em que ela recebeu seu diploma de culinária. Em seguida o número 705, o que significava que ela estava cinco minutos atrasada para o café da manhã. O 58 era difícil de lembrar, e portanto ela o visualizou com uma cor diferente. O S estava sozinho, e por isso ela o viu como uma letra bem grande. E a última letra era o B, a segunda letra do alfabeto, que se ligava ao A do início da seqüência.

Agora... tape a página e escreva a seqüência de letras e números, sem esquecer daquela que era maior do que as outras...

Você provavelmente acertou. E nem precisou se esforçar. Imagine o que poderia conseguir se se esforçasse!

Talvez os resultados fossem muito piores. A simples menção da palavra "esforço" pressupõe uma tarefa difícil e um provável fracasso. Quanto mais você se esforça, mais difícil a tarefa se torna. O esforço cria uma barreira. Uma estratégia eficiente torna a aprendizagem fácil e sem esforço. Uma estratégia ineficiente torna a tarefa muito difícil.

Aprender a aprender é a capacidade mais importante no campo da educação e precisa ser ensinada desde o jardim-de-infância. O sistema pedagógico concentra-se mais naquilo que é ensinado, no currículo, e negligencia o processo de aprendizagem. Isto acarreta duas conseqüências. Primeiro, muitos alunos sentem dificuldade em apreender a informação. Em segundo lugar, mesmo quando apreendem, ela tem pouco significado para eles, porque foi retirada de um contexto.

Sem uma estratégia de aprendizado, os alunos podem se transformar em papagaios, sempre dependentes dos outros para obter informações. Recebem a informação, mas têm dificuldade de apreendê-la. A aprendizagem pressupõe memória e compreensão, isto é, colocar a informação dentro de um contexto para lhe dar um significado. Concentrar-se no fracasso e nas suas conseqüências perturba os alunos. Todo mundo precisa de permissão para fracassar. Os bons alunos cometem erros e usam esses erros como informação para modificar seu comportamento. Mantêm seu objetivo em mente e continuam criativos.

As notas não têm nenhuma influência sobre a estratégia usada pelo aluno. São apenas um julgamento do desempenho e só servem para dividir os alunos numa hierarquia de mérito. Se tiverem uma estratégia ineficiente, os alunos vão precisar se esforçar mais. Se eles aprendessem boas estratégias, as grandes diferenças de desempenho desapareceriam. Sem elas, a educação funciona como uma maneira de classificar as pessoas hierarquicamente. Mantém o *status quo*, rotulando e separando o joio do trigo, o que reforça a desigualdade.

Para ensinar é necessário obter *rapport* e acompanhar e orientar o aluno em direção às melhores estratégias para, usando o corpo e a mente, tornar a informação compreensível. Se os alunos fracassarem continuamente, provavelmente vão generalizar, partindo do desempenho, passando pela capacidade e pela crença, até acabar acreditando que não conseguirão fazer a tarefa. E aí temos uma profecia auto-realizadora.

Muitas matérias escolares estão ancoradas a uma sensação de tédio e infelicidade, por isso a aprendizagem se torna difícil. Por que a educação é às vezes tão dolorosa e demorada? Grande parte do conteúdo escolar poderia ser aprendida em menos da metade do tempo se as crianças fossem motivadas e aprendessem estratégias positivas de aprendizagem.

Nosso processo mental inclui estratégias, mas em geral não temos consciência das estratégias que usamos. Muitas pessoas usam apenas umas poucas estratégias para toda a sua estrutura de pensamento.

ESTRATÉGIA DE CRIATIVIDADE

Prefiro divertir as pessoas, na esperança de que elas aprendam, ao invés de ensinar as pessoas, na esperança de que elas se divirtam.

Walt Disney

Robert Dilts criou um modelo a partir da estratégia usada por Walt Disney, um homem fantasticamente criativo e bem-sucedido, cujo trabalho continua a dar prazer a inúmeras pessoas no mundo inteiro. Ele teria sido um ótimo consultor empresarial, porque usava uma estratégia criativa que pode ser utilizada em qualquer tipo de problema.

Walt Disney tinha uma imaginação fabulosa. Era um sonhador muito criativo. Sonhar é o primeiro passo para criar um objetivo. Todos nós sonhamos, mas como fazer com que esses sonhos se concretizem no mundo real? Como evitar que o sonho se transforme num pesadelo? E como ter certeza de que os sonhos serão bem recebidos pelos críticos?

Primeiro Walt Disney criava um sonho ou uma visão do filme inteiro. Imaginava como a história seria vista pelos olhos de cada personagem e quais seriam seus sentimentos. Se se tratava de um desenho animado, pedia aos desenhistas que desenhassem as personagens do ponto de vista desses sentimentos.

Depois, examinava seu projeto de maneira realista, levando em consideração o custo, o tempo e os recursos necessários para sua realização, ou seja, todas as informações necessárias, para se certificar de que o sonho poderia se tornar realidade. Depois de criar o sonho do filme, voltava a analisá-lo do ponto de vista do público. Ele se perguntava: "Foi interessante? Foi divertido? Tem alguma coisa que não funciona?" Disney usava três processos diferentes: o do sonhador, o do realista e o do crítico. Seus colaboradores reconheciam essas três posições, mas nunca sabiam qual delas Disney iria assumir durante uma reunião. Ele provavelmente buscava o equilíbrio da reunião, adotando o ponto de vista que não estava bem defendido pelos demais.

A seguir, a estratégia que você pode usar formalmente:

1. Escolha o problema com o qual você vai lidar. Pode ser um problema de difícil solução. Não pense nele por enquanto. Escolha três lugares que você tenha à sua disposiçao e nos quais poderá entrar: um para o sonhador, um para o crítico e um para o realista.

2. Pense num momento em que foi realmente criativo, em que seu sonhador criou algumas opções criativas. Entre dentro da posição do sonhador e reviva esse momento. Você estará ancorando seus recursos e estratégias de sonhador a esse local.
Se for difícil ter acesso a uma experiência criativa, encontre uma metáfora para o problema que possa ajudá-lo a pensar de maneira criativa ou modele alguém que você considere um bom sonhador criativo. Antes de retomar o processo, pergunte a essa pessoa como é que ela entra nesse estado criativo. Talvez precise segmentar o problema em porções menores. Não pense de maneira realista, esta é uma etapa posterior. Não avalie e não critique nada. Você pode até distrair a mente consciente ouvindo música ou fazendo alguma atividade física. Quando tiver sonhado quanto quiser, saia desse estado e volte à posição neutra.

3. Pense num momento em que foi cuidadoso e realista a respeito de algum plano, seu ou de outra pessoa; algum momento em que colocou um plano em ação com clareza e eficiência. Se tiver dificuldade, pense em alguém que poderia modelar. Pergunte como essa pessoa coloca seus planos em ação ou finja ser essa pessoa. "Se eu fosse X, como colocaria esse plano em ação?" Aja como se fosse X.
Quando estiver pronto, entre na posição realista. Você estará ancorando seu estado realista a esse local. Quando tiver revivido a experiência, volte à posição neutra.

4. Por fim, faça uma avaliação na posição de crítico. Lembre-se de um momento em que criticou um plano de maneira construtiva, observan-

do os pontos positivos e negativos, e conseguiu identificar os problemas. Não importa se se tratava de um projeto seu ou de um colega. Se isso for difícil, modele um bom crítico que você conheça. Quando tiver a experiência de referência, entre na posição de crítico e reviva a experiência. Quando terminar, saia desse lugar e volte à posição neutra.

O que você fez foi ancorar o sonhador, o crítico e o realista a três lugares diferentes. Você pode usar três locais dentro de sua sala de trabalho ou até três salas separadas. Provavelmente você verá que tem mais facilidade de evocar uma das posições. Talvez você queira tirar algumas conclusões a partir disto. Cada uma dessas posições é na realidade uma estratégia em si mesma. A estratégia criativa é uma superestratégia, ou seja, três estratégias em uma.

5. Examine o problema ou o objetivo que deseja atingir. Entre no local do sonhador e deixe sua mente vagar. O sonhador não tem que ser realista. Como os sonhos geralmente são visuais, seu sonhador provavelmente usará pensamentos criados visualmente. O céu é o limite. Não deixe que a realidade escureça seus pensamentos. Deixe a mente voar. O que você faria se não tivesse possibilidade de fracassar? O sonhador pode ser resumido pela seguinte frase: "Eu me pergunto se...". Quando tiver terminado, volte à posição neutra. Apesar do que aprendeu na escola, sonhar acordado pode ser uma maneira útil, criativa e agradável de passar o tempo.

6. Entre na posição realista e pense no plano que sonhou. Organize suas idéias. Como elas poderiam ser postas em prática? O que você teria que mudar para torná-las realistas? Quando estiver satisfeito, volte à posição neutra e externa. A frase do realista é: "Como posso fazer isto?" O realista provavelmente será predominantemente cinestésico, um "homem de ação".

7. Agora, entre na posição do crítico e avalie o plano. Alguma coisa está faltando? Se o plano necessitar da cooperação de outras pessoas, o que elas poderão fazer? O que você vai obter com esse plano? Ele é interessante? Onde está a recompensa? O crítico diz: "O que está faltando? O que vou ganhar com isso?", e parece operar basicamente a partir do diálogo interno.

8. Volte à posição do sonhador e modifique o plano de maneira criativa, levando em consideração o que aprendeu ao assumir os pontos de vista do realista e do crítico. Continue repassando as três posições até que o plano se adapte congruentemente a cada uma das posições. Você terá uma fisiologia e uma neurologia diferentes em cada uma das posições. Certifique-se de que mantém o objetivo ao passar de uma para outra.

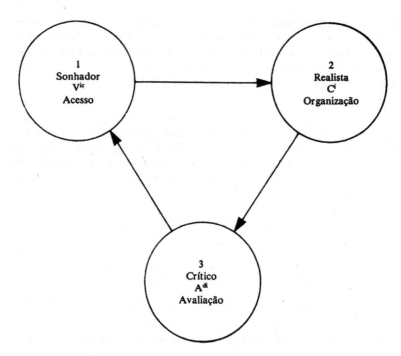

Estratégia criativa de Walt Disney

Para ter certeza de que a crítica é construtiva, lembre-se de que o crítico não é mais realista do que o sonhador. É apenas uma outra maneira de pensar nas possibilidades. O crítico deve criticar o plano, e não a si mesmo. Algumas pessoas criticam a si mesmas e sentem-se mal, em vez de usar a crítica como uma informação útil para a concretização de seus planos. Às vezes o crítico chega cedo demais e acaba com o sonho ou com o sonhador.

Algumas pessoas usam esta estratégia naturalmente. Essas pessoas têm um local ou uma sala onde pensam de maneira criativa e ancoram o seu sonhador, um outro lugar para o planejamento prático e outro ainda para a avaliação crítica. Quando essas três maneiras de pensar são nitidamente separadas no espaço, cada uma pode dar o melhor de si sem interferência. Só quando a idéia funcionar em cada um desses lugares é que você estará preparado para agir. No final desse processo, provavelmente você terá um plano infalível. A questão então não é "Será que devo fazer isso?", e sim "Devo fazer isso. O que mais devo fazer?"

Temos aí um bom exemplo de uma estratégia equilibrada. Como os três sistemas representacionais básicos estão incluídos, todos os canais de informação estarão disponíveis. O sonhador em geral opera visualmente, o realista cinestesicamente e o crítico auditivamente.

É necessário sair fora da estratégia caso o processo interno entre num círculo e não chegue a lugar nenhum. Da posição externa, você poderá rever todo o processo e dar uma parada no tempo real.

DE VOLTA À MODELAGEM

Voltando à modelagem, vamos examinar alguns aspectos que causam problema para algumas pessoas.

Há uma idéia estranha na nossa cultura. Acredita-se que descobrir como explicitamente se faz algo vai prejudicar o desempenho, como se a ignorância fosse um pré-requisito para a excelência. Quando você está executando uma tarefa, seu foco de atenção consciente está, evidentemente, na execução. O motorista não pensa conscientemente em tudo o que faz enquanto está dirigindo, nem o músico pensa conscientemente em todas as notas que está tocando. Entretanto, ambos podem explicar o que fizeram.

A diferença entre uma pessoa competente e um mestre é que o mestre pode dizer exatamente o que fez e como o fez. Os mestres são capazes de descrever explicitamente sua competência inconsciente. Essa capacidade é conhecida como *metacognição*.

A metacognição permite que a pessoa tenha consciência de como desempenha uma tarefa, e portanto seja capaz de ensiná-la a outras pessoas. Por outro lado, se ela conseguir identificar a diferença entre o que faz quando as coisas dão certo e o que faz quando as coisas não dão certo, crescem suas possibilidades de manter seu melhor desempenho.

Outra questão do processo de modelagem é quem modelar. Isto vai depender do objetivo desejado. Primeiro, é necessário identificar as capacidades, competências ou qualidades que se deseja adquirir. Só depois se deve pensar em quem serviria melhor de modelo.

A próxima questão é como modelar. Há inúmeras possibilidades, desde a modelagem inconsciente e informal que fazemos naturalmente até a pesquisa altamente sofisticada e as estratégias de modelagem utilizadas por Robert Dilts em seu recente projeto de modelagem para a Fiat sobre técnicas de liderança para o futuro. Uma maneira informal e simples de incorporar essas técnicas de modelagem é escolher como modelos pessoas que você admira e respeita. Alexandre, o Grande, se inspirou na imagem do lendário guerreiro Aquiles. Thomas à Kempis talvez tivesse altas ambições ao escrever *A imitação de Cristo*. Em tempos mais recentes, Stravinsky pediu muito emprestado a Mozart, afirmando que tinha o direito de fazer isso porque gostava muito de sua música. Ray Charles modelou Nat King Cole. Dizia que "respirava Cole, comia e bebia Cole dia e noite", até desenvolver seu próprio estilo musical.

Ao "respirar, comer e beber" o seu modelo, seja através de livros, discos ou filmes, você estará tendo acesso aos recursos e estados mentais que ele usa. Tente uma experiência. A maioria das pessoas subvocalizam quando lêem, isto é, repetem mentalmente as palavras que estão lendo. Observe o que acontece se você voltar ao início deste parágrafo e o ler de novo mentalmente com a voz de alguém que realmente admira. Para muitas pessoas, essa simples mudança de voz interior lhes permite ter acesso a novos e diferentes recursos. Muitas pessoas ficam presas à mística da modelagem e acham que se trata de algo que não conseguirão fazer enquanto não dominarem a maneira "correta" de modelar. Mas qualquer pessoa que tenha curiosidade a respeito de outras pessoas é capaz de fazer isso! Você já faz isso.

Quando olho para os dez anos desde que tive meu primeiro contato com a PNL, percebo que a maior parte do que aprendi nasceu da modelagem informal.

Por exemplo: recentemente, visitando uns amigos, descobri que a dona da casa escrevia romances de ficção. Ela sempre fora discreta sobre isso, mas em meia hora de conversa social aprendi algumas estratégias de composição que eram exatamente aquilo que eu estava procurando. Resumindo, ela usava criativamente o tempo em que sonhava acordada para produzir seu material, anotando algumas palavras-chaves num caderninho que sempre levava consigo. Isto lhe permitia lembrar o conteúdo dos sonhos quando sentava para escrever. Como adorava esses momentos de sonho, eles continham uma estratégia de motivação.

Você pode sofisticar ainda mais o processo de modelagem se conseguir identificar uma habilidade específica que deseja aprender. Lembre-se dos três elementos básicos de qualquer comportamento: crença, fisiologia e estratégia. Por exemplo, para escrever este livro, preciso acreditar que sou capaz de escrevê-lo e que isso vale a pena. Preciso de um grupo de estratégias (seqüências de imagens, sons e sentimentos) que vão me ajudar a gerar o conteúdo, e preciso estar confortavelmente sentado e deixar que meus dedos dancem sobre o teclado.

Se você quiser enriquecer este modelo básico, provavelmente desejará me ver em ação, ou talvez eu deva dizer "em inação", porque grande parte do processo acontece inconscientemente, enquanto estou fazendo outras coisas. Talvez você deseje me fazer algumas perguntas, das quais as mais importantes seriam:

"Em que contexto você normalmente usa essa habilidade?"

"Quais são os objetivos que orientam suas ações quando usa essa habilidade?"

"O que usa como prova para saber que está atingindo o objetivo desejado?"

"O que exatamente você faz para atingir esse objetivo?"

"Quais são as etapas e ações específicas?"

"Quando se sente bloqueado, o que faz para eliminar esse bloqueio?"

Essas perguntas se baseiam no modelo TOTE (teste-operação-teste-escape), descrito no capítulo 4. O modelo que você está construindo é um sistema de TOTEs encaixados, ou, em outras palavras, habilidades dentro de habilidades, como aquelas caixinhas chinesas em que cada uma surge de dentro da outra.

A partir das respostas a essas perguntas você pode começar a construir um modelo daquilo que estou fazendo com o meu sistema nervoso. Para saber que perguntas deve fazer em seguida, você precisa colocar esse modelo dentro do seu sistema nervoso para descobrir o que funciona e o que está faltando. É o que acontece quando alguém nos dá uma série de instruções e tentamos segui-las mentalmente para ver se elas fazem sentido.

Existem muitas outras técnicas de modelagem que podem ser ensinadas em um livro. Por exemplo, é necessário ter uma boa capacidade de usar a segunda posição, para penetrar a "parede da consciência". O que é essa parede da consciência? Quando pessoas talentosas tentam explicar ou ensinar o que elas fazem, descobrem que muitas das suas habilidades são completamente inconscientes. É como se o andaime consciente do processo de aprendizagem tivesse sido retirado da casa já construída sem deixar nenhum traço de como foi feita a construção.

No extremo oposto do amplo espectro da modelagem informal encontra-se o projeto de modelagem de alta qualidade, geralmente utilizado no mundo empresarial. Isso implica ter à disposição um conjunto completo de técnicas de modelagem. Uma seqüência típica de procedimentos seria a seguinte:

1. Entrevistas preliminares com a direção da empresa, para identificar que capacidades vale a pena modelar, quais são as pessoas que apresentam o melhor desempenho e quantas delas devem ser modeladas. Em geral, três ótimos profissionais são comparados com três profissionais médios (que servirão como grupo de controle) para identificar as diferenças fundamentais. Por fim, estabelece-se um plano de ação.

2. Passar pelo menos alguns dias com cada um dos modelos, observando-os em ação em diferentes contextos. Registrar as ações desses modelos e entrevistar cada um deles para identificar crenças, estratégias, estados internos, metaprogramas etc. Entrevistar os seus colegas para obter a descrição deles. Repetir tudo isso com os modelos do grupo de controle. Em geral, os controles não sabem que têm essa função, para evitar constrangimento.

3. Registrar cuidadosamente tudo que se julga ter obtido e o que ainda está faltando. Este estágio em geral é feito com um co-modelador. A análise comparativa esclarece as diferenças que fazem a diferença entre os ótimos profissionais e os controles.

4. Neste estágio, você vai precisar confirmar os padrões que você julga ter encontrado e examinar as discrepâncias através de novas observações e perguntas. Talvez seja necessário fazer isso várias vezes.

5. Escrever o relatório completo, incluindo o plano original, a metodologia e o modelo explícito. Este modelo deve cobrir todos os níveis, desde a identidade, as crenças e as capacidades até os comportamentos específicos, externos e internos.

6. Criar um programa de treinamento para ensinar a outras pessoas essas capacidades. Aplicar o programa de treinamento e usar as informações obtidas para torná-lo ainda melhor. Treinar instrutores nesse programa de treinamento.

As etapas de 1 a 5 devem exigir cerca de vinte dias de trabalho, enquanto a etapa número 6 talvez leve metade do tempo. Este tipo de treinamento de modelagem é muito eficiente em empresas onde a mesma função é repetida muitas vezes, por exemplo, supervisores de equipe ou gerentes de lojas. A modelagem sem treinamento também está sendo usada na Inglaterra para melhor o processo de recrutamento de pessoal para determinadas funções. Grandes organizações estão começando a levar em consideração o valor da modelagem aplicada.

PNL, MODELAGEM E APRENDIZAGEM ACELERADA

Acabamos de dar uma rápida introdução à modelagem, desde o processo informal até o campo de projetos empresariais formais. Portanto, chegamos à década de 90 com técnicas de modelagem sofisticadas, construídas a partir da linguagem de modelagem dos primeiros tempos.

Quando Richard pediu a John que o ajudasse a perceber seus padrões de Gestalt, John o fez como se fosse aprender um idioma estrangeiro. Ninguém pode fazer um estudo sobre uma língua que não conhece. Portanto, John tinha que ser capaz de repetir os padrões antes de estudá-los. Este é o processo oposto da aprendizagem tradicional, que analisa as partes antes de reuni-las. Na aprendizagem acelerada, aprende-se a fazer algo e só depois como se faz. Não se analisa a aprendizagem até que ela esteja estável, consistente e voluntariamente disponível. Só então ela deverá ser examinada pela mente consciente.

Essa é uma maneira de aprender muito diferente das quatro etapas esboçadas no capítulo 1, que vão da incompetência inconsciente à competência inconsciente. Partir da intuição e depois analisá-la é a base da modelagem e da aprendizagem acelerada. É possível chegar à competência inconsciente em um único estágio. E com isso fechamos um círculo iniciado no capítulo 1.

A PNL partiu de uma base de intuição, assim como aprendemos a nossa língua materna. Partindo do estudo completo da excelência, é possível analisar as submodalidades, os menores blocos de construção de nosso pensamento.

Mas, depois de descer, é preciso subir de novo. A análise realizada lhe garante que você não vai voltar ao ponto de partida. Você emerge do processo com uma maior compreensão. Essa segmentação para baixo é como voltar às origens para conhecer o lugar como se fosse pela primeira vez. Esse novo ponto de vista fornece uma base para todo um novo conjunto de intuições, que podem ser segmentadas novamente, num processo contínuo.

É possível aprender em cada uma dessas etapas, testando cada descoberta até o seu limite. Aplicando cada idéia ou técnica a todos os problemas que surgirem, você estará descobrindo o verdadeiro valor e os limites de cada técnica. Agindo como se ela funcionasse, você pode descobrir se ela dá certo ou não e quais são os seus limites.

Esse processso é aplicado primeiro ao metamodelo, depois aos sistemas representacionais, às pistas de acesso visual, às submodalidades e assim por diante. Cada segmento é levado ao seu limite, até que o próximo segmento toma o seu lugar. Há uma perda de equilíbrio constante, seguida por um constante reequilíbrio.

O valor da PNL está na aprendizagem que se obtém ao explorar esses processos. As raízes da PNL são os padrões sistemáticos que estão por baixo do comportamento. A pessoa faz o que é necessário para criar resultados, dentro de limites éticos, e depois melhora o processo, tornando-o o mais simples possível e descobrindo a diferença que faz a diferença. O objetivo da PNL é aumentar as possibilidades de escolha e a liberdade humana.

GUIA DO USUÁRIO

Estamos chegando ao final do último capítulo deste livro e você deve estar se perguntando como tirar o melhor proveito dele. Cada um encontra a melhor maneira de fazer isso, e às vezes nem sabemos que o estamos fazendo. Uma coisa que talvez você tenha que decidir no nível consciente é se vai achar este material interessante e útil o suficiente para querer explorá-lo mais, comprando outros livros e participando de cursos de treinamento.

À medida que começar a entender as novas abordagens e técnicas, talvez você passe a conversar sobre o assunto com amigos. Talvez perceba inesperadamente que está entendendo melhor alguns dos padrões que começou a estudar: o *rapport*, as mudanças sutis da linguagem corporal, os movimentos dos olhos enquanto as pessoas pensam, as profundas e delicadas mudanças no seu estado emocional e no de outras pessoas. Talvez você se perceba mais consciente dos seus pensamentos e processos mentais, sabendo diferenciar os que lhe servem dos que não passam de fantasmas do passado. Você pode mudar o conteúdo e a forma de seus pensamentos e se surpreender com as possibilidades de criar mais opções emocionais para si próprio e para os outros.

Talvez você já tenha descoberto a extraordinária eficácia do hábito de estabelecer objetivos, de pensar em problemas como oportunidades, de fazer algo diferente e de aprender algo novo e interessante.

Talvez você já tenha uma maior intuição sobre a realidade das outras pessoas ou um maior contato com a sua própria realidade. É como se sua mente inconsciente estivesse integrando os novos conhecimentos em seu próprio tempo e de sua própria maneira. Está nascendo um novo relacionamento entre sua mente consciente e sua sabedoria inconsciente. É como se, através da redescoberta de seu próprio eu, você estivesse mais consciente do que é importante para você e para as pessoas que o cercam.

Sabendo ouvir seu diálogo interno, você talvez se perceba aplicando as perguntas do metamodelo e se torne mais curioso para descobrir suas crenças. E continue transformando suas crenças limitadoras em crenças poderosas, que lhe permitirão transformar-se na pessoa que você sempre quis ser.

Tornando-se mais consciente da sua própria identidade, parece que você está tendo mais opções, em vez de ser um escravo da sua história passada. Sabendo pensar de maneira diferente sobre o futuro, você se torna outra pessoa no presente.

Você talvez perceba uma riqueza e uma intimidade maior em seus relacionamentos e decida passar mais tempo com outras pessoas que também estão dispostas a explorar o rico universo da experiência humana.

E quanto mais pessoas se tornarem conscientes da maneira como construímos nossa realidade, mais o mundo será como gostaríamos que ele fosse, um mundo melhor para todos.

EPÍLOGO

Tentamos neste livro analisar as principais idéias da PNL de uma maneira prática. Mas como a PNL não se desenvolveu em etapas lógicas, não é fácil descrevê-la. Tentar descrevê-la numa seqüência lógica é como tentar descrever um holograma separando cada segmento, o que é impossível, já que cada parte contém o todo. Para finalizar, faremos algumas especulações sobre a PNL e o lugar que ela ocupa em nossa cultura.

Acreditamos que a PNL seja a próxima geração da psicologia. Ela tem sido chamada de novo paradigma da aprendizagem e de nova linguagem da psicologia. Enquanto modelo da estrutura da experiência humana, pode ser um longo passo adiante na invenção da linguagem. No mínimo, trata-se de um processo poderoso que vai continuar gerando maneiras de alcançar resultados excelentes em uma grande gama de campos diversos. Como a PNL tem a ver com a experiência subjetiva e com a comunicação, de certa forma trata de tudo e de nada. Gregory Bateson a definiu como a primeira abordagem sistemática para aprender a aprender. Trata-se da primeira epistemologia aplicada.

Não basta apenas aprender, é essencial aprender a aprender. Há tanto e tão pouco tempo para aprender. Estamos obtendo conhecimentos e tecnologia a uma velocidade cada vez maior. Trata-se de uma jornada evolutiva que é como despencar montanha abaixo — começa devagar, mas a aceleração cresce em progressão geométrica. E ainda não descobrimos um freio. Infelizmente, o mero acúmulo de conhecimento e de *know-how* técnico não trouxe consigo a sabedoria de que precisamos para usá-lo para o bem do planeta e de todos os que nele vivem. Estamos mais sabidos, porém ainda não somos sábios.

Enormes mudanças estão acontecendo. Noventa por cento de todo conhecimento científico foi acumulado desde o início deste século, período de vida de uma geração que viu a ficção científica de sua infância se tornar fato científico. Paradoxalmente, o aumento de conhecimento nos faz sentir mais ignorantes e impotentes. Quanto mais conhecimento existe, mais nos sentimos ignorantes e dependentes de especialistas para fazer as coisas mais simples.

A ciência e a tecnologia que levaram a esta enorme expansão de conhecimento e poder tiveram conseqüências desastrosas, das quais só agora tomamos conhecimento. Isso torna a descida pela encosta da montanha potencialmente perigosa. Os acontecimentos ocorrem com tal rapidez que só agora podemos ver para onde estamos indo. Assistimos pela televisão a destruição da floresta Amazônica e sabemos pelos jornais que o planeta está se aquecendo e que cientistas podem monitorar os buracos na camada de ozônio. Agora não é mais uma questão de saber se o futuro será diferente, mas se teremos um futuro.

O mundo se tornou um lugar perigoso para qualquer coisa que esteja abaixo da Utopia.

Buckminster Fuller

Quando olhamos ao nosso redor, quantos de nós ficam satisfeitos com o que vêm? Cada um de nós sente uma pressão cada vez maior de mudança. Cada um de nós tem um papel a desempenhar para que essa corrida desenfreada por tecnologia e poder não escape ao nosso controle, provocando conseqüências desastrosas para o planeta. Temos que controlá-la, não podemos pular fora. A questão é saber como.

O indivíduo é a fonte de criatividade que permite que a evolução social aconteça. E é o nível de consciência dos indivíduos que cria o nível de consciência da sociedade.

A mudança social começa com a mudança individual. Estamos diante de muitos problemas sociais e ecológicos. Se quisermos construir uma sociedade que saiba lidar com esses problemas, temos que agir agora. À medida que o tempo passa e o conhecimento aumenta, duas questões se tornam cada vez mais urgentes: O que vale a pena saber? O que vale a pena fazer?

Os produtos da ciência e da tecnologia devastaram o mundo. A atitude e a visão de mundo que nos deram essa ciência e essa tecnologia estão profundamente entranhadas na nossa cultura e têm um profundo impacto sobre nosso mundo interior.

A ciência se desenvolveu através de uma série de experimentos repetidos de controle da natureza, o que nos permitiu formular leis e teorias matemáticas. O homem não mais se considera parte da natureza do ponto de vista prático. O homem, o experimentador, tende a se afastar da natureza, o seu experimento. E não admite que esse experimento modifica a natureza ou influencia o resultado, porque isso significaria renunciar à sua luta pela objetividade. Tentar obter um resultado objetivo significaria que outro experimentador teria que monitorar o primeiro experimentador. Isto criaria um impossível e infinito retorno, como um pintor que tenta se incluir na paisagem que pinta. Ele nunca poderá pintar o pintor que está pintando o quadro.

Passamos a tratar a natureza como uma máquina, impondo-lhe leis externas, em vez de tratá-la como um organismo. Uma máquina é por natureza previsível. Em teoria, tudo que é necessário fazer é descobrir todas as regras e todos os segmentos. Assim, buscamos pintar uma imagem cada vez mais completa da natureza e o pintor foi esquecido.

O conhecimento ficou divorciado da experiência. Tornou-se algo que se aprende de segunda mão, um corpo abstrato de teoria que existe independentemente daquele que o possui e cresce sem parar. O que importa é o produto final, a teoria, não a experiência de aprendizagem.

Esta maneira de objetivar o conhecimento limita profundamente o tipo de conhecimento com o qual se pode lidar. Na pior das hipótese, as emoções, a arte e os relacionamentos são desvalorizados, porque dependem da experiência subjetiva. As leis científicas não mais parecem relacionar-se com o mundo real da experiência humana.

Teorias científicas são metáforas sobre o mundo. Não são uma verdade absoluta, mas apenas uma maneira de pensar o mundo, assim como uma pintura é uma maneira de representar a paisagem. Estamos descobrindo que nossa maneira de pensar o mundo tem sido útil em alguns aspectos e catastrófica em outros.

Essa metáfora de um mundo previsível e objetivo foi abalada pela física quântica. Quanto mais investigamos, mais fica claro que não só o observador tem uma influência sobre aquilo que observa, como também é parte integrante de qualquer experiência científica. A luz atuará sob a forma de partículas ou de ondas, dependendo do tipo de experiência que se empreenda. É impossível determinar onde está a partícula e quando ela existe. O mundo é fundamentalmente indeterminado. A partir da física quântica, a metáfora do relógio do universo deixa de ser preponderante.

As novas explorações e idéias da teoria dos sistemas e o estudo sobre o caos e a ordem estão nos mostrando que mesmo em sistemas muito simples é impossível prever todas as variáveis, e a mais leve variação pode modificar todo o sistema. É o início de uma revolução que está mudando totalmente a maneira como vemos a natureza.

O caos é a casualidade previsível, resumida no chamado "efeito borboleta", denominação que nasceu de uma palestra do meteorologista americano Edward Lorenz intitulada "Quando uma borboleta bate as asas no Brasil pode provocar um tornado no Texas?" Lorenz estava usando um programa de computador para medir as variações meteorológicas. Cansado de digitar números enormes, pensou que não faria diferença arredondar algumas casas decimais. Surpreso, descobriu que isso mudaria radicalmente as previsões meteorológicas mundiais. Uma pequena mudança no lugar certo pode ter enormes conseqüências. Isso prova que a natureza é um todo sistêmico, e não algo independente de nós com o qual podemos fazer experiências impunemente. Como diz Gregory Bateson em *Steps to an ecology of mind*, "a falta de sabedoria sistêmica é sempre punida".

Essas novas metáforas científicas nos permitem voltar a fazer parte da natureza. Da mesma forma, a PNL enquanto metáfora nos leva de volta à nossa experiência subjetiva e expressa a natureza sistêmica da nossa experiência interior.

Hoje, conhecemos a complexidade do mundo externo e o impacto que nós, observadores invisíveis, podemos provocar no mundo externo. As conseqüências de nossa maneira de pensar se refletem fielmente no mundo exterior. O universo é um instrumento perfeito de *feedback*. Obtemos aquilo que pensamos. Se queremos modificar o mundo, precisamos mudar primeiro. Para influenciar e moldar o mundo exterior com sabedoria, precisamos explorar e modificar nossa experiência interna.

Enquanto estudo da estrutura da experiência subjetiva, a PNL nos permite essa exploração interior. Ela não toma os modelos que criamos e os confunde com a realidade, mas estuda como os criamos.

Para criar excelência, precisamos influenciar muitos campos diferentes de atividade. De certa forma, quando este processo estivesse completo, a PNL cessaria de existir como disciplina à parte. Assimilada na vida do dia-a-dia, seria desnecessária, como um professor que conseguiu que seus alunos aprendessem sozinhos.

A PNL faz parte de um movimento que está se tornando cada vez mais forte, um movimento que busca atuar sobre o mundo de maneira mais efetiva, usando as habilidades e o conhecimento que possuímos, com delicadeza, sabedoria e equilíbrio. Temos muito o que aprender com o ditado balinês que diz: "Não temos nenhuma arte, apenas fazemos as coisas da melhor maneira possível".

Estamos descobrindo que somos capazes de criar um mundo belo e fascinante, cheio de infinitas surpresas.

> As pessoas viajam para procurar maravilhas
> no topo das montanhas,
> nas altas ondas do mar,
> nos longos cursos dos rios, na vasta extensão do oceano,
> no movimento circular das estrelas,
> e passam por si mesmas sem se maravilhar.
>
> Santo Agostinho

INVESTINDO EM SI MESMO

É cada vez maior o número de pessoas que buscam satisfação interior sob os mais diferentes nomes: desenvolvimento pessoal, evolução pessoal, autodesenvolvimento, autoconhecimento, desenvolvimento espiritual ou realização maior do nosso potencial.

De acordo com Peter Russell em seu excelente livro *The awakening Earth*, o campo do desenvolvimento pessoal cresce cada vez mais e praticamente duplica a cada quatro anos. Em seu sentido lato, desenvolvimento pessoal abrange uma gama diversificada de atividades que inclui a meditação, a ioga, o tai chi, o aconselhamento, Gestalt terapia, psicoterapia, terapia de grupo, análise transacional, renascimento, treinamento de assertividade, gerenciamento do estresse, conscientização da prosperidade e muito mais, sem esquecer, é claro, a PNL.

Cada pessoa é atraída a um caminho de desenvolvimento pessoal. O fato de você estar lendo este livro indica que neste momento você está interessado em estudar PNL.

Você é o melhor juiz para decidir que caminho lhe é o mais apropriado para você num dado momento. Qualquer que seja o caminho escolhido, ele exigirá em certo investimento de tempo e dinheiro, pois envolverá planejamento, viagens, compra de livros ou fitas e participação em cursos. Na verdade, você investe algum dinheiro que retorna sob a forma de desenvolvimento pessoal. Todos nós gastamos uma determinada quantidade de dinheiro e de tempo conosco.

Vale a pena parar por um instante para calcular rapidamente a percentagem de renda que você investiu em si mesmo nos últimos anos. Primeiro faça uma lista das atividades que você considera de desenvolvimento pessoal. Lembre-se que essas atividades devem ter um efeito duradouro e produtivo, ou seja, devem continuar produzindo benefícios. A meditação tem esta qualidade, tomar sorvete não.

Agora faça uma estimativa do custo de cada uma dessas atividades. Observe também os benefícios que você obteve de cada uma delas. Agora calcule o custo total. Que percentagem de sua renda você investiu nesse período?

Vale a pena comparar o que você gastou com o que as empresas investem no treinamento e desenvolvimento de seus funcionários. Na maioria das empresas da Grã-Bretanha, esse custo fica em torno de 1 a 2% do faturamento, e, nas empresas mais bem-sucedidas, chega a quase 10%.

A percentagem de renda que você investe em si mesmo indica quanto você se valoriza. Você é o seu recurso mais valioso e pode ser seu melhor investimento.

Você investe tanto em si mesmo quanto gostaria? Além dos benefícios internos, podem existir benefícios financeiros também.

Tenho uma amiga que estava muito insatisfeita com a sua vida. Trabalhava como cozinheira e ganhava cerca de 7.000 libras por ano. Durante três ou quatro anos, investiu cerca de 10% de sua renda em seu desenvolvimento, incluindo treinamento em PNL, e mudou totalmente sua vida. Hoje ela acha a vida muito mais satisfatória e passou a ganhar 20.000 libras por ano.

O fluxo de dinheiro em nossa vida reflete com precisão o fluxo de pensamentos em nossa mente. Portanto, se você quiser modificar sua conta bancária, mude sua maneira de pensar. Esta é a noção básica da conscientização de prosperidade.

Em um nível mais geral, se você quer modificar sua realidade externa, primeiro modifique sua realidade interna. A PNL trata da mudança de nossa realidade interna. A menos que os benefícios sejam claros, não há motivação para investir tempo e dinheiro. Quais são os benefícios do investimento em treinamento de PNL?

Como cada pessoa tem uma personalidade única e um potencial específico, os benefícios de um curso de treinamento em PNL variam de pessoa para pessoa. O que você vai obter depende principalmente daquilo que você quer obter. Portanto, é bom ter clareza sobre seus objetivos.

Muitas pessoas buscam principalmente um desenvolvimento pessoal. Talvez estejam passando por um período difícil e queiram adquirir habilidades e instrumentos para provocar mudanças. Outras podem simplesmente estar conscientes de que sua vida pode ser mais rica.

Algumas pessoas procuram um curso de PNL basicamente por razões profissionais, embora o desenvolvimento pessoal e profissional caminhem lado a lado. As habilidades adquiridas através da PNL são inestimáveis para o campo dos relacionamentos interpessoais. Muitos profissionais usam a PNL em seu trabalho: professores, conselheiros, treinadores, terapeutas, psiquiatras, enfermeiras, assistentes sociais, consultores administrativos e vendedores. A PNL aumenta a eficiência no trabalho e dá uma maior sensação de bem-estar. Muitos profissionais procuram a PNL em busca de sucesso financeiro e obtêm um retorno tangível em seus investimentos.

Os participantes com freqüência declaram ter adquirido uma nova dimensão em sua experiência, uma nova perspectiva de vida, mais opções, mais idéias criativas e novas habilidades a serem aplicadas. Um aumento da conscientização e da flexibilidade revitaliza tanto a vida profissional como a pessoal.

E por fim, mas não menos importante, um curso de PNL é muito prazeroso, uma oportunidade de se divertir e conhecer pessoas interessantes.

Embora você possa aprender PNL nos livros, ela é uma atividade experimental, que engloba a aquisição de filtros de percepção, padrões e habilidades de comportamento, e não apenas idéias teóricas. A experiência de contato com os outros tem muito mais significado e impacto do que a palavra escrita. Para ter valor, a PNL deve ser usada no nível da experiência.

Um seminário de treinamento em PNL fornece um ambiente seguro no qual a pessoa poderá aprender na prática os padrões, ao lado de pessoas solidárias e sob supervisão adequada.

Há um antigo provérbio chinês que diz:
Eu escuto e esqueço.
Eu vejo e me lembro.
Eu faço e compreendo.

O investimento no treinamento é muito maior do que o investimento em livros e implica um estudo cuidadoso, mas os benefícios também são maiores.
A única maneira de descobrir se a PNL vai servir para você é participar de um seminário de treinamento. A seguir, nós o ajudaremos a escolher o curso mais adequado para você.

COMO ESCOLHER UM TREINAMENTO DE PNL

Este capítulo oferece algumas orientações que lhe permitirão escolher que tipo de treinamento de PNL fazer.
Os cursos de PNL estão sendo oferecidos em grande número e variedade. Atualmente, é possível escolher entre uma introdução que leva dois dias, cursos mais adiantados, incluindo cursos especializados para aplicações específicas e treinamentos de PNL mais longos. Muitas organizações oferecem uma primeira noite gratuita, para você conhecer as pessoas que vão dar o curso e os programas que são oferecidos.
Há cursos voltados especialmente para a aplicação da PNL em áreas específicas, tais como educação, negócios, vendas, reuniões, negociações, música, acupuntura, aconselhamento, psicoterapia e hipnoterapia.
Há também cursos de atualização que oferecem os mais recentes padrões e descobertas da PNL.
O treinamento que oferece um diploma de *practitioner* envolve investimento maior. São cerca de 150 horas de treinamento divididas por vinte dias ou mais. Muitos cursos estão oferecendo um treinamento básico e um período opcional que fornece diploma ou o nível de *practitioner*.
A partir daí temos o *master practitioner*, ou nível avançado, que também exige um investimento de tempo maior. Além disso, há cursos de novas técnicas e de treinamento de instrutores.
Em termos práticos, a primeira pergunta a fazer é qual o tipo de treinamento que você deseja. Talvez você precise obter mais informações antes de decidir. Você quer simplesmente receber um treinamento em PNL ou deseja um treinamento numa área específica? Se for o caso, qual seria essa área? Você quer um certificado ou uma qualificação no treinamento?
O custo e o local do curso devem evidentemente ser levados em consideração, tanto em termos de conveniência como de tempo. Não se esqueça de acrescentar as despesas de viagem e acomodação, se for o caso.

Quanto tempo demora o curso? Como ele se encaixa em seus outros compromissos? Os programas são flexíveis? Você terá que participar de todo o curso, ao qual ficará preso goste ou não, ou ele está organizado em etapas, o que lhe permitirá abandoná-lo segundo sua conveniência? Exige-se um depósito inicial? Em que condições o contrato pode ser anulado? Qual é o cronograma do curso? Ele será ministrado nos finais de semana ou em dias úteis? Os cursos de *practitioner* em geral abrangem um período noturno.

Os instrutores são uma parte muito importante do curso. Algumas organizações utilizam instrutores internacionalmente conhecidos. O custo pode aumentar, mas esses instrutores em geral têm uma grande experiência.

O mais importante é sua avaliação do curso e dos instrutores. A PNL diz respeito a experiência subjetiva e leva em consideração seus critérios pessoais de qualidade e de importância.

Você aprecia e respeita os instrutores? Você tem um bom relacionamento com eles? São pessoas íntegras em quem você pode confiar? Cada instrutor tem um estilo pessoal. Esse estilo lhe agrada? Você conseguirá aprender bem com esses instrutores?

Descubra o máximo que puder. Telefone para as organizações e peça informações a respeito dos cursos. Converse a respeito das suas exigências. Cuidado com as organizações de treinamento que fazem pouco caso dos outros. Trata-se de uma conduta antiprofissional e que pode ser usada para encobrir as deficiências da organização. Uma boa organização não julgará necessário falar mal das outras. Muitas organizações oferecem a oportunidade de uma visita e de uma conversa com os instrutores. Para muitas pessoas, a recomendação é um critério-chave. Talvez você tenha amigos que já participaram do treinamento e que poderão lhe dar informações valiosas. Há pessoas que preferem atender à recomendação de um amigo, enquanto outras pessoas preferem tomar a decisão sozinhas.

GLOSSÁRIO

Acompanhar — Adotar partes do comportamento de outra pessoa para aumentar o *rapport*. Obter e manter *rapport* com outra pessoa, entrando no seu modelo de mundo. É possível acompanhar crenças, idéias e comportamentos.
Acuidade sensorial — Produto de um processo de refinamento e diferenciação das informações sensoriais que obtemos do mundo.
Ambigüdade de pontuação — Ambigüidade criada pela fusão de duas frases separadas em uma única oração.
Ambigüidade fonética — A que ocorre entre duas palavras que têm o mesmo som, mas significados diferentes (conserto/concerto, estático/extático).
Ambigüidade sintática — O mesmo que *anfibologia*.
Analógico — Que oscila continuamente entre um limite e outro, como um interruptor de luz.
Ancoragem — O processo pelo qual qualquer estímulo ou representação (externa ou interna) fica conectado a uma reação e a dispara. As âncoras podem ocorrer naturalmente ou ser criadas intencionalmente.
Anfibologia — Ambigüidade provocada pela construção da frase, criando uma duplicidade de sentido. Também chamada *ambigüidade sintática*.
Associar — Dentro de uma experiência, enxergar através dos próprios olhos, de plena posse de todo os seus sentidos.
Auditivo — Relativo à audição.

Calibração — Perceber atentamente o estado de outra pessoa, lendo os sinais não-verbais.
Campo unificado — Estrutura unificadora da PNL. Uma matriz tridimensional de níveis neurológicos, posições perceptivas e tempo.
Capacidade — Uma estratégia bem-sucedida para realizar uma tarefa.
Cinestesia — Ligação automática entre um sentido e outro.
Cinestésico — Relativo aos sentidos, ao aparato sensorial, que inclui sensações táteis, sensações internas (como por exemplo as sensações lembradas e as emoções) e o senso de equilíbrio.

Citação — Padrão lingüístico no qual a mensagem é expressa como se fosse de outra pessoa.
Comportamento — Qualquer atividade, incluindo os processos mentais.
Conciliação de objetivos — O processo de agrupar vários objetivos, optimizando as soluções. É a base das negociações onde todos saem ganhando.
Congruência — Estado de integridade e de total sinceridade em que todos os aspectos da pessoa trabalham juntos para atingir um objetivo.
Consciente — Relativo a tudo que está na nossa percepção no momento presente.
Crenças — Generalizações que fazemos a respeito do mundo e em que baseamos nossos comportamentos.
Critério — O que é importante para a pessoa dentro de um determinado contexto.
Critérios de boa formulação — Uma maneira de pensar e expressar o objetivo que o torna passível de ser atingido e verificado. Esses critérios são a base da conciliação de objetivos e das soluções mutuamente satisfatórias.

Descrição baseada nos sentidos — A informação que pode ser diretamente observada e comprovada pelos sentidos. Trata-se da diferença entre dizer "Seus lábios estão levemente separados, revelando uma parte dos dentes, e os cantos de sua boca estão ligeiramente elevados" e "Ela está feliz" — que é uma interpretação.
Descrição múltipla — Processo de descrever a mesma coisa a partir de diferentes pontos de vista.
Descrição tripla — Processo de perceber experiência através da primeira, segunda e terceira posições.
Dessemelhar — Adotar padrões de comportamento diferentes dos de outra pessoa; quebrar o *rapport* a fim de redirecionar ou interromper uma reunião ou conversa.
Digital — Que varia entre dois estados diferentes, como quando um interruptor de luz é ligado ou desligado.
Dissociado — Que não está dentro de uma experiência, que observa ou ouve de fora.
Distorção — Processo pelo qual algo dentro da experiência interior é representado de maneira incorreta e limitadora.
Ecologia — Preocupação com o relacionamento geral entre um ser e seu ambiente. O termo também é usado em referência à ecologia interna: o relacionamento global entre uma pessoa e seus pensamentos, estratégias, comportamentos, capacidades, valores e crenças. O equilíbrio dinâmico dos elementos em qualquer sistema.
Epistemologia — O estudo de como sabemos o que sabemos.
Equivalência complexa — Duas afirmações que pretendem significar a mesma coisa. Por exemplo: "Ele não está olhando para mim, portanto não está ouvindo o que digo".

Espelhamento cruzado — Acompanhar a linguagem corporal de uma pessoa com um movimento diferente, por exemplo, bater o pé no ritmo da sua fala.
Espelhar — Copiar de maneira precisa segmentos do comportamento de outra pessoa.
Estado — A maneira como a pessoa se sente, o seu humor. A soma de todos os processos neurológicos e físicos de uma pessoa num determinado momento. O estado em que nos encontramos afeta nossas capacidades e nossa interpretação da experiência.
Estado de recursos — A experiência neurológica e física quando a pessoa tem recursos.
Estratégia — Uma seqüência de pensamentos e comportamentos para atingir um determinado objetivo.
Estrutura "como se" — Fingir que um acontecimento ocorreu, para poder pensar "como se" ele tivesse ocorrido, o que permite encontrar soluções criativas para os problemas e ultrapassar mentalmente obstáculos aparentes a fim de chegar às soluções desejadas.
Estrutura — Um contexto ou uma maneira de perceber algo, como por exemplo na estrutura de objetivos, estrutura de *rapport*, estrutura de recapitulação etc.
Estrutura de superfície — Termo lingüístico usado na comunicação escrita ou falada. Deriva da estrutura profunda através da omissão, distorção ou generalização.
Estrutura profunda — A forma lingüística completa de uma afirmação, da qual deriva a estrutura de superfície.
Evocar — Entrar em contato com um estado mental através do comportamento. Também significa coleta de informação, seja pela observação direta de sinais não-verbais ou das perguntas do metamodelo.
Exteriorização — Estado no qual a atenção e os sentidos estão voltados para fora.

Filtros perceptivos — Idéias, experiências, crenças e linguagem que dão forma ao nosso modelo de mundo.
Fisiológico — Relativo à fisiologia, à parte física de uma pessoa.

Generalização — Processo pelo qual uma experiência específica passa a representar toda uma classe de experiências.
Gustativo — Relativo ao paladar.

Identidade — A auto-imagem ou o autoconceito. Quem a pessoa acha que é. A totalidade do ser.
Incongruência — Estado de conflito em que não se está totalmente empenhado no objetivo. O conflito interno será expresso no comportamento da pessoa.

Inconsciente — Tudo o que não está dentro da nossa percepção do momento.
Intenção — O propósito de uma ação, o resultado que se deseja obter com ela.
Interiorização — Estado leve de transe em que a atenção se volta para dentro, para os próprios pensamentos e sensações.
Lados — Aspectos da personalidade que às vezes possuem intenções conflitantes.
Linha temporal — A forma como armazenamos imagens, sons e sentimentos de nosso passado, presente e futuro.

Mapa da realidade — As representações de cada pessoa a respeito do mundo, construído a partir de suas percepções e experiências individuais. O mesmo que *modelo de mundo*.
Meta — Radical que define o que existe num nível lógico diferente. Derivado do grego, significa "para além".
Metacognição — A capacidade de saber o que se conhece: ter uma habilidade e poder explicar como ela é realizada.
Metáfora — Comunicação indireta que utiliza uma história ou uma figura de linguagem e implica uma comparação. Na PNL, a metáfora engloba parábolas, alegorias e similaridades.
Metamodelo — Modelo que identifica os padrões de linguagem que impedem ou obscurecem o significado da comunicação. Utiliza a distorção, a omissão e a generalização e perguntas específicas que vão esclarecer e colocar em questão a linguagem imprecisa, para ligá-la a uma experiência sensorial e à estrutura profunda.
Metaprogramas — Filtros que aplicamos sistematicamente à nossa experiência.
Modelagem — Processo de discernir a seqüência das idéias e comportamentos que permitem a alguém fazer uma tarefa. É a base da aprendizagem acelerada.
Modelo — Uma descrição prática da maneira como algo funciona e que tem como propósito a utilidade. Uma cópia generalizada, omitida ou distorcida.
Modelo de mundo — O mesmo que *mapa da realidade*.
Modelo Milton — O inverso do metamodelo. Utiliza padrões de linguagem bastante vagos para acompanhar a experiência de outra pessoa e ter acesso a recursos inconscientes.

Níveis neurológicos — Também conhecidos como níveis lógicos da experiência: ambiente, comportamento, capacidade, crença, identidade e nível espiritual.
Nível lógico — Algo está num nível lógico superior quando inclui algo que se encontra num nível lógico inferior.

Novo código — Abordagem da PNL segundo o trabalho de John Grinder e Judith Delozie, contida no livro *Turtles all the way down.*
Objetivo — Resultado específico que se deseja alcançar. Baseia-se nos sentidos e obedece a critérios de boa formulação.
Olfativo — Relativo ao olfato.
Omissão — No discurso ou no pensamento, exclusão de uma parte da experiência.
Operador modal de necessidade — Termo lingüístico que contém uma regra (ter que, dever etc.).
Operador modal de possibilidade — Termo lingüístico que indica o que é possível (poder, não poder, conseguir etc.).
Orientar — Modificar o próprio comportamento e estabelecer *rapport*, para que outra pessoa o siga.

Pistas de acesso — Maneiras como sintonizamos e afinamos nosso corpo através da respiração, postura, gestos e movimentos oculares, para pensar de um determinado modo.
Pistas visuais de acesso — Movimentos oculares em determinadas direções, que indicam pensamento visual, auditivo ou cinestésico.
Ponte para o futuro — Ensaio mental de um objetivo para assegurar que o comportamento desejado irá ocorrer.
Posição perceptiva — O ponto de vista de adotamos num determinado momento para ter consciência de alguma coisa. Pode ser o nosso próprio ponto de vista (primeira posição), o ponto de vista de outra pessoa (segunda posição), ou o de um observador objetivo (terceira posição).
Postulado de conversação — Forma hipnótica de linguagem, uma pergunta que é interpretada como uma ordem.
Predicados — Palavras que, baseadas nos sentidos, indicam o uso de um determinado sistema representacional.
Pressuposições — Idéias ou afirmações que são dadas como certas para que uma comunicação faça sentido.
Primeira posição — Maneira de perceber o mundo unicamente do nosso próprio ponto de vista. Estar em contato com a nossa realidade interna. Uma das três posições perceptivas.
Programação neurolingüística — O estudo da excelência e o modelo de como as pessoas estruturam sua experiência.

Quantificadores universais — Termo lingüístico que se aplica a palavras como: "todos" e "sempre", que não admitem exceções. Uma das categorias do metamodelo.

Rapport — Relação de mútua confiança e compreensão entre duas ou mais pessoas. A capacidade de provocar reações de outra pessoa. Também chamado de *empatia*.

Recapitulação — Repetir ou resumir, usando as palavras e o tom de voz de outra pessoa.
Recurso — Tudo o que se pode usar para atingir um objetivo: fisiologia, estados, pensamentos, estratégias, experiências, pessoas, acontecimentos ou bens materiais.
Remodelar — O mesmo que *ressignificar*.
Representação — Uma imagem mental; informações sensoriais codificadas ou armazenadas na mente.
Representações internas — Padrões de informação que criamos e armazenamos em nossa mente, combinando imagens, sonhos, sensações, cheiros e paladares.
Ressignificação de conteúdo — Tomar uma afirmação e dar-lhe um novo significado, voltando a atenção para outra parte do conteúdo e perguntando: "O que mais isto poderia significar?"
Ressignificação de contexto — Mudar o contexto de uma declaração dando-lhe outro significado, através da pergunta: "Onde essa reação seria adequada?"
Ressignificar — Mudar a estrutura de referência para lhe dar um novo significado. O mesmo que *remodelar*.

Segmentação — Mudar a percepção, subindo ou descendo uma etapa de nível lógico. A segmentação para cima implica subir a um nível que inclua aquilo que se está estudando. A segmentação para baixo implica descer ao nível inferior para obter um exemplo específico daquilo que se está estudando. Isto pode ser feito na relação entre membros e classe, ou partes e todo.
Segunda posição — Aquela em que se percebe o mundo do ponto de vista de outra pessoa, em harmonia e em contato com a realidade dela. Uma das três posições perceptivas.
Sistema preferencial — O sistema representacional que a pessoa usa habitualmente para pensar de maneira consciente e organizar sua experiência.
Sistema principal — O sistema representacional que encontra informações para alimentar a consciência.
Sistema representacional — A maneira como codificamos mentalmente a informação em um ou em vários dos cinco sistemas sensoriais: visual, auditivo, cinestésico, olfativo e gustativo.
Sistema vestibular — Sistema representacional que lida com a sensação de equilíbrio.
Sobrepor — Usar um sistema representacional para ter acesso a outro; por exemplo, criar uma cena e depois ouvir os sons dessa cena.
Submodalidades — Distinções dentro de cada sistema representacional; qualidade das nossas representações internas; o menor dos blocos dos nossos pensamentos.

Substantivação — Termo lingüístico que indica o processo de transformar um verbo em substantivo abstrato.

Sujeitos não especificados — Aqueles que estão ocultos ou não especificam a quem ou a que se referem.

Terceira posição — Aquela em que se percebe o mundo do ponto de vista de um observador distante e indulgente. Uma das três posições perceptivas.

Transe — Estado alterado de consciência em que a atenção se volta para dentro e se concentra em poucos estímulos.

Valores — Aquilo que é importante para a pessoa.

Verbos não especificados — Verbos cujo advérbio foi omitido e portanto não expressam a maneira como a ação foi feita. O processo não fica especificado.

Visual — Relativo ao sentido da visão.

Visualização — O processo de ver imagens mentais.

Livros de Programação Neurolingüística

APRENDIZAGEM DINÂMICA — Vol. 1
Robert B. Dilts e Todd A. Epstein

APRENDIZAGEM DINÂMICA — Vol. 2
Robert B. Dilts e Todd A. Epstein

ATRAVESSANDO — Passagens em psicoterapia
Richard Bandler e John Grinder

CRENÇAS — Caminhos para a saúde e o bem-estar
Robert Dilts, Tim Hallbom e Suzy Smith

ENFRENTANDO A AUDIÊNCIA
Recursos de Programação Neurolingüística para apresentações
Robert B. Dilts

A ESSÊNCIA DA MENTE — Usando seu poder interior para mudar
Steve Andreas e Connirae Andreas

A ESTRATÉGIA DA GENIALIDADE — Vol. I
(Aristóteles, Mozart, Sherlock Holmes, Walt Disney)
Robert B. Dilts

FOTOLEITURA — O sistema Whole Mind
Paul R. Scheele

A GERÊNCIA DE SI MESMO — 2ª Edição — Revista e ampliada
Antônio Walter de A. Nascimento

INTRODUÇÃO À PROGRAMAÇÃO NEUROLINGÜÍSTICA
Como entender e influenciar as pessoas
Joseph O'Connor e John Seymour

KNOW-HOW — Como programar melhor o seu futuro
Leslie Cameron-Bandler, David Gordon e Michael Lebeau

O MÉTODO EMPRINT — Um guia para reproduzir a competência
Leslie Cameron-Bandler, David Gordon e Michael Lebeau

MODERNAS TÉCNICAS DE PERSUASÃO — A vantagem oculta em vendas
Donald J. Moine e John H. Herd

MUDANDO O SEU DESTINO
Novos instrumentos dinâmicos de astrologia e de visualização para formar o seu futuro
Mary Orser e Richard Zarro

PNL E SAÚDE
Recursos de programação neurolingüística para uma vida saudável
Ian McDermott e Joseph O'Connor

O REFÉM EMOCIONAL — Resgate sua vida afetiva
Leslie Cameron-Bandler e Michael Lebeau

RESIGNIFICANDO — PNL e a transformação do significado
Richard Bandler e John Grinder

SAPOS EM PRÍNCIPES — Programação neurolingüística
Richard Bandler e John Grinder

SOLUÇÕES — Antídotos práticos para problemas sexuais e de relacionamento
Leslie Cameron-Bandler

SUCESSO EM VENDAS COM PNL
Recursos de programação neurolingüística para profissionais de vendas
Joseph O'Connor e Robin Prior

TERAPIA NÃO-CONVENCIONAL
As técnicas psiquiátricas de Milton H. Erickson
Jay Haley

TRANSFORMAÇÃO ESSENCIAL — Atingindo a nascente interior
Connirae Andreas com Tamara Andreas

TRANSFORMANDO-SE... — Mais coisas que você não sabe que não sabe
Steve Andreas e Connirae Andreas

TREINANDO COM A PNL
Recursos de programação neurolingüística para administradores, instrutores e comunicadores
Joseph O'Connor e John Seymour

USANDO SUA MENTE — As coisas que você não sabe que não sabe
Richard Bandler

www.gruposummus.com.br

IMPRESSO NA
sumago gráfica editorial ltda
rua itauna, 789   vila maria
02111-031 são paulo sp
tel e fax 11 **2955 5636**
sumago@sumago.com.br

G R Á F I C A
sumago